Naše HORY

Martin Čihař

Nakladatelství
vydavatelství

CESTY

ÚVODEM

Co jsou to hory? Jazykem geografických příruček vypouklý zemský povrch hornatinného, výjimečně vrchovinného typu. V poměrech střední Evropy podobné krajině odpovídá nadmořská výška devíti set až šestnácti set metrů a relativní rozmezí mezi nejnižším a nejvyšším bodem okolo 300 až 600 metrů. Co na to lesníci nebo botanikové? Za začátek horského vegetačního stupně považují úroveň, odkud rostou v přirozených podmínkách kyselé horské jedlobučiny a smrčiny - lesy s více nebo méně vyrovnaným poměrem buku, jedle a smrku. Jiné pravidlo zní, že hory začínají tam, kde ztrácí dech normální polní hospodářství. Lesy, louky a pastviny namísto lánů, polí a políček... A kdybychom se zeptali třeba klimatologa, vysvětlil by nám, že horské celky na mapě téměř přesně odpovídají chladné oblasti, kterou má přesně propočítanou.

Definice hor není snadná ani jednoznačná. Kéž nám při jejím hledání pomůže knížka, kterou právě listujete. Proto snad nejprve několik slov o ní. Při psaní jsme se snažili zvolit co možná přehledné a pro čtenáře přijatelné členění. V sestupném pořadí představujeme české horopisné celky, které vždy přinejmenším jedním vrcholem přesahují pro středoevropské poměry magickou tisícimetrovou hranici. Takových oblastí nebo horských skupin napočítáme šestnáct, konkrétně Krkonoše, Hrubý Jeseník, Králický Sněžník, Šumavu, Moravskoslezské Beskydy, Krušné hory, Rychlebské hory, Jizerské hory, Orlické hory, dále pak Šumavské podhůří, Novohradské hory, Český les, Vsetínské vrchy, Javorníky, Ještědský hřbet a Hanušovickou vrchovinu. Musíme se proto vydat křížem krážem Českým masivem i moravskoslezskými Karpatami. Začneme u Sněžky s jejími 1602 metry a skončíme v malebné Hanušovické vrchovině. Tamní vrchol Jeřábu překonává shora vytčenou metu pouhopouhými třemi metry!

Jednotlivými pohořími se budeme zabývat tak dlouho a v takovém rozsahu, jakou váhu z pohledu atraktivity, zájmů veřejnosti a turistické obce mají. Každá z kapitol má dvě části. V první popisujeme horopisný celek z přírodovědného a ochranářského hlediska. Od základních místopisných a horopisných vymezení se přeneseme k základním datům o zrodu a geologii příslušného horopisného celku a první část uzavřeme přehledem vztahu přírody a člověka. Druhá část každé kapitoly zastává praktičtější, „uživatelské" hledisko. Především představuje důležitější turistická střediska, která jsou s příslušnou horskou oblastí nejtěsněji svázána. Střediska nám poslouží jako základny pro výlety a objevné výpravy. Obvykle se bude jednat o celodenní, nikoli extrémně namáhavé, avšak v řadě případů vydatné okružní trasy. Poskládali jsme je z úseků, které pozornému návštěvníkovi umožňují vstřebávat jak celý ráz toho kterého pohoří, tak jeho základní přírodní a kulturní zvláštnosti a zajímavosti. Nedílnou součástí každé z kapitol bude abecední výčet vytypovaných turistických cílů.

U nejrozsáhlejších a turisticky nejvíce vděčných pohoří navrhujeme možné trasy přechodů. Takové varianty nejsou na rozdíl od okružních výletů vázány na jediné středisko. Předpokládají nést si základní osobní potřeby s sebou, nejlépe na zádech.

Přechody pohořími doporučujeme vřele každému, předpokládáme ale, že budou vyhovovat spíše mladším a sportovněji založeným chodcům.

Ucelená publikace o českých pohořích, vybavená bohatými fotografickými přílohami, dosud na trhu scházela. Doufáme proto, že knihu využijí nejen znalí milovníci přírody, výletů a procházek, ale také ti, kteří se na svoje horská putování teprve chystají. Všem k tomu nádhernému objevování přejeme hodně štěstí a dobré počasí! A také doširoka otevřené oči a srdce.

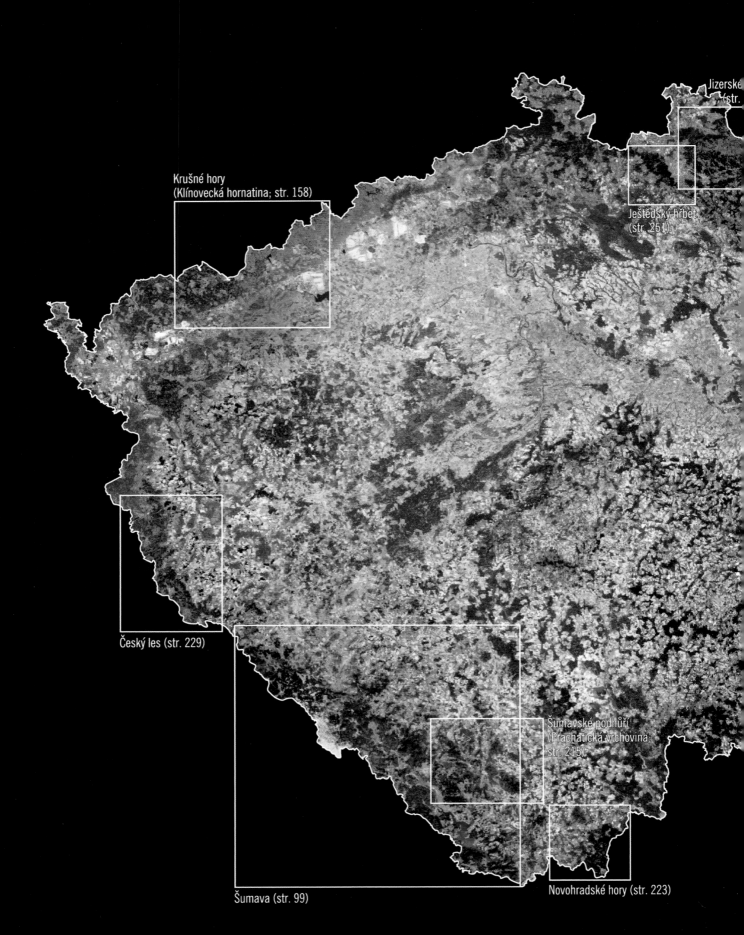

Krušné hory
(Klínovecká hornatina; str. 158)

Jizerské
(str.

Ještědský hřbet
(str. 251)

Český les (str. 229)

Šumavské podhůří
(Prachatická vrchovina;
str. 215)

Šumava (str. 99)

Novohradské hory (str. 223)

České země jsou spjaty s horami...

Pohoří jimi prostupují, objímají je, dávají jim tvář. Uzavírají dokola prstenec, který prostor uprostřed Evropy střeží. Formují jeho přírodní podmínky, současně mu pomáhají vtisknout onen nezaměnitelný kulturní punc – *genius loci*. Co je však důležité a pozoruhodné: všechna ta stará horstva nikdy zemi netísnila natolik, aby zpřetrhala vazby na ostatní svět.
Své hory máme rádi. Není náhoda, že většina českých chráněných území leží právě tady. Kde pramení potoky, jejichž vodu chceme pít? Kde se rodí vláha pro pole, sady a vinice? A odkud vane čerstvý jarní vánek rozdávající křídla?
České hory hýří tvary, barvami, vůní a chutí. Nabízejí vzrušení i pohlazení... Také pokoj, ticho a životní sílu... Ten drahocenný balzám pro naše rozbolavělé duše.

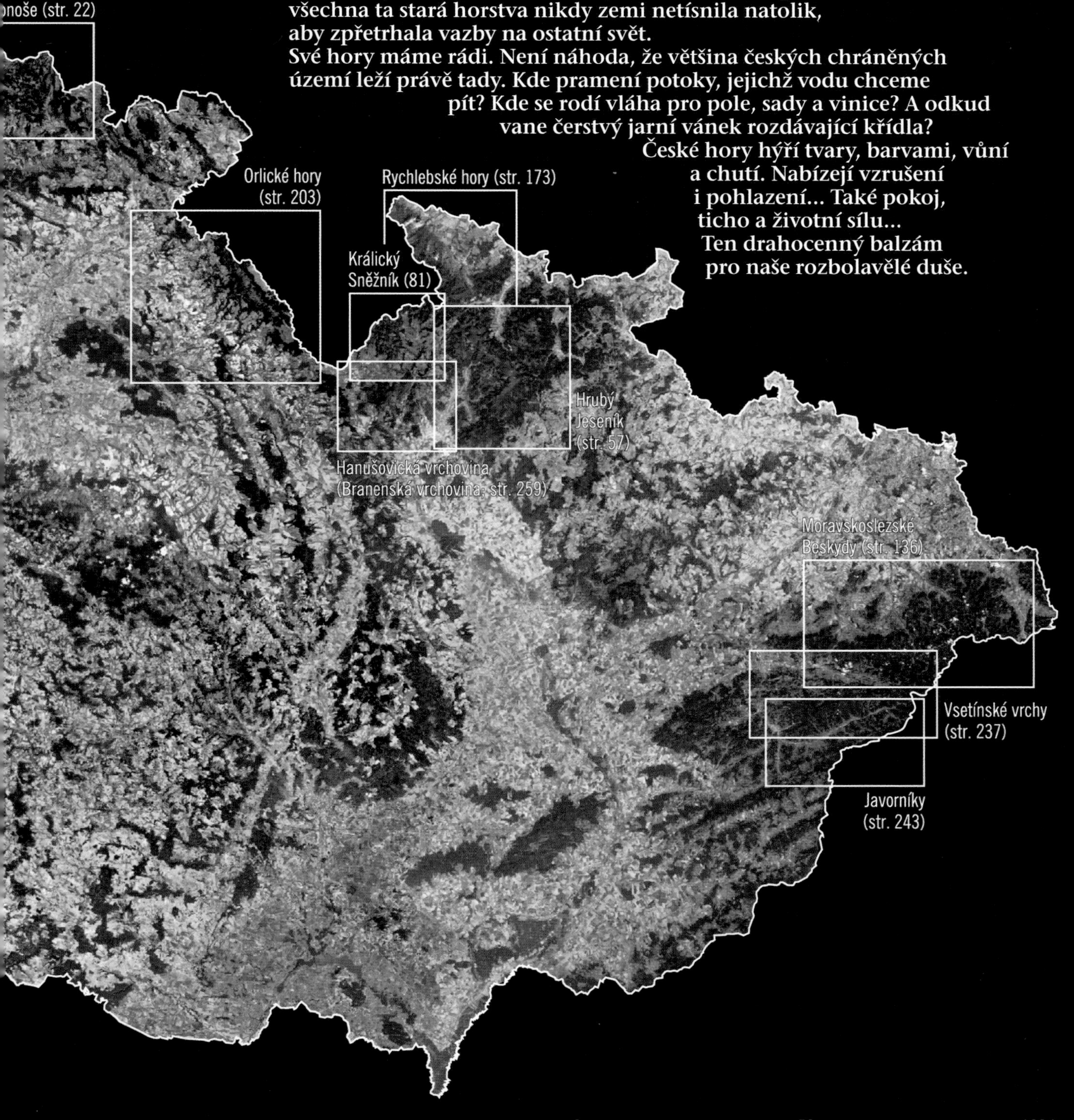

onoše (str. 22)

Orlické hory
(str. 203)

Rychlebské hory (str. 173)

Králický
Sněžník (81)

Hrubý
Jeseník
(str. 57)

Hanušovická vrchovina
(Branenská vrchovina; str. 259)

Moravskoslezské
Beskydy (str. 136)

Vsetínské vrchy
(str. 237)

Javorníky
(str. 243)

0   50   100 km

KRKONOŠE (Obří hory)

*Krkonošům patří mezi českými horami výjimečné postavení.
Jsou nejvyšší a jako v jediných se tu dokonale vytvořil
subalpínský, u samých vrcholů dokonce alpínský vegetační
stupeň. Jedinečnou přírodu Krkonoš pojí tajuplné pouto
s drsnou severskou tundrou, nezapře spřízněnost s evropskými
velehorami číslo jedna - vzdálenými Alpami. Ostrůvek Arktidy
uprostřed Evropy, království otužilých rostlin a živočichů,
svérázných lidí a zvyků. Svět obestřený kouzlem mocného
ducha hor, přísného, ale spravedlivého Krakonoše.*

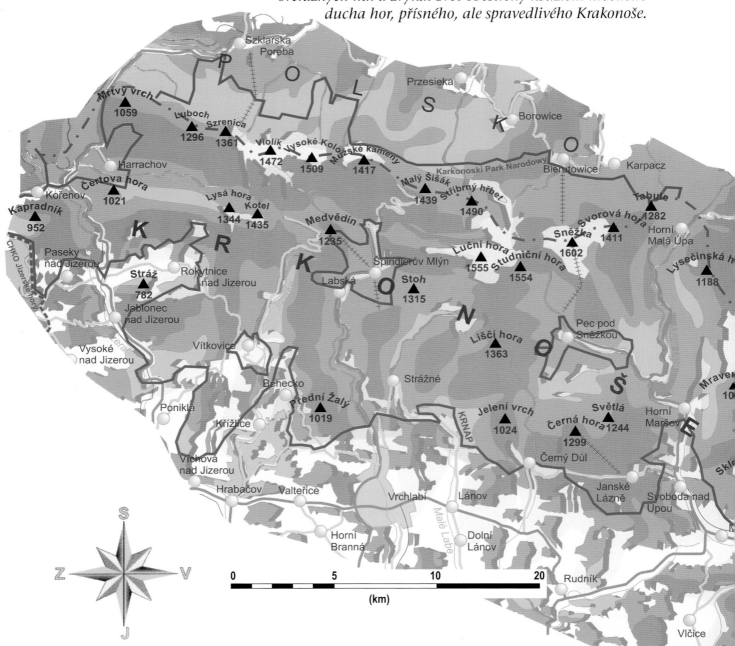

POLOHA

Krkonoše leží na česko-polském pomezí. Novosvětský průsmyk (886 m) na jejich východním kraji a Králo-vecké (Libavské) sedlo (529 m) na západě dělí asi 36 km. Horstvo zaujímá celkovou plochu přes 630 km², téměř dvě třetiny z toho připadají na Čechy.

Je nejvyšším horským celkem Sudetského pohoří, vrcholem Sněžky dosahuje 1602 metry nad úroveň moře. Výše čnějí v širším středoevropském prostoru pouze zmíněné Alpy a na východě Karpaty. Z uvedeného „trojlístku velikánů" leží Krkonoše nejseverněji a z toho pramení jejich nesporná biogeografická výjimečnost. V klimaticky pohnutých časech raných čtvrtohor sehrály úlohu důležitého spojovacího článku mezi svírajícími se a opětovně se rozvírajícími nůžkami ledovcového

1. Východní Krkonoše zpod rýchorské Kutné (896 m). Zleva doprava Luční a Studniční hora, Sněžka

sevření od severu a od jihu.

Českou část Krkonoš tvoří dva význačné podcelky, Krkonošské hřebeny (vnější a vnitřní) a Krkonošské rozsochy. Vnější hřbet je vyšší a v podstatě kopíruje státní hranici. Dominují mu například vrcholky Violíku, Vysokého Kola, Malého Šišáku a Sněžky. Nižší vnitřní hřbet dělí zářez horního Labe na část západní (např. s vrcholy Lysá hora, Kotel, Krkonoš a Medvědín) a část východní (vrcholy Kozí hřbety, Luční hora, Studniční hora). Krkonošské rozsochy vybíhají pak z hřbetů zpravidla jižním směrem. Podle jejich nejnápadnějších hor je označujeme například rozsocha Žalého, rozsocha Zadní Planiny nebo rozsocha Rýchor.

7

GEOLOGIE A GEOMORFOLOGIE

Krkonoše budují převážně krystalické břidlice (metamorfované horniny), zpravidla starohorního nebo staroprvohorního stáří (asi 600 až 100 miliónů let). Přeměněné svory, fylity a ortoruly střídají jenom vzácně křemence, bazické vyvřeliny nebo krystalické vápence. Během variského vrásnění pronikl tehdejším krystalinikem velký žulový pluton, který dal základ velké části dnešního hlavního hřebene. Právě z oné doby

geologických přeměn pocházejí četná ložiska rud. V pozdějším horkém klimatu byly Krkonoše rychle zaoblovány. Zatím k poslednímu vyzdvižení horského celku dochází uprostřed třetihor, v období tzv. saxonských tektonických pochodů. Byly to důsledky a odezva alpínských horotvorných pnutí v sousedních Alpách a v Karpatech.

Dnešní reliéf pohoří můžeme odborně označit jako kernou hornatinu se zbytky zarovnaného povrchu na temenech. Současná výšková členitost řadí pohoří do skupiny vysokohor až velehor

(na polské straně Krkonoš je vyšší). Krkonošský reliéf určují údolní zářezy Labe, Úpy a Jizery i zaoblenější staročtvrtohorní modelace ledovců. Právě po ledovcích se v české části Krkonoš zachovalo osm údolí nebo jejich náznaků. Mívají charakteristický příčný profil ve tvaru písmene U, nejznámější z nich jsou trogy Obřího nebo Labského dolu. Jejich uzávěrům neboli karům se říká jámy (např. Úpská jáma, Kotelní jámy). Přírodní prostředí je tu mimořádně zajímavé z pohledu geologie, geomorfologie, hydrologie, botaniky i zoologie (viz dále). Na polské straně byla některá ledovcová údolí přehloubena dokonce natolik, že se v nich trvale udrží voda (Wielki a Mały Staw, Sniezne Stawki).

Zásluhou periodického tání a mrznutí skal a sutí (tzv. regelace) nacházíme v nejvyšších polohách Krkonoš prazvláštní povrchové tvary, popisované obvykle z dalekého severu nebo z některých světových velehor. Jsou to například tory (skalní torza Mužských, Dívčích nebo Harrachových kamenů), skalní stupně (tzv. mrazové sruby), kryoplanační terasy (v oblasti Luční a Studniční hory) nebo polygonální či brázděné půdy. První z nich tvoří více nebo méně pravidelné kamenné mnohoúhelníky a nalezneme je v těch nejexponovanějších plošších partiích. Ve stejných polohách, ovšem na mírných svazích najdeme půdy brázděné. S regelačními procesy v hřebenových partiích hor souvisí rovněž půdotok neboli soliflukce. Plíživý pohyb rozbředlého půdního

2. Portál vodárny v Obřím dolu.
Díky ní se dostávala voda k boudám
na vrcholu Sněžky

pokryvu po skalním nebo zmrzlém podkladu umožňuje pomalé přesouvání nejen úlomků, nýbrž také mnohatunových horninových bloků. Pomyslným protipólem pomalé soliflukci jsou náhlé, ničivé, a proto obávané kamenitohlinité proudy, nazývané mury. Často je vyprovokují přívalové deště, vyskytují se hlavně ve východní části Krkonoš. V české části hor jich bylo identifikováno ke dvěma stovkám.

VODSTVO

Krkonoše jsou jednou z nejdůležitějších pramenných oblastí ve střední Evropě, zákon je prohlásil za chráněnou oblast akumulace vod. Rodí se zde jeden z největších toků kontinentu, Labe, včetně jeho významných horních přítoků Mumlavy a Úpy. Hřeben horstva tvoří rozvodí mezi Baltem a Severním mořem.

Říční síť Krkonoš se do dnešní podoby formovala již ve třetihorách a během čtvrtohor. Toky jsou zde zastoupeny pramennými, horskými a podhorskými úseky, typické jsou pro ně nevyrovnané podélné profily. Koryta bývají hluboce zaklesnuta v údolích a zdobí je vodopády (známé jsou např. Labský, Pančavský a Mumlavský vodopád) nebo napěněné peřeje. Poměrně hojné jsou v Krkonoších tzv. obří hrnce. Vznikají zvláštními vymílacími procesy (evorze) a prohlédnout si je můžeme třeba v Labské soutěsce pod Špindlerovým Mlýnem. Nejvíc vody mívají místní říčky a potoky v čase jarního tání a pak ještě v době letních přívalových liáků. Hydrologickou situaci a odtokové poměry horských toků ovlivnilo v posledních desetiletích silné odlesňování.

Pozoruhodné jsou určitě hrazenářské úpravy některých částí toků a bystřin (např. dolní úsek Čertovy strouhy). Usnadňovaly kdysi splavování dřeva, jindy mívaly protierozní nebo protipovodňový účel. Výborným příkladem

retenční vodohospodářské stavby je vodní nádrž Labská (28,5 ha).

Přirozené stojaté vody reprezentují na hřebenech a v příhodných sníženinách rašelinná jezírka. Přírodovědně nejhodnotnější subalpínská rašeliniště (např. Pančavská louka nebo Úpská rašeliniště) byla zařazena do seznamu mezinárodně

3. Jedna z nejdivočejších krkonošských peřejí – Labská soutěska

chráněných mokřadů v rámci Ramsarské konvence. Výraznější ledovcová jezera se mimo veřejnosti nepřístupného Mechového jezírka vyskytují jen na severní straně horstva. Hrazena jsou obvykle čelními morénovými valy.

PODNEBÍ

Krkonošské klima je velice drsné a vrtošivé. Již podhůří leží v chladné oblasti a nejvyšší polohy patří dokonce k nejchladnějším, největrnějším a srážkově nejbohatším oblastem ve střední Evropě. Průměrná roční teplota vzduchu je na vrcholu Sněžky pouhých 0,2 °C, úhrn srážek se tu za stejné období blíží k 1230 mm. V celém pohoří převládá po většinu roku vlhké a studené proudění od Severního moře a Atlantiku, v místních podmínkách se pak výrazně uplatňují tzv. anemo-orografické systémy. Některá krkonošská údolí usměrňují větrné proudy a ty pak přepadávají přes planiny do závětrných karů a karoidů, přinášejí s sebou sníh, drobné částice minerálů i semena rozmanitých rostlin.

V Krkonoších se dále projevují efekty srážkového stínu a rozdílné nadmořské výšky. Harrachov má průměrné úhrny srážek okolo 1200 mm za rok, v Žacléři na východním úpatí je to již jen asi 850 mm ročně. Oproti Sněžce ve Vrchlabí spadne za stejnou dobu pouhých 950 mm. S nejvyšší oblačností počítejme v krkonošské oblasti koncem roku (listopad až prosinec), naopak nejdelšího slunečního svitu se lze většinou nadát v květnu. Dlouhodobě nejvyšší úhrny srážek bývají měřeny v srpnu a způsobují je hlavně letní lijavce a bouřky. Na srážky nejchudším měsícem bývá březen. Častým klimatologickým jevem jsou krkonošské inverzní situace. Zejména v podzimních a zimních měsících při nich pohoří zalévá slunce, avšak podhůří a údolí zatápí neproniknutelná mlha.

Jako v každých horách, také v Krkonoších tvoří významnou

bilanční složku tzv. horizontální srážky (například mlha, rosa, v zimě pak jíní nebo námraza).

Sníh drží ve vysokých polohách Krkonoš průměrně sedm měsíců v roce (říjen až květen) a jeho pokrývka dosahuje v průměru 150 až 200 cm. Nedílnou součást zdejší přírody představují také laviny. S průměrným ročním počtem spadlých lavin a s více než padesáti lavinovými svahy patří Krkonoše k horstvům s vysokou lavinovou aktivitou. Ukázněné turisté však mohou zůstat klidní. Riziková místa (např. Labský a Obří důl, Údolí Bílého Labe nebo Kotelní jámy) jsou v zimních měsících pro návštěvníky uzavřena.

ROSTLINSTVO

Oproti ostatním hercynským horstvům je rostlinstvo Krkonoš až překvapivě pestré a bohaté. Vedle nepřeberného množství druhů bezcévných rostlin (např. mechorosty, lišejníky, houby) tu odborníci napočítali 1250 taxonů rostlin s vyvinutými cévními svazky. Je to podmíněno nejen polohou a značnou výškou pohoří, ale také jeho členitostí, různorodým geologickým podložím a spletitým historickým vývojem v poledovém období. Naši pozornost zasluhuje výskyt tzv. glaciálních reliktů (např. ostružiník moruška, všivec krkonošský) nebo krkonošských subendemitů a endemitů (jeřáb krkonošský, zvonek český apod.).

Charakterizujme si nyní jednotlivé vegetační stupně a nejtypičtější rostlinná prostředí, s nimiž se můžeme při toulkách krkonošskou přírodou setkat.

Začněme v podhorském neboli submontánním stupni, tedy pod zhruba osmisetmetrovou vrstevnicí.

Přirozený les tady byl sice již od středověku nahrazován kulturními porosty, především smrkovou monokulturou, vzácně však stále ještě nalezneme krásné listnaté

nebo smíšené hvozdy s převahou buku lesního, javoru klenu, jasanu a na vlhčích místech olše šedé. K bylinnému podrostu podobných fragmentů patří například česnek medvědí, kyčelnice devítilistá, vraní oko čtyřlisté, sasanka hajní nebo lilie zlatohlávek. Původní nebo téměř původní krkonošské bučiny nalezneme nejspíše v pásu mezi Žacléřem, Svobodou nad Úpou, Vrchlabím a Rokytnicí. Výše do hor se za nimi můžeme vypravit do okolí Harrachova, Míseček nebo do Rýchor. Na minerálně chudším podloží střídají pak společenstva květnatých bučin horské bučiny acidofilní. Dobrým příkladem acidofilní bučiny je Dvorský les v Rýchorách s bizarně pokřivenými starými stromy, vytvarovanými drsnějším podnebím, okusem zvěře i dřívější pastvou.

4. Hořepník tolitovitý (Pneumonanthe asclepiadea). Rozkvétá v druhé polovině léta od horského do subalpínského stupně. Jeho snítku najdeme ve znaku Krkonošského národního parku

5. Koniklec bílý (Pulsatilla scherfelii). Velké květy se zanedlouho změní v rozčepýřené souplodí nažek. V českých zemích roste pouze v Krkonoších, na Králickém Sněžníku byl vysazen

7. Ostružiník moruška (Rubus chamaemorus). Vzácný druh krkonošských rašelin a vlhčích luk. Vyskytuje se výhradně v subalpínském stupni; glaciální relikt

6. Prvosenka nejmenší (Primula minima). V českých horách je známa jedině z Krkonoš. Vysokohorský druh, vyhledává na minerály chudší silikátová podloží

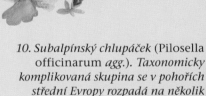

8. Jeřáb krkonošský (Sorbus sudetica). Převzácný krkonošský endemit. Rozkvétá od června do července na horských křovinatých srázech, plody jsou světle růžové malvičky

9. Jestřábník alpský (Hieratium alpinum). Krásný, nesmírně proměnlivý druh. V subalpínských či alpínských polohách Sudet rozkvétá s vrcholem léta

10. Subalpínský chlupáček (Pilosella officinarum agg.). Taxonomicky komplikovaná skupina se v pohořích střední Evropy rozpadá na několik mikrospecií

Horský neboli montánní stupeň charakterizují přirozené, polo-přirozené a často zcela kulturní smrčiny. Jejich hradba bývávala stěží proniknutelná, nyní je však v důsledků změn v životním prostředí a následných kalamit notně prořídlá. Stupeň smrků sahá v ideálním případě kamsi k vrstevnici 1200 m. Původní krkonošské smrčiny zastupuje dnes již poměrně vzácný ekotyp horského smrku a nalezneme je na nejméně přístupných lokalitách, například na strmých skalních srázech nebo poblíž horní hranice rozšíření lesa. Bylinné patro původní krkonošské smrčiny tvoří borůvka černá, knotovka lesní, podbělice alpská, sedmikvítek evropský nebo travina metlička křivolaká. Bohatě zastoupeny tu bývají mechorosty, lišejníky (pověstné bioindikátory kvality ovzduší) a samozřejmě také houby. Význačnějšími druhy jsou například jedlý hřib koloděj, nepříjemně hořký, ale nádherný kříšť nebo vzácný posel severské tajgy, ryzec severní. Ve vlhčích zákoutích a na lesních prameništích vyrůstají byliny znatelně výš a dobře se tu daří pochoutce vysoké zvěře mléčivci alpskému, velkolisté havezi chocholičnaté, drobnými fialovými kvítky typické věsence nachové, žlutokvětému starčku hajnímu nebo statnému kapraďorostu kapradi samci. Snad každého návštěvníka nejvyšších poloh krkonošských smrčin musí upoutat vzhled těch „nejodvážnějších" stromů. V takzvaném pásmu boje bývají jejich koruny ošlehány poryvy silných větrů, jsou jakoby obroušeny a uhoblovány častým působením ledových a sněhových částic. Mohou postrádat původní vegetační vrcholy a pak vyhánějí k nebi náhradní „bajonety" – původně postranní větve. Jsou tu také jednostranně orientované a vlající prapor připomínající smrčky, jimž potom lesníci říkají výstižně „vlajkové formy".

11. Suchopýr úzkolistý (Eriophorum angustifolium). Porosty subalpínských rašelinišť ve východních Krkonoších. Bělostné chmýří jsou ve skutečnosti přeměněné okvětní lístky

Než ale vystoupíme nad poslední souvislejší smrčinu, zastavme se na chvíli v okolí bud, bývalých salaší, nebo na ostatních člověkem vytvořených bezlesých enklávách. Právě tato prostranství patří dnes k nejpozoruhodnějším botanickým místům celého pohoří a ochránci přírody jim věnují nejvyšší možnou pozornost. Jejich druhová pestrost je mimořádná a setkáme se tu i se žlutými květy violky žluté sudetské a léčivé prhy chlumní (arniky), červenorůžovým hadím kořenem větším, endemickými jestřábníky nebo s nebesky modrými zvonečky zvonku českého. Historie takových luk sahá obvykle do osmnáctého století, kdy se v Krkonoších naplno rozvíjelo budní hospodaření. Zvláštní typ budního obhospodařování „se zalíbil" i mnohým vstavačovitým druhům a dnes stojíme spíš před problémem, jak tradičně hospodařícího člověka krajině i rostlinám vrátit, než jak jej odtud dostávat pryč.

Konečně jsme překročili dvanáctisetmetrovou mez, ocitli jsme se v polohách klečového, jinak subalpínského stupně. V tomto prostředí se dochovaly jedny z nejcennějších ekosystémů a s nimi i vzácná společenstva a jednotlivé druhy. Kromě původních a někdy i vysazených porostů kleče připomeňme otevřenější prostředí pramenišť

12. Vranec jedlový (Huperzia selago). Nad horní hranicí lesa je to u nás nejrozšířenější plavuňovitá rostlina. Na rozdíl od nejbližšího příbuzenstva vytváří výtrusnice v úžlabí normálních lodyžních listů

13. Horské louky ve Svatém Petru. Jejich krása je důsledkem mnohaletého obhospodařování

a rašelinišť, svět karů a karoidů s proslulými „zahrádkami" (např. Krakonošova zahrádka pod Studniční horou). Již od subalpínských poloh některých plání a hřebenů nalezneme formaci tzv. krkonošské tundry. Tento jedinečný přírodní úkaz formovalo a formuje drsné klima s průměrnými ročními teplotami

okolo bodu mrazu a s nesčíslněkrát opakovaným táním a zamrzáním půdního povrchu, vyvolávajícím pergelační procesy. Subalpínským polohám Krkonoš kralují traviny smilka tuhá, různé ostřice nebo třtina chloupkatá. Podobně jako na dalekém severu i v Krkonoších se výborně daří brusnicovitým druhům, ať jsou to borůvka, brusinka, vlochyně, nebo méně známá šicha obojaká, klikva maloplodá či kyhanka sivolistá. A že se tu kdysi protnuly vlivy

přírody alpské a arktické potvrzuje velmi zvláštní spojenectví dvou druhů. Kleč roste v Krkonoších na samém severním kraji svého evropského rozšíření, jehož centrum leží v nejvyšších evropských horách. Naopak ostružiník moruška je posel severu a přímo klasický pozůstatek z časů rozmachu staročtvrtohorního severského ledovce. Zatímco ve Skandinávii dnes vyhledává spíše otevřená tundrová prostranství, v Krkonoších roste přímo pod ochranou kleče. Snad v jejím stínu čelí relativnímu nadbytku světla ve středoevropských podmínkách. Při zastávce v subalpínském stupni nemůžeme opomenout skupinu krkonošských jestřábníků. Mezi odborníky je velmi diskutována a čítá na několik desítek druhů. Až do subalpínských poloh vystupuje z krkonošských smrčin erbovní rostlina Krkonošského národního parku, modrofialovými zvonci květů ozdobený hořepník tolitový.

Za posledním vegetačním stupněm nejvyššího českého pohoří musíme až k vrcholkům pětice vzájemně izolovaných velikánů. Pravý alpínský stupeň můžeme spatřit jenom na temenech Kotle, Vysokého Kola, Luční hory, Studniční hory a samozřejmě Sněžky. Vegetační doba tu trvá nejvýš tři čtyři měsíce a průměrná denní teplota nedosahuje na nulu Celsiovy stupnice často přes polovinu roku. Lze se proto divit, že jsou zdejší rostlinná společenstva na druhy poměrně chudá a že jednotlivé rostliny musejí být drsným podmínkám svého živobytí obzvláště důkladně přizpůsobené? Typickými „pionýry" alpínského života jsou v Krkonoších sítina trojklanná nebo bika klasnatá, spolu s jestřábníky sem výskytem zasahuje vcelku nenápadný rozrazil chudobkolistý či naopak obtížně přehlédnutelný koniklec bílý.

ZVÍŘENA

Podoba krkonošské fauny se začala vytvářet již v raně poledovém období. Dnes ji ovlivňují především nadmořská výška, členitost a s nimi související klimatická proměnlivost. Podobně jako rostlinstvo se poměrně rychle mění směrem z podhůří k hřbetům a vrcholům. Poměrně hojné jsou mezi krkonošskými živočichy glaciální relikty. Reprezentují je měkkýš vrkoč severní, pavouk slíďák ostnonohý nebo obratlovci jako kos horský s typickou světlou skvrnou na tmavé hrudi a hraboš mokřadní. Kdo by však spočítal zdejší endemity, byl by patrně zklamán. Na území nejvyšších českých hor je vázáno výskytem pouze několik taxonů bezobratlých, např. nevelký motýl huňatec žlutopásý. Možná nějaké zoologické překvapení odhalí příští výzkum.

Pro několik živočišných druhů jsou Krkonoše nejseverněji položeným útočištěm. Mezi bezobratlými se to týká některých zástupců jepic, mezi obratlovci například opeřeného milovníka vrcholů a jejich nejbližšího okolí – pěvušky podhorní.

Projděme se však krkonošskou přírodou popořádku, přitom se zaměřme na nejnápadnější živočišné druhy. V nižších polohách žijí typičtí zástupci eurosibiřských smíšených nebo listnatých lesů. V bučinách se cítí znamenitě plž řasnatka lesní, z ptáků brhlík, budníček, hýl nebo dlask, čápi bílý i černý či dravý krahujec, jestřáb nebo výr velký. Velké býložravce takových poloh zastupují srnci a jeleni, šelmy pak liška, kuna lesní i skalní nebo známý noční samotář jezevec. Nejčetnějšími savci Krkonoš jsou drobní hlodavci, například norník rudý, hrabošík podzemní nebo roztomilá velkooká myšice lesní.

Pásmo smrčin hostí pravou horskou hercynskou lesní zvířenu. Počtem druhů je poměrně chudá

14. Jelen evropský (Cervus elaphus). *Vládce středoevropských rozsáhlejších porostů. Středoevropská forma lovné trofejní zvěře*

15. Babočka kopřivová (Aglais urticae). *Hojná na lesních pasekách i na subalpínských loukách. Černá housenka má podélné žlutozelené proužky a žije na kopřivách*

a velmi se podobá fauně vzdálené severské tajgy. Z nižších životních forem zde můžeme pozorovat „obra mezi chvostoskoky“, necelý centimetr velkou larvěnku obrovskou. Brouky reprezentují draví střevlíci, někteří tesaříci nebo učiněná pohroma imisemi oslabených lesních porostů, kůrovci. V korunách smrků cvrlikají sýkory uhelníčci nebo parukářky, semena smrků dobývá ze šišek pomocí zvláště uzpůsobeného zobáku křivka lesní.

V krkonošských smrčinách je doma již zmiňovaný příbuzný kosa černého kos horský a zaposloucháme-li se pozorně do zvuků kolem dokola, zachytíme snad málo melodický a těžko zaměnitelný křik kropenatého ořešníka. Také tady je hojný pán horských lesů jelen evropský.

Kontrast lesnímu příšeří tvoří sluncem zalévané montánní louky. Jejich květy opylují rozmanité babočky, hnědásci, huňatci i okáči, v trávě i na vyhřátých kamenných

Svahy Krkonoš kryly od nepaměti hluboké a téměř neproniknutelné hvozdy. Hory tak byly pro člověka obtížně překročitelná překážka, vytvářely po věky zcela přirozenou hranici. Výjimkou se stávaly sporadické obchodní stezky. Patrně vůbec nejstarší z nich spojovala Prahu s Vratislaví. Říkalo se jí trutnovská nebo vratislavská a procházela přes žacléřské sedlo. Přímo přes hory vedla poněkud mladší stezka česká, která se vinula z Vrchlabí, přes Strážné a kolem Luční boudy do Slezska. Další důležité cestě se

17. Čerstvě poražené stromy lákají rozmanité zástupce hmyzu. Představitel čeledi nosatcovitých brouků (Curculionidae)

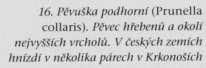

16. Pěvuška podhorní (Prunella collaris). Pěvec hřebenů a okolí nejvyšších vrcholů. V českých zemích hnízdí v několika párech v Krkonoších

snosech sbírají energii ještěrky živorodá či obecná, beznohý slepýš nebo jediný český jedovatý had, zmije obecná. Svéráznost horských luk vzhledem k okolním smrčinám potvrzuje také přítomnost droboučké bělozubky šedé, zajíce polního nebo hlodavců jako hraboše polního, myšice křovinné nebo dalšího lidského souputníka, potkana.

Zajímavá zvířena obývá prostranství nad horní hranicí lesa, zejména porosty kosodřeviny, náhorní rašelinné mokřady nebo rašeliniště. K nejnápadnějším ptákům takových stanovišť patří určitě hýl rudý, jeřábek lesní, krásný a vzácný slavík modráček tundrový. Savce tady zastupují drobní rejsci – malý, obecný nebo horský, i do těchto poloh vytahují na pastvu z nižších poloh jejich

rozměrnější vzdálení příbuzní – vysoká zvěř. Pokud je jich příliš, nemusí se to pokaždé shodovat se zájmy ochrany citlivé přírody, obzvláště flóry.

Nakonec se dostáváme až mezi obyvatele nejdrsnějších vrcholů, alpínských holí a nefalšované krkonošské tundry. Tady téměř každý projev života zasluhuje úctu a už samotná jména druhů jsou pro zkušenějšího zoologa pojem: reliktní střevlíček *Nebria rufescens*, motýlek okáč rudopásý, vzácný dravec dřemlík tundrový... Vedle již zmiňované pěvušky podhorní tu však polétávají i v nižších polohách běžně rozšíření rehci, bělořiti nebo skřivani.

Naposledy v roce 1946 bylo v oblasti Luční a Studniční hory pozorováno zahnízdění vzácného bahňáka kulíka hnědého. Osudným se mu stalo sbírání vajec i lov dospělých ptáků. Člověk tak opět poněkud rozšířil seznam vyhubených krkonošských zvířat, do něhož byli již před časem zapsáni někteří draví ptáci, šelmy i třeba místní poddruh překrásného motýla jasoně červenookého.

říkalo stezka slezská a směřovala údolím Jizery přes Kotel a Violík do Szklarské Poręby.

První významná kolonizační vlna přivedla do krkonošského podhůří obyvatele na přelomu 12. a 13. století. Tehdy se například zrodily osady Úpa, Lánov a Maršov. Značná část tehdejších kolonistů byla německého původu, postupně se tak zakládala v českém pohraničí velmi charakteristická česko--německá komunita. Člověka do hor lákala ložiska železných a olověných rud, stříbra i zlata. Největšího rozkvětu doznalo krkonošské hornictví sice až v 16. století, dlouho před tím však

souběžně urychlovalo rozvoj zpracovatelských a obráběcích řemesel. Po celou dobu se ve stovkách místních milířů vyrábělo dřevěné uhlí, a tak snad ani nemůže být divu, že poptávka po dřevě byla ohromná.

Práce v lese, přibližování a splavování vyžadovalo další a další pracovní síly, zejména když začaly být dřevem z Krkonoš zásobovány také vzdálené kutnohorské doly. Odlesňovalo se skutečně intenzivně. Během několika desetiletí byly dřevní zásoby natolik zdecimovány, že se krkonošské dřevařství stalo ekonomicky problematické.

Právě v těchto dobách byl dán základ změn původní druhové skladby dřevin. Buk se využíval na výrobu uhlí, javor zpracovávali popeláři na výrobu potaše pro místní sklárny a stínomilná jedle byla při holosečném způsobu hospodaření odsouzena bezmála k zániku. Přirozené pestré lesy se postupně změnily na jakési „smrkové plantáže", pouze na nejméně přístupných místech vyšších poloh se dochovaly zbytky

18. Masiv Černé hory (1299 m) vystupuje z krkonošského předpolí velmi nebojácně

původních podhorských a horských lesů.

Dalším typickým a široko daleko proslulým řemeslem krkonošských horalů bylo již od středověku sklářství. Vzpomeňme jen jména a ochranné známky jako Preissler, Müller, Schürer, nebo názvy obcí Sklenářovice (zanikly v roce 1945), Skelné Hutě nebo polská Szklarska Poręba...

Asi od 17. století patřilo ke Krkonošům a Podkrkonoší také přadláctví, tkalcovství a plátenictví. V těchto odvětvích zaujímaly jedno z předních míst v celé Rakousko-Uherské monarchii. Tkalcovské stavy klapaly téměř v každé chalupě a měly tu stejně neodmyslitelné místo jako třeba stůl, židle nebo kamna. Textilní manufaktura stála například v Horní Branné.

Horská zvěř odjakživa přitahovala lovce i pytláky. A dříve se tu nevyskytovali „pouze" jeleni, srnci, lišky nebo dnes chránění tetřívci a tetřevi. Poslední medvěd byl v Krkonoších uloven v roce 1726, vlka postihl stejný osud jen o pár let později. Rys odtud zmizel okolo roku 1800 a orla skalního se podařilo spatřit ještě ve čtyřicátých letech devatenáctého století. Poblíž podhorských toků kdysi stavěli svoje vodní tvrze také bobři.

Na středověké i novodobé mastičkáře, ranhojiče, léčitele i lékárníky působil jako magnet svět krkonošských bylin. Hodně starých recepisů k přípravě bylinných léků a léčivých lektvarů zůstane už bohužel navždy zapomenuto, prokazatelně léčivé vlastnosti určitých rostlin prokázala moderní farmaceutická věda. Krkonošské bylinářství mělo i svoji stinnou stránku. Díky nadměrnému sběru téměř vymizela rozchodnice růžová nebo v některých oblastech arnika.

19. Černohorské rašeliniště pamatuje raně poledové období. Dnes je součástí první zóny Krkonošského národního parku

Nakonec musíme vzpomenout ještě jednu typickou lidskou aktivitu, která s Krkonošemi a jejich přírodou doslova srostla. Vždyť kdo by si dnes dovedl představit nejvyšší sudetské pohoří bez proslavených horských chat, tzv. bud? Historie budařství sahá hluboko do minulosti a souvisí s pasením dobytka, zejména koz. Nejstarší uměle odlesněné pastviny u horní hranice lesa vznikly patrně v blízkosti slezské stezky, přesněji na jižních svazích Kotle a Lysé hory. Právě tenkrát vyrostly také první letní přístřešky pro ochranu pastevců, k přenocování dobytka a pro uskladnění sena. Na stejném místě byly později postaveny tzv. Rokytenské dvorské boudy, dnešní Dvoračky.

K nejstarším boudám v hřebenových partiích Krkonoš patřily mj. Bradlerovy boudy nebo Martinovka. Pocházejí z období třicetileté války v první polovině 17. století, kdy v horách hledali útočiště mnozí exulanti, ale i zcela obyčejní lidé. Také následná doba plná nepokojů a náboženské perzekuce posilovala počty stálých obyvatel a tím nepřímo i množství horských bud. Mnohé z nich se během času stále více modernizovaly a přistavovaly, ze sezonních příbytků se stávala celoročně obývaná sídla (tzv. boudy zimní). Všechna taková stavení byla svázána především s pastevectvím, senařstvím a chovem dobytka, část uměle odlesněných pozemků však hospodáři obvykle využívali také pro pěstování nenáročných plodin. Vyvinuli jednoduchý, avšak o to účinnější systém střídání kultur, zavlažování i hnojení. Další velký impulz k rozvoji budního hospodářství dal známý správce harrachovského panství hrabě Sporck. Jeho myšlenka udělat z Krkonoš českou obdobu Švýcar se nikdy neuskutečnila, avšak dodnes budí uznání.

Největší rozmach krkonošského budařství nastal v první polovině 19. století. Podle doložených údajů se jen na maršovském, vrchlabském a jilemnickém panství nacházelo 1621 bud a jejich počet v celém pohoří dosahoval neuvěřitelných dvou a půl tisíc. Ve stejném období se tu mělo chovat na dvacet tisíc koz a zhruba dvojnásobný počet kusů skotu. Neustále vzrůstající trend zvrátilo vydání císařského patentu a platnost nového lesního zákona z roku 1852. V jejich důsledku muselo být upuštěno od pastvy v lese a v krkonošské krajině začíná sílit nový výrazný fenomén. Jako v celé Evropě i zde se začíná prosazovat romantická idea návratu k přírodě, rodí se krkonošský turismus. Právě tato aktivita se rozvine do mnoha podob a projevů, život místních obyvatel a celé horské přírody bude ovlivňovat nadlouho a více než kterákoli jiná.

OCHRANA PŘÍRODY

Na křehké ekologické systémy nejvyššího českého horstva působí dnes nepříznivě exhalace z nedalekého „černého trojúhelníku" na pomezí Čech, Německa a Polska a dlouhodobý intenzivní rozmach rekreace a turismu. Každý z uvedených faktorů přináší celý balík doprovodných problémů. Na jedné straně jmenujme aspoň destrukci lesních ekosystémů (více nebo méně jsou dnes poškozeny veškeré krkonošské lesy), masivní nástup invazních či nepůvodních druhů rostlin, zesílenou erozi a málo vítané změny v odtokových poměrech, na straně druhé eutrofizaci vodního i suchozemského prostředí, neúnosný sešlap podél turistických cest a stezek, hluk rušící vzácné druhy živočichů, zábory dalších a dalších ploch pro výstavbu sjezdovek, sportovních areálů i sídel.

Neutuchající tlak lidí na citlivou krkonošskou přírodu vyvolával a stále musí vyvolávat legislativní protitlak, její racionální, cílenou a co možná nejúčinnější ochranu. Určité souvislosti tohoto procesu jsme již zmiňovali v předešlé kapitole, připomeňme si však ještě historii státní ochrany přírody a chráněných území na území Krkonoš. Vůbec první známé nařízení o ochraně krkonošské flóry vydalo císařské a královské místodržitelství v Praze již roku 1904. V tom samém roce vyhlašuje na svém panství Jan Harrach první krkonošskou přírodní rezervaci Labská stěna v Labském dole. Hned po první světové válce byla v roce 1919 přijata nová československá vyhláška, opět o ochraně flóry Krkonoš. Úsilí univerzitního profesora Františka Schustlera na zřízení Národního parku krkonošského v roce 1923 nebylo bohužel naplněno a ochranářské snahy musely vzít zavděk po osmi letech aspoň vyhlášením přírodní rezervace Kotelská rokle. Až na počátku padesátých let byla oficiálně zahájena příprava na vyhlášení Krkonošského přírodního parku, aby byl konečně v roce 1963 vyhlášen první národní park na území České republiky – Krkonošský národní park (KRNAP). Jeho rozloha činila původně 385 km^2. Karkonoski Park Narodowy na polské straně s rozlohou 55,6 km^2 spatřil světlo světa již v roce 1959. Podle nařízení vlády České republiky č. 165/1991 Sb. zabírá dnešní KRNAP plochu o 24 km^2 menší, jeho ochranné pásmo však měří dalších téměř 200 km^2. Území parku je rozčleněno do tří zón podle stupně uplatňované ochrany, v první z nich je nejpřísnější. V roce 1992 byly KRNAP i jeho „polské dvojče" společně začleněny do rodiny tzv. biosférických rezervací organizace UNESCO.

20. Z Úpské rašeliny vybíhá rozložitá Studniční hora (1554 m), třetí nejvyšší hora v Krkonoších

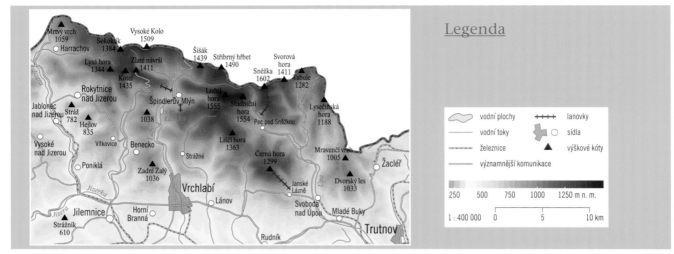

Legenda

vodní plochy	lanovky
vodní toky	sídla
železnice	výškové kóty
významnější komunikace	

250 500 750 1000 1250 m n. m.

1 : 400 000   0   5   10 km

TURISTICKÉ CÍLE A ZAJÍMAVOSTI

Albeřické lomy, Albeřická jeskyně

Někdejší lomy a podzemní prostory se zbytky staré vápenky a s menší ukázkou podzemního krasu. Na lokalitě se vyskytují druhy vzácných vápnomilných rostlin a na ně vázaných živočichů. Jeskyně nejsou veřejnosti běžně přístupné, zájemci o prohlídku se mají obracet na informační středisko „Veselý výlet" s kanceláří v nedalekém Horním Maršově.

Braunův kopec

Jde o svahy vpravo nad údolím Jizerky mezi hotelem Praha a Skelnými Hutěmi. Asi kilometr chůze po modré značce na východ od hotelu Rezek roste památná lípa srdčitá. Stará je přes dvě stě padesát roků.

Důl Bílého Labe

Hluboké a romantické údolí erozně ledovcového původu. Tok Bílého Labe pramení v Úpském rašeliništi nedaleko Luční boudy a u Dívčí lávky se vlévá do Labe. Po cestě mezi Boudou u Bílého Labe a Luční boudou, které se říkává Weberova, lze obdivovat peřeje, kaskády, příkré severní srázy

Kozích hřbetů a na protilehlé straně údolí dlouhé jižní svahy hlavního krkonošského hřebene. V zimě bývá tento úsek uzavřen pro nebezpečí lavin, v roce 1994 zde došlo k dodnes patrnému plošnému sesuvu půdy.

Dvorský les

Nejvyšší vrchol Rýchor (1033 m) v nejvýchodnější části Krkonoš. V blízkém okolí se nachází mimořádně dochovaný komplex původních bukových pralesů s typickým bylinným podrostem. Z trutnovské strany sem vede červená turistická značka (Cesta bratří Čapků), asi čtvrthodinu chůze odtud směrem na severozápad leží Rýchorská bouda.

Černá hora, Černohorské rašeliniště

Dominantní hora (1299 m) v závěru nejmohutnější krkonošské rozsochy. Na jejím vrcholku stojí vysílač, téměř až pod něj se lze dopravit kabinovou lanovkou z významného léčebného střediska Janské Lázně. Přibližně v kilometrové vzdálenosti od horní stanice lanovky leží okraj jednoho

21. Peřeje spodního toku Bílého Labe v říjnu

z nejzachovalejších lesních rašelinišť celého pohoří (66 ha). Hojně se tu vyskytují vrchovištní, tzv. tyrfobiontní druhy rostlin i živočichů, po jeho obvodu vede naučná stezka s vyhlídkovou věží. Mocnost rašeliny dosahuje až dva a půl metru.

Čertova louka, Stříbrný hřbet

Náhorní travnatá planina s výskytem dobře vyvinutých mrazových půd, tzv. tufurů (kopečkovité útvary vznikající periodickým zamrzáním a rozmrzáním v periglaciálních podmínkách). Stříbrný hřbet je zaoblená část hlavního hřebene (kóta 1490 m) pozorovatelná z Cesty česko-polského přátelství nebo z údolí Bílého Labe. Na jeho temeni se nachází vrcholové rašeliniště s charakteristickou vegetací. Od Luční boudy tudy vede zimní turistická stezka.

Harrachovy kameny

Nápadná žulová skaliska a kamenné bloky (tzv. tory) na horní hraně Velké Kotelní jámy. Důležitý geomorfologický objekt, orientační bod a vyhledávané vyhlídkové místo. Dostupné je nejlépe ze Zlatého návrší po červené značce, necelých deset minut chůze západním směrem.

Hrádek (Aichelburg)

Romantická zřícenina z roku 1863. Vysoká hradní věž je dobře

viditelná ze silnice mezi Pecí pod Sněžkou a Horním Maršovem (parkoviště v Temném Dole). Objekt se vypíná nad ohbím Úpy na jejím pravém břehu a byl vystavěn na památku majitele maršovského panství, hraběte Bertholda Aichelburga.

Kotel (Kokrháč)

Nezaměnitelná dominanta západní části vnitřního krkonošského hřebene (1435 m). Horu budují svory a na jejích jihovýchodních sklonech jsou vyvinuty dva výrazné karoidy (Velká a Malá Kotelní jáma), útočiště vzácné reliktní flóry. Na severních expozicích je patrno kruhové uskupení balvanů (tzv. Růženčina zahrádka), jehož původ se dodnes nepodařilo objasnit. Vrchol Kotle není v současnosti zpřístupněn.

Kozí hřbety

Impozantní krkonošský hřeben, jedna z nejvýraznějších dominant nad Špindlerovým Mlýnem. Budují jej odolné křemence a svorové ruly. Hřebenová stezka byla z důvodu ochrany přírody pro veřejnost uzavřena. V zimním období sjíždějí z obou stran hřebene obávané laviny a cesty tudy jsou proto rovněž uzavírány. Krásný pohled je na Kozí hřbety z vyhlídkového bodu Krakonoš (1422 m), asi 2 km západně od Luční boudy.

Královecké sedlo (Libavské sedlo)

„Východní protipól" Novosvětského průsmyku oddělující Krkonoše od méně výrazné skupiny Vraních hor. Nachází se severovýchodně od Žacléře v nadmořské výšce necelých 530 m. Je tu důležitý silniční (I/16) a železniční přechod mezi Českou republikou a Polskem.

22. V západních Krkonoších zapadá slunce. Pohled z Kozích hřbetů

Krkonoš, Zlaté návrší

Hřbet Krkonoše má pět vrcholů, z nichž právě Zlaté návrší (1411 m) je nejznámější. Celou skupinu budují svory. Poblíž vrcholu se nacházejí Vrbatova bouda a Mohyla B. Hanče a V. Vrbaty, památník tragicky zahynulých přátel a nejznámějších obětí hor. Nedaleko končí strategická Masarykova silnice, uvedená do provozu v roce 1936. Úsek z Horních Míseček je sjízdný výhradně kyvadlovou autobusovou dopravou. Slouží jako vynikající terén pro horskou cyklistiku a pro zimní turistiku (běžky).

23. Skalní mísy na Dívčích kamenech. Dílo selektivního zvětrávání žulových bloků

Labská louka, Prameny Labe

Pramenná oblast evropského veletoku leží na relativně rozlehlém náhorním plató a jeho vrchovišti. Roste na něm řada glaciálních reliktů i krkonošských endemitů. Přes louku vedla historická obchodní stezka spojující české vnitrozemí se Slezskem (tzv. česká stezka). Pramen Labe byl slavnostně vysvěcen v roce 1648, do dnešní podoby bylo jeho okolí upraveno v roce 1968. Dostupný je dobře z Labské boudy (asi 1 km) nebo ze Zlatého návrší (necelé 3 km).

Labská soutěska, Herlíkovické štoly

Hluboká soutěska řeky Labe, státem chráněná přírodní památka. Lokalita se nachází v těsném sousedství silnice spojující Vrchlabí se Špindlerovým Mlýnem (tzv. Studené koleno). V ortorulovém podloží jsou tu evorzí vyhloubené obří hrnce, geomorfologicky zajímavé jsou rovněž skalní prahy a peřejnaté úseky. Na protější straně komunikace leží ve svahu veřejně nepřístupné a opuštěné těžební štoly, chráněné jednak jako stavební památka, jednak jako zimoviště netopýrů.

Labský důl

Výrazné a relativně dlouhé ledovcové údolí (tzv. trog). V závěru se na jeho západních svazích nachází několik karoidů (Labská rokle a jámy Navorská, Pančavská a Harrachova). V některých z nich našly útočiště význačné druhy flóry a fauny, mají charakter typických krkonošských „zahrádek". Atraktivní jsou výhledy na Pančavský vodopád (výška 140 m) a cesta po západní hraně dolů mezi Labskou boudou a Zlatým návrším. Z výšky lze odtud pozorovat romantické Labské meandry.

Liščí hora

Známá hora (1363 m) na rozsoše mezi Luční a Černou horou. Vrchol je řídce porostlý klečí a jsou odtud daleké rozhledy (např. Obří důl a Sněžka, Pec pod Sněžkou, Černá hora). Dostupná je po červené turistické značce vedoucí po Liščím hřebeni. Na západních svazích se propadá tzv. Liščí jáma s lavinovým svahem.

Luční hora, Bílá louka

Zaoblený vrchol Luční hory (1555 m) vyrůstá ze smilkových a klečových porostů ploché Bílé louky. Druhá nejvyšší hora Krkonoš. Samotný vrchol a svahy skýtají jedinečnou přírodovědnou ukázku tzv. periglaciálních forem. Mezi nimi jsou zastoupeny půdy polygonální, brázděné a také kryoplanační terasy, které jsou patrné např. z cesty mezi Luční boudou a Krakonošem. V sedle mezi Luční a sousední Studniční horou stojí někdejší kaple, současně Památník obětem hor. Na Bílé louce přímo u historické obchodní stezky nelze přehlédnout Luční boudu – největší zařízení tohoto druhu na české straně hor (kapacita přes 300 lůžek). Východním směrem odtud leží základy zaniklých Rennerovek.

Lysá hora

Jedna z dominant západní části Krkonoš (1344 m), součást vnitřního hřebene a přes Kotelské sedlo západní soused Kotle. Řídkou klečí porostlý vrchol je dostupný pouze v zimě; poblíž leží terminál lyžařských vleků a horní konec sjezdovek rokytnického sportovního areálu. Pod vrcholkem se na jižních expozicích rozprostírají louky se vzácnou květenou a nejstarší krkonošské boudy Dvoračky.

Medvědín

Výrazný, převážně zalesněný vrchol (1235 m) s televizním převaděčem. Končí tu lyžařské vleky ze směru od Špindlerova Mlýna i od Horních Míseček (velmi populární sjezdové tratě). Z horní části Špindlerova Mlýna sem směřuje sedačková lanovka. Umožněn je tak pohodlný nástup na Zlaté návrší a dále pak na západokrkonošské hřebeny. V nejvyšších partiích Medvědína jsou dodnes patrny pozůstatky po těžební činnosti.

Modrý důl

Přírodovědně a krajinářsky cenné údolí Modrého potoka, pravostranného přítoku horní Úpy. Svírají jej od severu masiv Studniční hory s výraznými lavinovými svahy z prostoru Modré stráně a suťového pole „Mapa republiky" a od jihu méně výrazný Široký hřbet. Najdeme tu řídkou chatovou zástavbu, pozoruhodnou horskou flóru i zbytky po dřívější těžbě pyritu.

Mužské kameny, Dívčí kameny

Výchozy blokovitě zvětrávající žuly vytvářejí charakteristická hřebenová skaliska (tzv. tory). Jméno Mužské kameny (1417 m, polsky Czeskie Kamienie) vzniklo prý jako protějšek blízkých Dívčích kamenů (1414 m, Slaskie Kamienie). Ty se nazývají podle mladé pastýřky, která prý nedaleko odtud zahynula. Podobný geomorfologický původ jako oba zmiňované útvary mají níže ležící skaliska Ptačí kámen a Pevnost. Nejsnazší dostupnost všech čtyř

torů je od silnice mezi
Špindlerovým Mlýnem
a Špindlerovou boudou.

Novosvětský průsmyk

Důležitý průsmyk horopisně
odděluje Krkonoše a sousední
Jizerské hory. Leží v nadmořské
výšce 886 m a do Čech jím protéká
v Polsku pramenící říčka Milnice.
Procházela tu a stále ještě prochází
cesta mezi oběma státy.
Kromě silničního spojení vede
přes hranice zatím
nevyužívaná
železniční trať.

Obří důl

Výborně vyvinuté ledovcové
údolí s příčným profilem ve tvaru
písmene U (tzv. trog). V jeho závěru
se dochovaly známé kary, např.
Úpská nebo Studniční jáma
s pozoruhodnými floristickými
a faunistickými stanovišti
(Krakonošova a Čertova zahrádka).
Dolem protéká horní Úpa a k jeho
dalším přírodním zajímavostem
patří murové a lavinové dráhy,
rokle (např. Čertova) či vodopády
(např. Úpský). Z kulturních
památek stojí za zmínku starý
vodovod na Rudném potoce
(někdejší zásobování bud na
Sněžce), pozůstatky po těžbě
rud a plavení dřeva,
expozice krkonošských

mur v bývalé kapličce nebo tzv.
Kovárna, u níž se nachází zakryté
ústí staré štoly.

Pančavská louka

Rozlehlá subalpínská louka
a rašeliniště severského typu.
Pramení tu Pančava padající přes
hranu Labského dolu do tzv.
Pančavské jámy. Samotný
Pančavský vodopád je stupňovitý
a celkem sto čtyřicet metrů vysoký.
Při západním okraji louky leží
důležité západokrkonošské rozcestí
U čtyř pánů, na konci
jihovýchodním stojí
pomník tragicky
zemřelého závodníka B.
Hanče (1913). Od místa
přepadu se otvírá jeden
z nejkrásnějších krkonošských
rozhledů, Ambrožova vyhlídka.

*24. Hřebenové Dívčí kameny (1414 m),
seskupení bizarních žulových „soch"*

Rýchory

Východokrkonošský hřeben mezi Horním Maršovem a Žacléřem, Albeřicemi a Babím. Na jeho úbočí se kdysi těžívalo stříbro a zlato, odtud pramení název „Zlaté Rýchory". Ve vyšších polohách se tu dochovaly přírodě blízké pralesy (Dvorský les), vzácné lokality původní květeny (Rýchorská květnice) i některé kulturní památky. Jejich příkladem je barokní kříž z počátku 19. století, pozůstatky zaniklé obce Sklenářovice či základy Maxovy boudy vedle funkční boudy Rýchorské.

Slezské sedlo

V sedle (1178 m) mezi chatami Petrovka a Špindlerovka leží česko-polský historický přechod. Skládá se ze dvou dílčích sníženin a rozděluje hraniční hřeben na východní a západní část.

V nejbližším okolí se vyskytují menší rašeliniska s tyrfobiontní vegetací. Špindlerova bouda nese jméno bedřichovského rychtáře Františka Špindlera, který ji dal v roce 1824 zrekonstruovat. Až do sedla vede ze Špindlerova Mlýna silnice sjízdná kyvadlovou autobusovou dopravou nebo automobilem (platí se mýto).

Sněžka (Snieźka)

Nejvyšší hora v pohoří Sudety i v České republice (1602 m). Horu karlingového typu (přibližně trojboký jehlan modelovaný ledovci) budují svorové ruly. Výskyt v Krkonoších nejlépe vyvinutých alpínských společenstev a význačných geomorfologických tvarů. Vrchol na česko-polské hranici je turistickým magnetem a poutním místem. Stojí tu památná rotundovitá kaple svatého Vavřince (z roku 1681) a dvě boudy, funkční Polská a v současnosti uzavřená Česká. Z české strany sem vede často diskutovaná dvojúseková sedačková lanovka z Pece pod Sněžkou (z roku 1949).

Sněžné jámy (Śnieźne Kotły)

Dva hluboké kary již na polské straně hranice ukončují dvousetmetrové žulové stěny. Do Velké Sněžné jámy jsou z horní hrany u Cesty česko-polského přátelství nezapomenutelné výhledy, na jejím dně spočívají dvě menší ledovcová jezírka. Malá Sněžná jáma leží západněji a proslula výskytem vzácných druhů rostlin, vázaných na

26. Betonová opevnění z třicátých let
20. století. Vzadu se rýsuje hraniční
hřeben s Vysokým Kolem (1509 m)

čedičovou žílu, která sahá až
do výše 1425 m. Mezi oběma
jámami stojí zdaleka patrná
bouda Wawel (podobá se tvarem
stejnojmennému královskému
hradu v Krakowě). Pohyb po hraně
kotlů může být v chladném období
roku nebezpečný (sněhové převěje
a odlučné místo lavinových svahů).

Stráž

Hora (782 m) mezi Rokytnicí
a Jabloncem nad Jizerou. Pod její
vrcholem vystupuje nápadný skalní
výchoz, součást soustavy tzv.
krkonošských „stážníků". Odtud je
vynikající rozhled na západ (Paseky
nad Jizerou), sever (Rokytnice nad
Jizerou) i na severovýchod (Lysá
hora a Kotel).

Studniční hora

Po Sněžce a jen o metr
přečnívající Luční hoře je to třetí
nejvyšší krkonošský obr (1554 m).
Na jeho vrcholku se dochovaly
dodnes aktivní regelační formy,
například polygonální půdy nebo
kryoplanační terasy. Na severním
úbočí a v předpolí Studniční hory
spočívá mezinárodně významný
komplex Úpské rašeliny. Pramení
zde Bílé Labe a Úpa, která
přepadává přes západní hranu
Obřího dolu do Úpské jámy. V zimě
se na stejném místě usazují mocné
sněhové převěje s navazujícími
lavinovými drahami. Pro turisty se
jedná o velmi nebezpečné místo.

Svorová hora (Czarna Kopa)

Hraniční vrchol na východním
kraji tzv. Obřího (Czarneho)
hřebene (1411 m). Pod ním mezi
Sněžkou a boudou Jelenka –

– zejména z polské strany – leží
svorová kamenná moře a suťová
pole, ještě níže na polském úbočí
mineralogicky zajímavá skaliska.
Shora jsou zajímavé pohledy
k severu (známé polské středisko
Karpacz), k západu (masiv Sněžky)
i k jihu (Maloúpsko a Rýchory).

Úpská rašelina, Úpská jáma

Úpská rašelina je rozvodnicové
rašeliniště mezinárodního
významu, prameniště Úpy a Bílého
Labe. Útočiště tu našlo mnoho
vzácných druhů arktoalpínské flóry
a fauny. Přes mokřad vede vyvýšený
povalový chodník, z něhož jsou
patrna některá rašelinná jezírka.
Východně odtud se propadá jeden
z nejlépe vyvinutých karů v české
části Krkonoš, Úpská jáma.
Z rašeliništního plató do ní
přepadává Úpský vodopád a její
součástí je i botanicky nesmírně
cenná Krakonošova zahrádka.

Wielki Staw, Mały Staw
(Velký rybník,
Malý rybník)

Dvě největší krkonošská jezera leží již na polské straně, obě mají ledovcový původ. Z Cesty česko--polského přátelství skýtají nezapomenutelné pohledy. První z nich má rozlohu 6,5 ha a největší zjištěnou hloubku 25 m. Právě v něm reliktně přežívá vzácný a chráněný kapraďorost šídlatka. Žulová stěna nad Velkým rybníkem měří až 180 m. Jezero není veřejně přístupné. Hladina Malého rybníku má rozlohu 2,9 ha, maximální hloubka je asi 7 m. Na jeho hradící moréně stojí stará turistická chata Samotnia. Zdejší karová stěna měří jen o několik metrů méně nežli u Velkého rybníku.

Violík (Łabski Szcyt)

Vrchol torovitého typu (1472 m) formovalo zejména mrazové zvětrávání. Jeho silueta dominuje západní části hlavního krkonošského hřebene a na českou stranu a nedaleké prameny Labe shlíží zhruba dvacetimetrovou žulovou stěnou.

Vysoké Kolo
(Wielki Szyszak)

Nejvyšší vrchol západních Krkonoš (1509 m). Již na dálku přitahuje pozornost jeho oblý tvar s vyvýšeninou památníku německého císaře Viléma z roku 1888. Temeno hory je značně pokryté sutí, na úbočí jsou patrné schodovité kryoplanační terasy. Severní svahy traverzuje letní turistická cesta, v zimě ji kříží několik menších lavinových drah.

27. Wielki Staw se zrcadlí v hlubokém karu pod Stříbrným hřbetem. Společně s nedalekým Małym Stawem je to nejkrásnější jezero Sudet

28. Horní část Labského dolu uzavírá příkrá západní stěna s několika botanickými „zahrádkami". V zimě jde o nebezpečný lavinový terén

29. Cvičení horské služby v oblasti Sněžných jam. Na obzoru stavba krkonošského „Wawelu"

VYBRANÁ TURISTICKÁ STŘEDISKA

Harrachov

Malebné městečko v nejzápadnějším výběžku Krkonoš, asi tři kilometry jižně od hraničního přechodu v Novosvětském průsmyku. Původní ves Dörfl zde byla na Ryzím potoce založena v 17. století, po majitelích panství ji přejmenovali až počátkem století osmnáctého. Proslulost získala Harrachovu především kvalitní sklářská výroba. V okolí se tradičně těžily také nerostné suroviny, nejlepším příkladem může být lokalita Rýžoviště.

Nejvýznamnější kulturní památka Harrachova je kostel sv. Václava. Na místě dřevěné kaple z roku 1730 byl vystavěn zprvu dřevěný kostel, od první poloviny 18. století zděný. Známá je rovněž kaple svaté Alžběty s velikým skleněným zvonem, za návštěvu určitě stojí muzea sklářství nebo lyžařství.

Na svazích blízké Čertovy hory byl zřízen populární mamutí můstek. Harrachovský sjezdařský a běžecký areál doplňují sedačková lanovka a četné lyžařské vleky.

Dopravní dostupnost

Harrachov je dostupný pravidelnou autobusovou linkou nebo individuální automobilovou dopravou po mezinárodní silnici E 65 (v zimě je třeba počítat se zimními pneumatikami a sněhovými řetězy). Ze směru

od Vrchlabí lze napřed využít silnici č. 14. S Tanvaldem spojuje Harrachov stará ozubnicová železnice (národní technická památka).

DOPORUČENÉ VÝLETY

Trasa číslo 1

Kategorie: celodenní

Z Harrachova stoupáme proti toku Mumlavy po souběžné červené a modré turistické značce. Ve spodní části nemůžeme vynechat prohlídku nejvodnatějšího krkonošského vodopádu s výškou 8 m. Říční koryto zdobí ve stejném úseku charakteristické mísovité útvary – obří hrnce. Asi po čtyřech kilometrech odbočíme vlevo do svahu a po nezpevněné cestě sledujeme červenou značku (modrá pokračuje rovně podél říčky). Po dalších dvou kilometrech a převýšení dvou set metrů přicházíme na enklávu Vosecké boudy. Na jejím místě prý v první polovině 18. století stával seník, postupně změněný na dřevařský útulek. Později se boudě podle přebývajícího mnicha říkávalo Františkánská, pro účely turistiky byla upravena až v roce 1896. Současnou podobu konečně získala po druhé světové válce.

Dále stoupáme po zelené značce. Po levé ruce zůstává vrchol Sokolníka (1384 m), který je již součástí hlavního hraničního hřebene. Přes Navorskou louku se dostáváme až na plochou louku Labskou, na níž se k nám zprava připojuje žlutá značka. Pokračujeme ještě asi kilometr k památnému prameni Labe (viz Turistické cíle a zajímavosti). Budeme-li mít zájem, lze se odtud podívat až k nedaleké Labské boudě nebo na hranu hlubokého Labského dolu.

Vracíme se po asfaltové cestě okrajem mezinárodně významného mokřadu Pančavské louky. Mezi klečí a pionýrskými smrky přicházíme na rozcestí U čtyř pánů a po modré značce s výhledem na Kotel (1435 m) a Lysou horu (1344 m) začínáme rychle klesat. Při soutoku Malé a Velké Mumlavy míjíme tzv. Krakonošovu snídani (shora zhruba 3 km). Zprava se připojuje červená značka, po níž jsme ráno vystoupali k Vosecké boudě. Pokračujeme nyní v protisměru známou cestou po pravém břehu Mumlavy až do Harrachova.

Trasa číslo 2

Kategorie: celodenní

Počátek výletu se shoduje s trasou č. 1. U tzv. Krakonošovy snídaně odbočuje červená značka

k Vosecké boudě, my ovšem překračujeme tok Malé Mumlavy a po modré značce míříme dál přímo proti toku Mumlavy Velké. Ponejprv lesními serpentinami a po té klečí překonáváme asi dvousetmetrové převýšení k rozcestí U čtyř pánů.

U rozhledového místa v nadmořské úrovni 1339 metrů stojí malý přístřešek, právě zde se stýkala čtyři historická polesí – Krausových bud,

harrachovské, rezecké a vítkovické. Po horské silničce (obslužné komunikaci Labské boudy) se vydáme k už z dálky patrné Mohyle Hanče a Vrbaty (památka na tragické události lyžařského závodu po hřebenech v roce 1913). Odtud je to již pod Zlaté návrší co by kamenem dohodil. Zde se můžeme občerstvit ve Vrbatově boudě nebo v sousedním kiosku.

U Vrbatovy boudy končí

někdejší strategická Masarykova silnice z Horních Míseček. Čeká nás zajímavá cesta po červené značce. Vpravo nad Kotelními jámami stávala do roku 1987 Jestřabí bouda, sloužící za války jako výzkumná polární stanice a výcvikové centrum německé armády. Pokračujeme po hraně Velké Kotelní jámy, okolo toru Harrachových kamenů. Dominantní Kotel (1435 m)

obejdeme zprava, míjíme záhadné kamenné snosy tzv. Růženčiny zahrádky. Následuje Kotelské sedlo, z něhož se spustíme poměrně příkrou, avšak dobře značenou stezkou na enklávu Dvoraček. Bude-li to na jaře nebo na počátku léta, rozkvétají tu celé koberce horských rostlin, mimo jiné krásné sasanky narcisokvěté nebo červenorůžového rdesna hadího kořene.

Z Dvoraček náš okruh pokračuje po zelené značce, která nás povede napříč sjezdovkami (jižní svahy Luční hory) a přes známé rozcestí Ručičky až do údolí Ryzího potoka. Po necelých 3 km tzv. Krakonošovou cestou sestoupíme do Rýžoviště a po asfaltce zpátky do Harrachova.

30. Mumlavský vodopád při Harrachově cestě. Tudy se vstupuje do centra západních Krkonoš

Rokytnice nad Jizerou

Údolní městečko a horské středisko rozložené podél Huťského potoka, levostranného přítoku Jizery. První zmínka o stejnojmenné vsi pochází hluboko z 16. století, teprve o dvě století později se však pod názvem Rokytnice spojuje osm drobnějších sídel v jediný celek. V první řadě se jednalo o obec sklářskou, těžilo se tu ovšem rovněž stříbro a měď. V 19. století se v Rokytnici rozvíjí místní textilní a strojnický průmysl.

Ve středu města se nachází pozdně barokní kostel zasvěcený sv. Michalovi. Na stejném půdorysu stával dřív kostelík dřevěný. Další architektonickou památkou je secesní radnice z roku 1903. Pozornosti milovníků tradičního krkonošského stavitelství neujdou určitě četné roubené chalupy.

Současná Rokytnice žije především z turistického ruchu, letního a zejména zimního. Široce oblíbený je lyžařský areál na jižních svazích Lysé hory (Horní Rokytnice) a sjezdovky na jihozápadních svazích Studené (místní část Horní Kout).

Dopravní dostupnost

Rokytnici spojuje se světem silnice i železnice. Pravidelná autobusová doprava i čilá doprava automobilová využívají komunikaci č. 249, která přes městečko propojuje tah č. 14 Jilemnice – Harrachov a horskou silnici č. 286 mezi Hrabačovem a Horními Mísečkami. Železniční trať mezi Martinicemi a Rokytnicí byla zprovozněna již v roce 1899.

DOPORUČENÝ VÝLET
Kategorie: celodenní

Z rokytnického náměstí vyjdeme jižním směrem po žluté turistické značce. Cesta rychle stoupá a my se nezapomínejme ohlížet na otevírající se panoráma městečka a za ním protilehlé svahy vrchu Studená (989 m). Na západ je za dobrého počasí vidět až za údolí Jizery, severovýchod patří masivu Lysé hory (1344 m) a Kotle (1435 m). Asi po kilometru uhýbá vlevo červená značka, po níž se již daleko mírnějším stoupáním dostáváme k silnici mezi Rokytnicí a Rezkem. Čeká nás půlkilometrový úsek po jejím asfaltu a pak uhneme stále po červené vlevo do lesa. Následujícímu výstupu se říkává Cesta dr. Krejčího nebo také Jablonecká. Její pomocí zdoláme na více než třech kilometrech převýšení téměř dvou set padesáti metrů. Za rozcestím s modrou a zelenou (odbočka tzv. Exkurzní cesty k chatě Rezek) jsou již přes horskou květnatou louku v dohledu Dvoračky.

Od těchto historických bud vystoupáme prudším a asi kilometrovým výšvihem do Kotelského sedla. Vynaloženou námahu vykompenzuje dosažení výšky přes 1300 m a dále již více méně pohodlně dostupný prostor od Zlatého návrší až po Prameny Labe nebo státní hranici. Od této chvíle vše záleží již jenom na časovém rozvrhu výletu a na našich fyzických možnostech...

Návrat ze západokrkonošského plató do Rokytnice doporučujeme uskutečnit opět z Kotelského sedla. Všechny případné ostatní varianty jsou zdlouhavější a více namáhavé. Abychom nemuseli stejnou cestou jako dopoledne, odbočíme však od Dvoraček doprava. Po zeleně značené stezce protínáme jednu sjezdařskou trať za druhou. U rozcestníku Ručičky je třeba pokračovat po žluté stezce vlevo dolů. Zbývající pěšiny by nás zavedly daleko od našeho cíle. Po lesním okraji a na samém konci otevřeným prostranstvím klesáme tzv. Kostelní cestou do místní rokytnické části Horní Kout. Z ní je to na rokytnické náměstí již jen několik set metrů.

Benecko

Historie dřívější hornické obce sahá do 16. století. Terminální poloha na západních svazích žalské rozsochy (Přední Žalý – 1019 m) zajišťuje Benecku příhodné klimatické podmínky a dlouhý denní svit slunce. Spojeny jsou s ní také pěkné výhledy k západu a na sever (údolí Jizery či masivy Lysé hory a Kotle). Obec dnes žije takřka výlučně z turistického ruchu a zimních sportů (sezonní lyžařské vleky a udržované běžecké tratě).

Dopravní dostupnost

Do Benecka se lze kromě individuální automobilové dopravy dostat i pravidelnou autobusovou linkou. Místní komunikace sem odbočuje ze silnice č. 286 ve směru na Horní Mísečky, asi 1,5 km nad Hrabačovem vpravo.

DOPORUČENÝ VÝLET
Kategorie: půldenní
až celodenní

Benecko leží poměrně hluboko v českém vnitrozemí, není tak ideálním východištěm do hřebenových partií Krkonoš. Lze odtud naopak absolvovat romantické procházky do bližšího nebo vzdálenějšího okolí. Doporučujeme určitě výstup Bucharovou cestou na Přední Žalý (1019 m), odkud je bezkonkurenční kruhový rozhled. Z Žalého můžeme pokračovat po červené značce na sever s tím, že nazpátek do Benecka budeme sestupovat buď po žluté, nebo až po zelené značce (tzn. ještě před Janským vrchem, nebo až za ním).

Vypravit se můžeme také na vzdálenější Labskou. Při tom lze využít nejrůznější kombinace červené hřebenovky přes Šeřín (1029 m) a Černou skálu (1039 m) nebo pohodlnějšího zeleně značeného traverzu přes lesní samoty Třídomí.

31. Za hlubokým údolím Labe vystupují Kozí hřbety (1422 m), masivy Luční hory (1555 m) a Stohu (1315 m). Jeden z nejkrásnějších krkonošských výhledů v horní Labské

Strážné

Často vyhledávané turistické středisko s typickým roztroušeným osídlením. Rozkládá se v sedle mezi Herlíkovickým Žalým (958 m) a Strážní horou (825 m). K východu se odtud otevírají výhledy do údolí Klínového potoka, na západ se stráně ze sedla svažují až k zářezu Labe.

U blízkých Hříběcích bud se těžil pověstný krkonošský mramor. Těžba probíhala až do poloviny osmdesátých let a dnes má opuštěný lom statut státem chráněné přírodní památky.

Návštěvníci Strážného se mohou kromě odpočinku a různých forem turistiky vyžívat nejrůznějšími způsoby. V teplejším období mají k dispozici i tenisový dvorec, v zimě zas několik vleky vybavených sjezdovek.

Dopravní dostupnost

Strážné je dostupné po horské silnici, odbočující v Horním Vrchlabí z komunikace č. 295 (Vrchlabí – Špindlerův Mlýn). Využívat lze jak pravidelnou autobusovou linku, tak osobní automobily.

DOPORUČENÝ VÝLET
Kategorie: celodenní

Ze Strážného vystoupáme po silnici a později zpevněnou cestou

k rozcestníku u Hříběcích bud. Odtud začíná protáhlé stoupání po souběžné červené a modré značce, modrá se však brzy odklání vlevo. Příkřejší cesta s příčnými protierozními prahy nás dovede lesem až na spodní kraj rozlehlé hřebenové enklávy. Zkraje na ní míjíme boudu Huculskou, u níž se po předchozí domluvě můžeme projet na pravém huculském koni. Budeme-li pokračovat dále, budeme postupně obcházet boudy Lahrovy, Přední a Zadní Rennerovky. V období, kdy kvetou okolní louky a kdy se vydaří počasí, jde o poněkud náročnou, avšak překrásnou vycházku s dalekými výhledy do kraje. Jakmile se dostaneme až k Dvorské boudě a po nich k bufetu Na Rozcestí, ušli jsme

32. Periglaciální útvary na východních sklonech Luční hory. Kromě půdních polygonů a tzv. kryoplanačních teras zde lze spatřit i protáhlé brázděné půdy

33. Polední kámen (Słonecznik) tvoří mohutné žulové bloky. Leží nedaleko hraniční Cesty česko-polského přátelství

od Hříběcí boudy již asi šest kilometrů s převýšením téměř pět set metrů. Právě zde se musíme rozmyslet, je-li již čas k návratu, nebo chceme-li pokračovat dále. K Výrovce, respektive k Luční boudě se už sice nemusí příliš stoupat, je ale třeba počítat se vzdáleností dalších tří kilometrů. V případě plánovaného návratu do Strážného se tak už nejedná o prodloužení zanedbatelné.

Ať se už rozhodneme pro okamžitý ústup, nebo půjdeme až do centrální části východních Krkonoš, máme pro zpáteční cestu od bufetu Na Rozcestí dvě varianty. První z nich je snazší a rychlejší: přejdeme asi jeden kilometr západním směrem na Zadní Planinu, odkud sestupujeme po modré značce levým úbočím Klínového dolu. Druhá varianta nabízí pokračování po zelené značce ke Klínovým boudám a k Boudě Na Pláni (asi kilometr odtud začínají sjezdové trati do Špindlerova Mlýna, horní stanici tam má také sedačková lanovka). Ke zdárnému návratu „po svých" je však třeba pokračovat k jihovýchodu a držet se modré značky. Tu opustíme až na dalším významném rozcestí, kde náš směr protíná zeleně, respektive žlutě značená stezka. Uvedenou cestičku směřující nejprve do Herlíkovic a dále do Strážného využijeme. Celý sestup od bufetu do Strážného měří přibližně osm kilometrů.

Špindlerův Mlýn

Nejproslulejší krkonošské středisko najdeme v samotném srdci pohoří. Na soutoku Labe a Dolského potoka jej chrání kolem dokola horská pásma a masivy Kozích hřbetů, Plání, Krkonoše a Medvědína. Centrem zdejšího osídlení bývala nejprve hornická osada Svatý Petr, teprve později se jeho těžiště posunulo dál do údolí. Název Špindlerův Mlýn vznikl koncem 18. století. Jistou renesanci tehdy zažívalo místní hornictví a horníci se scházeli v mlýně u mlynáře Špindlera.

Kromě četných staveb lidové architektury přitahuje pozornost dnešních návštěvníků klasicistní kostel sv. Petra. Do začátku 19. století stával na tomto místě jeho dřevěný předchůdce.

Špindlerův Mlýn je doslova předurčen k celoročnímu turistickému využívání. Má specifické klima, vynikající výchozí polohu pro výlety do západní i východní části hor a jedno z nejlepších infrastrukturních vybavení v celých Sudetách. Oplývá řadou kulturních zařízení, lze tu hrát také squash, tenis, jezdit na kolech, rybařit nebo se plavit po přehradní hladině na loďkách. V zimní sezoně (prosinec až duben) bývá zajištěn kompletní lyžařský servis ve dvou hlavních areálech, ve Sv. Petru a na Medvědíně. Sjezdovky jsou v případě potřeby uměle zasněžované, dobře a pravidelně udržována je také většina běžeckých tratí. Některé hotely nabízejí vyhřívané kryté bazény.

Dopravní dostupnost

Město je dostupné pravidelnou autobusovou linkou i individuální automobilovou dopravou po silnici č. 295 z Vrchlabí. Pro vozidla jsou připravena rozměrná odstavná parkoviště, menší parkoviště mají k dispozici i jednotlivá ubytovací zařízení. Místní dopravu zprostředkovává taxislužba, v zimě též specializované skibusy nebo stylové saně s koňským spřežením.

DOPORUČENÉ VÝLETY

Trasa č. 1

Kategorie: celodenní

Výpravu do západní části Krkonoš zahájíme na laně medvědínské sedačkové lanovky. Převýšení na hřebeny (téměř čtyři sta padesát metrů) lze jistě překonat i pěšky přes Horní Mísečky a dále po Masarykově silnici nebo v horní části Starou vodovodní cestou (žlutá značka vedoucí na Zlaté návrší). Technikou ušetřená energie a čas přijdou však ještě vhod.

Z horní lanovkové zastávky popojdeme pár set metrů po žluté, která se brzy změní na červenou. Nezapomeňme navštívit Šmídovu vyhlídku, kde s pomocí speciálního nákresu přehlédneme celé protilehlé Sedmidolí a hraniční hřeben s dominantou Vysokého Kola (1509 m). Z vyhlídky dále sestoupíme na již zmíněnou Masarykovu silnici (tzv. Bucharova cesta). Při chůzi vychutnáváme daleké výhledy do Podkrkonoší. Dostáváme se k Vrbatově boudě a čeká nás jedna z nejromantičtějších horských cest v Krkonoších. Kolem Mohyly Hanče a Vrbaty postupujeme na rozcestí, kde se budeme držet červené značky směřující ze svahu k hraně Labského dolu. Míjíme menší Hančův pomník (skutečné místo tragické události v roce 1913) a zastavíme u Ambrožovy vyhlídky, kde se bystřina Pančavy mění v hučící Pančavský vodopád. Omráčí nás téměř letecký pohled

do zeleného Labského dolu, současně však nelze zavírat oči ani před obrovskými bezlesými plochami v Sedmidolí. Jsou důsledkem kyselých dešťů, následného oslabení lesních porostů a kalamitních těžeb.

Protáhneme se kolem architektonicky diskutabilní budovy Labské boudy (v roce 1975 byla nově vystavěna na místě vyhořelého objektu). Starou Koňskou cestou se mezi klečí a pionýrskými smrčky dostáváme až za česko-polskou hranici, za níž nás čeká velkolepé překvapení v podobě Malé a Velké Sněžné jámy se zdaleka viditelnou stavbou Wawel uprostřed (viz kapitola Turistické cíle a zajímavosti).

Cestou od jam se napojíme na červeně značenou hřebenovku, která nás povede přes rozlehlá kamenná moře nejvyšší hory západních Krkonoš Vysokého Kola (polsky Wielki Szyszak). Hned v dalším sedle lze za příznivého počasí ustoupit z hřebene k Martinovce a dále po zelené značce až do Špindlerova Mlýna. Zůstaneme-li však na hřebeni, očekává nás ještě pozoruhodný tor Mužských kamenů (1417 m) a po dalším kilometru ještě kamenů Dívčích (1414 m). Z vrcholů sestoupíme k charakteristické chatě Petrovka a opět se musíme rozhodovat. Vrátíme se pěšky po žluté značce (8 km a převýšení asi 500 metrů), nebo přes Slezské sedlo dojdeme až ke Špindlerově boudě (další necelé tři kilometry po hřebenové cestě)? Od Špindlerovky jezdí až do Špindlerova Mlýna kyvadlový autobus (před výletem je dobré informovat se o termínech odjezdů!).

Trasa č. 2

Kategorie: celodenní

Ze Špindlerova Mlýna vyjedeme serpentinovitou silnicí až ke Špindlerově boudě. Z parkoviště

a konečné autobusové zastávky (osobní vozy platí mýto) vykročíme po polské straně hranice napravo vzhůru po červené značce. Severními svahy postupně traverzujeme hraniční vrcholy Malého Šišáku (1439 m) a Stříbrného hřbetu (1490 m). Zprava míjíme hlavně polskými turisty navštěvovaná torovitá skaliska Słonecznіku (Poledního kamene). Po horním kraji karových propastí Velkého a pak ještě Malého rzbníku (Stawu) a s oblou vyvýšeninou Stříbrného návrší po pravici docházíme k odbočce, uhýbající v pravém úhlu do Čech k Luční boudě. To je náš „mezicíl",

ale máme-li dostatečnou časovou zálohu, můžeme pokračovat po červené značce, která sleduje hrubě dlážděnou silničku. Právě tudy bývá zásobována zrekonstruovaná polská Slezská bouda, k níž se můžeme dostat. V sedle pod Sněžkou je téměř neustále čilý provoz, několik desítek minut chůze za hranicí končí lanovka, s jejíž pomocí turisté z polské strany zdolávají nejvyšší krkonošskou horu. Na české straně sedla byl poblíž zbytků základů někdejší české Obří boudy zřízen oficiální hraniční přechod pro pěší.

Pro případné zdolání vrcholku Sněžky i s návratem do sedla počítejme s rezervou jedné až půldruhé hodiny. Na zpáteční cestu do Špindlerova Mlýna vykročíme po modré značce krajem nejdelšího krkonošského trogu, Obřího dolu. Povalovým chodníkem přes Úpskou rašelinu dojdeme až k místu s výhledem na největší boudu celého pohoří. A to prý nebyla Luční bouda podle původního projektu zdaleka dostavěna!

Poslední úsek cesty můžeme absolvovat dlouhým a velmi romantickým údolím Bílého Labe (modrá značka), nebo po červené značce kolem bývalých Richterovek a vyhlídkového bodu – Krakonoše (1422 m). Tato stezka je kratší a dovede nás do Svatého Petra a odtud přes menší hřebínek přímo do centra Špindlerova Mlýna (od Krakonoše je to zhruba pět kilometrů a převýšení téměř šest set metrů). Avšak pozor! V případě, že bychom se na túru vypravili v zimě, musíme počítat s uzavřením obou právě popsaných „ústupových tras". Ať již s noclehem na Luční boudě, nebo bez něho, do Svatého Petra se dostaneme až z Plání cestou kolem Výrovky a přes Zadní Planinu.

34. Východ slunce nad Sněžkou

Pec pod Sněžkou

Nejznámější východokrkonošské středisko leží zaklíněné hluboko v horách, s podhůřím jej spojuje pouze hluboké údolí Úpy. Ze západu městečko svírá Liščí hřeben, z jihu masiv Černé hory a Světlé a od severozápadu hřeben mezi Růžovou horou a Pěnkavčím vrchem. V závěru severně orientovaného Obřího dolu se vypíná silueta památné Sněžky.

O hornické činnosti v oblasti Obřího a Modrého dolu jsou dochovány záznamy již z 16. století. Doleji, kde se údolí větví a Úpa sbírá vody několika drobnějších přítoků, stávaly hutnické pece. V nich se arzénové, měděné a železné rudy tavily.

Mezi důležitější historické památky města patří zachovalá Hospoda v Peci (z konce 18. století) i několik dodnes pečlivě udržovaných hrázděných chalup.

Ze všech stran patrnou dominantou je ovšem architektonicky rozporuplná budova hotelového věžáku Horizont. Návštěvníci dnes využívají široké spektrum sportovního a rekreačního vyžití, tenisem počínaje a četnými kulturními zařízeními konče. Městečko obklopují lyžařské svahy vybavené rychlými vleky, vlastně již technickou památku představuje dvojúseková lanovka pod Růžovou horu a dále na nejvyšší horu Krkonoš. Její výstavba byla ukončena v roce 1949 a v plánu je její rekonstrukce.

S Pecí sousedí Velká Úpa, sídlo prvně vzpomínané v 18. století. Také v Úpě se těžily železné a měděné rudy, přímo v centru střediska upoutává pozornost kostel Nejsvětější Trojice, dostavěný na sklonku 18. století. Současné lyžování, ale i letní turistické výlety usnadňuje zdejší sedačková lanovka k Portášovým boudám.

Dopravní dostupnost

Oblast Pece pod Sněžkou a Velké Úpy je dostupná silnicí č. 296 a od Horního Maršova úsekem 296A. Dojíždějí sem pravidelné autobusové linky, parkovací prostory pro individuální automobilovou dopravu bývají ve špičkách limitované. Pro místní přesuny lze dobře využít taxislužbu.

DOPORUČENÉ VÝLETY

Trasa č. 1

Kategorie: půldenní (zkrácená s využitím lanovky) nebo celodenní

Kdo by nechtěl vystoupit na nejvyšší horu kteréhokoli horstva?! V Krkonoších nás k takovému výkonu Pec a Sněžka doslova vybízejí. Je ovšem možné zvolit daleko pohodlnější variantu –

výjezd lanovkou s počáteční stanicí v Růžovém dole a přestupem pod Růžovou horou (1390 m). Pokud jste se však rozhodli použít výhradně vlastní síly, vykročte po modré značce do Obřího dolu (v zimě bývá uzavřeno). Určitě nebudete litovat, jedná se o jedno z nejkrásnějších a nejlépe vyvinutých ledovcových údolí v Krkonoších...

Na vytoužený vrcholek je to z Pece asi 7 kilometrů daleko a bezmála osm set metrů relativního převýšení. Brzy míjíme napravo boční zářez Růžového dolu, několik osamocených chat a bud. Od cesty lze pozorovat nejrůznější terénní úpravy, pozůstatky dřívější těžby nerostných surovin. Asi v polovině výstupu (hlavní stoupání je stále teprve před námi) se ocitáme pod úctyhodným masivem Studniční, třetí nejvyšší krkonošské hory. Na protější straně údolí vybíhá vzhůru sráz Růžové hory. Přibližně v úrovni tzv. Malé Studniční jámy přestáváme kopírovat údolí Úpy a odchylujeme se vpravo do svahu. Blízko tohoto místa stojí kaplička na památku sedmi lidí, zasypaných murou. Drah, jimiž v době rychlého tání nebo po prudkých lijácích sjíždí ničivá směs vody, kamenů a bláta, je v Obřím dole hned několik.

U přechodu Rudného potůčku najdeme důležitou technickou památku – již nefunkční část vodovodu, jímž byla čerpána voda na vrchol Sněžky (předtím se musela k boudám vynášet v sudech upevněných v krosnách). Čeká nás poslední strmější výstup k bývalé Obří boudě. Od jejích rozvalin je to po červeně značeném chodníku na vrchol nejvyšší české hory půlhodinka svižnější chůze.

Budeme-li nahoře pomýšlet na návrat, nejrychlejší to bude pod lanovkou (po žluté) a od Růžohorek pak po zelené do Pece. Pohodlně se to dá stihnout za dvě hodiny.

Kdo se však rozhodne dokončit navrhovanou trasu celou, musí se vrátit do Obřího sedla. Po modré značce je třeba přejít hranou Úpské jámy na mezinárodně chráněný biotop Úpské rašeliny. Z nadhledu povalového chodníku lze dokonale přehlédnout jedno z nejkrásnějších rozvodnicových rašelinišť ve střední Evropě. Pak už zbývá jen několik desítek metrů, abychom se dostali k rozměrné budově Luční boudy. Nachází se v mělké depresi a kolem ní protéká pramenný úsek Bílého Labe. Můžeme se zde posilnit v restauraci nebo si aspoň prohlédnout malou historickou expozici na jejích chodbách.

Přes Bílou louku nyní stoupáme směrem k Památníku obětem hor. Stojí v sedle mezi Studniční a Luční horou. Přitom míjíme železný křížek, upomínku na někdejšího majitele Luční boudy J. Rennera, který poblíž v dubnu 1868 zahynul při nenadálé sněhové bouři. Ze sedla klesáme horskou silničkou k architektonicky svérázné chatě Výrovka. Od ní lze už přes Richterovy boudy (zelená značka) sestoupit do Pece. Po pohodlné hřebenovce s krásnými rozhledy můžeme ovšem také pokračovat dále k bufetu Na Rozcestí. Zde je nutno odbočit vlevo ve směru k Liščí hoře. Za prosvětlenou enklávou Liščí louky lze k sestupu do údolí využít kteroukoli z nalevo odbočujících značených cest (po řadě se nabízejí barvy žlutá, zelená a modrá). Jestliže budeme chtít okruh zavřít opravdu důkladně, můžeme jít po červené až k Náchodské a Pražské boudě. Odtud nás dovedou zelená a žlutá značka kolem Javorských Bud do samotného centra Pece.

Trasa č. 2
Kategorie: celodenní

Sedačková lanovka z Pece nás vyveze do 1313 m pod Růžovou horu. Z Velké Úpy se do stejného místa dostaneme lanovkou přes Portášky a po žlutě značené cestě.

Pod lanem druhého úseku lanovky Pec – Sněžka vystoupáme asi kilometr pod vrchol. Vpravo tam odbočuje tzv. traverz, zelená vrstevnicová stezka mezi klečí, borůvčím a smrkovými zákrsky. V zimě může být stopa zledovatělá a při troše nepozornosti hrozí podklouznutí a pád směrem do hlubokého Slunečného údolí. Před nepříjemným severákem chrání pěšinu masiv Obřího hřebene.

Za dobrého počasí můžeme pod lanovkou (nebo s její pomocí) vystoupat alternativně až na vrchol. K východu pak postupujeme souběžně se zmíněným traverzem červeně značenou hřebenovkou. Ať si už vybereme kteroukoli z variant, dorazíme k boudě Jelenka, která dříve sloužila jako lovecká chata. Pokračujeme po hřebenové Cestě česko-polského přátelství, přes Lesní hřeben k Pomezním boudám. Od nich a od hraniční linie sestupujeme přes rázovité horské obce Horní a Dolní Malou Úpu, sledujeme buď červeně (zpevněná) nebo napravo od ní žlutě (nezpevněná) označenou cestu, dokud se nedostaneme k památnému dolnoúpskému kostelu sv. Petra a Pavla. Kostel dal v roce 1791 postavit rakouský císař Josef II. a jedná se o jednu z nejvýše situovaných sakrálních staveb v Čechách i na Moravě (936 m). Po dalších dvou kilometrech po modré značce přijdeme ke Spálenému Mlýnu. I tady na nás dýchne historie: v 18. století tu měli přenocovat samotný císař a jeho společník generál Laudon. Od zaniklého mlýna zbývají do Velké Úpy ještě čtyři, do Pece pod Sněžkou šest kilometrů.

Janské Lázně

Janské Lázně měl roku 1006 objevit tajuplný zbrojnoš Jan. Ať už tomu tak opravdu bylo, nebo je to jen legenda, z místa se od těch časů stalo jedno z nejvěhlasnějších léčebných středisek Evropy. Úspěšně se tu léčí například dýchací potíže nebo následky dětské obrny. Vděčíme za to příznivému klimatu a také vývěru několika termálních pramenů.

Za pozornost návštěvníků i pacientů stojí rozhodně dva novogotické kostely z konce 19. století. První z nich je evangelický, druhý katolický (sv. Jana Křtitele). Znalci i laikové určitě ocení také udržovanou secesní kolonádu. Magnetem jiného typu je kabinová lanovka na Černou horu (1299 m). Překonává výškový rozdíl 566 m a najdeme ji v západní části lázní. Zařízení stojí na místě nejstarší visuté lanovky v Čechách.

Dopravní dostupnost

Janskými Lázněmi prochází silnice č. 297. Od západu po ní lze přijet ze směru od Vrchlabí (návaznost na „podkrkonošskou magistrálu" č. 14), od východu ze Svobody nad Úpou. Ve tři kilometry vzdálené Svobodě nad Úpou končí železnice, zajišťující pravidelnou osobní přepravu z Trutnova.

36. Čertovo návrší (1471 m) a Čertova louka z nejvyšší části údolí Bílého Labe

DOPORUČENÝ VÝLET

Kategorie: půldenní (s využitím lanovky v obou směrech) nebo celodenní

Z okraje města vyjedeme kabinovou lanovkou až pod vrcholek jedné z nejproslulejších krkonošských dominant, Černé hory (1299 m). Právě jeho prostřednictvím kulminuje nejmohutnější krkonošská rozsocha. Od konečné se vydáme k severu a hned u Černé boudy uhneme krátkým klesáním po modré značce. Nabízí se nám tu přibližně dvoukilometrová okružní naučná stezka s ukázkou mimořádně zachovalého montánního rašeliniště. Celková rozloha Černohorského rašeliniště činí téměř 70 hektarů a mocnost zdejší rašeliny dosahuje až dvou a půl metru. Část lokality si můžeme prohlédnout z vyhlídkové věže, která stojí u západního konce naučné stezky.

Po skončení prohlídky doporučujeme pokračovat směrem na Velkou Úpu. Žlutě značenou cestou zvolna sestoupíme až k Vlašským boudám. Jsou spravovány jako horská farma a můžeme tu přímo „z kuchyně" ochutnat originální jogurt, mléko nebo pečivo. Občerstveni a dobře naladěni kráčíme dál. Vpravo nad zalesněným údolím Úpy nás povede pohodlná cesta, jíž zkraje využívají rovněž cyklisté. Zhruba po pěti kilometrech dojdeme nad Reissovy Domky, kde se rozloučíme se zeleným značením. Po modré teď zbývá do Janských Lázní sestoupit ještě 4 až 5 km, přibližně v půlce míjíme vpravo Modrokamennou boudu.

37. Vrchol nejvyšší české hory obléhají celoročně turisté

Žacléř

Město Žacléř leží v nejvýchodnějším krkonošském cípu. U česko-polských hranic a poblíž Královeckého sedla hrálo odedávna významnou strategickou úlohu. První zmínka o Žacléři pochází z roku 1334. Původní hrad, základ dnešního zámku, dal však kníže Soběslav postavit dokonce již v první polovině 12. století. Mezi další kulturní klenoty města patří původně renesanční kostel Nejsvětější Trojice, loretánská kaple, morový sloup nebo měšťanské domy na náměstí. V roce 1628 opouštěl u nedalekého Růžového paloučku rodnou zemi Jan A. Komenský, učitel národů. V osmnáctém století byly u Žacléře objeveny kamenouhelné sloje,

těženy byly ještě nedávno. V městě se tradičně rozvíjel textilní průmysl, vyráběly se tu nejrůznější elektroporcelánové komponenty.

V současné době nejsou pro město zanedbatelné ani příjmy z turistického ruchu. K jejich navýšení slouží menší středisko s lyžařskými vleky a sjezdovou dráhou. Leží v místní části Prkenný důl na jihozápadním okraji Žacléře.

Dopravní dostupnost:

Po silnici č. 300 je město dostupné jak od Trutnova (odbočka ze silnice č. 14 v Mladých Bukách), tak od Královce z mezinárodní silnice č. 16 (Trutnov – Kamienna Góra). Až do města směřuje

terminální železnice, odbočka z hlavní trati Trutnov – Poříčí – státní hranice.

DOPORUČENÝ VÝLET
Kategorie: celodenní

Vzhledem ke své poloze je Žacléř předurčen k výletům do Rýchor. Vybírat lze hned z několika variant. Volíme výstup severovýchodní cestou okolo Bílého kříže, která sleduje tzv. Žacléřský hřeben.

Asi tři kilometry za městem se po souběžně modře a zeleně značené cestě (současně cyklotrasa) dostaneme na bezlesou enklávu Vízova. Odtud se držíme zelené značky, dokud nedojdeme až k baroknímu Rýchorskému kříži.

Kříž tu byl vztyčen počátkem 19. století.

Ocitli jsme se na hřebeni Rýchor a téměř na dosah ruky máme Rýchorskou boudu hned vedle bývalé chaty Maxovy, Rýchorskou studánku nebo mimořádně vzácnou ukázku překrásné krkonošské bučiny. Právě přes takovou přísně chráněnou přírodní lokalitu dojdeme až na vrchol Dvorského lesa (1033 m). Sestupujeme po červeně značené stezce pojmenované podle bratří Čapků. Asi dvě stě metrů pod kótu Kámen (866 m) si musíme po levici ohlídat horní část sjezdovky, po níž lze rychle sestoupit na jižní okraj Žacléře. Kdo se prudkému svahu raději vyhne, může jít dále

po červené až k silnici č. 300. Varianta je to delší, avšak o poznání pohodlnější. Na silnici odbočíme shodně se zelenou značkou doleva. Zelená turistická značka nás dovede nejkratší možnou cestou (asi 3 km) až na žacléřské náměstí.

DOPORUČENÁ TRASA PŘECHODU POHOŘÍ

varianta 1 *(noclehy ve střediscích)*

První den (osa: **Harrachov – Krakonošova snídaně – Vosecká bouda – Prameny Labe – Labská louka – Zlaté návrší – Horní Mísečky – Špindlerův Mlýn**)

První část trasy je detailněji popsána v doporučovaném výletu z Harrachova (trasa č. 1, první část). Druhá část je obsažena protisměrně v doporučeném výletu ze Špindlerova Mlýna (trasa č. 1, první část).

Druhý den (osa: **Špindlerův Mlýn – Špindlerovka – Stříbrný hřbet – Sněžka – Obří sedlo – Obří důl – Pec pod Sněžkou**)

První část podrobněji popisuje výlet ze Špindlerova Mlýna (trasa č. 2, první část). Část navazující protisměrně specifikuje doporučený výlet z Pece pod Sněžkou (trasa č. 1, první část).

Třetí den (osa: **Pec pod Sněžkou – Růžohorky – traverz – Jelenka – Horní Malá Úpa – Dolní Malá Úpa – Velká Úpa**)

Trasa se s výjimkou posledního úseku shoduje s doporučovaným satelitním výletem z Pece pod Sněžkou (trasa č. 2).

Čtvrtý den (osa: **Velká Úpa – Vlašské boudy – Černohorské rašeliniště – Černá hora – Janské Lázně**)

38. Harrachovy kameny. Ukázka zvětrávání žuly nad strmými Kotelními jámami

Z Velké Úpy stoupáme po žlutě značené turistické cestě na Fuhnerovu paseku a dále až k Vlašským boudám (Valšovkám). Krátkým a vcelku strmým chodníkem zdoláváme severní černohorský svah, abychom asi po dvou kilometrech dospěli na kraj Černohorského rašeliniště (blíže viz satelitní výlet z Janských Lázní). Pro vlastní sestup do Janských Lázní si můžeme vybrat jednu ze tří možností. První z nich je tzv. Cesta T, která je označena zeleně a směřuje k Modrým kamenům a Modrokamenné boudě. Druhá možnost je přejít po žluté značce k Malým Pardubickým boudám a dále pokračovat po červené; této cestě se říká Zvonkova. Poslední nabízenou eventualitou bude postupovat po červené stále na jih, ke kiosku a pak až k Sokolské boudě. Následuje prudší sestup k Zrcadlovkám, kde se v ostrém úhlu dáme doleva a po modře značené Lobkovicově cestě dojdeme až do cíle. Poslední úsek vede po zásobovací komunikaci.

Pátý den (osa: **Janské Lázně – Svoboda nad Úpou – Kutná – Dvorský les – Žacléř**)

Úvodní část výletu absolvujeme po červeně značené cestě sledující komunikaci mezi Janskými Lázněmi a Svobodou nad Úpou. Ve Svobodě odbočíme vlevo a tzv. Růženinou cestou vystoupíme na počátek hřebene Červeného vrchu. Asi po dvou kilometrech se pěšina stáčí k údolí Sejpového potoka (Kalná), aby se napojila na modře značenou údolní stezku. Ta nás dovede až ke kótě Kutná (896 m), kde jsme dosáhli okraje enklávy rýchorského hřebene. Na dohled tu máme např. Rýchorskou boudu nebo památný Rýchorský kříž. Z Kutné se vypravíme po červené turistické značce směrem ke Dvorskému lesu. Další průběh trasy se shoduje s druhou částí satelitního žacléřského okruhu.

varianta 2
(noclehy v horských boudách)

První den (osa: **Harrachov
– Mumlavský vodopád
– Krakonošova snídaně
– Vosecká bouda**)

Nástupní trasa na Voseckou boudu byla zahrnuta v satelitním okruhu z Harrachova č. 1 (první část).

Druhý den (osa: **Vosecká bouda
– Prameny Labe – Sněžné jámy
– Mužské a Dívčí kameny
– Petrovka, resp. Špindlerovka**)

Pro popis úvodní části výletu odkazujeme na trasu satelitního harrachovského okruhu č. 1. Následující úsek výletu přes Sněžné jámy, Mužské a Dívčí kameny byl popisován v druhé části okruhu č. 1 ze Špindlerova Mlýna.

Třetí den (osa: **Špindlerovka
– Polední kámen – Wielki Staw,
Mały Staw – Luční bouda**)

Trasa se z velké části kryje s navrhovaným výletem č. 2 ze Špindlerova Mlýna.

Čtvrtý den – podvarianta 1 (osa: **Luční bouda – Úpské rašeliniště
– Sněžka – Jelenka – Pomezní boudy**)

První část úseku odpovídá protisměrně trase, zmiňované v druhé půlce okruhu č. 2 ze Špindlerova Mlýna. V partiích mezi Sněžkou a Pomezními boudami odpovídá střednímu úseku výletu č. 2 z Pece pod Sněžkou.

– podvarianta 2 (osa: **Luční bouda
– Výrovka – Liščí hora
– Náchodská bouda – Černá bouda**)

Úvod trasy odpovídá popisu doporučovaného výletu č. 1 z Pece pod Sněžkou. Od Náchodské boudy však nevolíme sestup do údolí Úpy, nýbrž postupujeme přímo po

červené značce přes náhorní enklávu Lučiny (někdy se místu říká také Bobí louky).

Po překročení horního Javořího potoka stoupáme proti proudu jeho pravostranného přítoku až k Černé boudě (z Lučin je to jen málo přes dva kilometry, avšak zhruba 170 metrů převýšení).

Pátý den – podvarianta 1 (osa: **Pomezní boudy – Horní a Dolní Malá Úpa – Lysečinské boudy
– Horní Albeřice – Rýchorská bouda**)

Trasa se zpočátku kryje s navrhovaným výletem z Pece pod Sněžkou (Velké Úpy) č. 2. Teprve v centru Dolní Malé Úpy se musíme z uvedeného směru odchýlit po červené značce, jihovýchodním směrem šikmo do svahu Pomezního hřebene. Po asi třech kilometrech (rozcestí na tzv. Cestníku) odbočíme ostře k východu. Stále po červené dojdeme k Lysečinským boudám a od nich podél polsko-české hranice až do Horních Albeřic (další čtyři kilometry). Závěrečný úsek je přibližně stejně dlouhý a vede nás nejprve po hranici přes vrchol Čepel (912 m) a poté vlevo od Mravenčího vrchu (1005 m) k Rýchorské boudě.

– podvarianta 2 (osa: **Černá bouda – Janské Lázně**)

Od Černé boudy do cílového bodu můžeme zvolit několik sestupových možností (viz čtvrtý den variantního přechodu pohoří). Alternativně se lze samozřejmě svézt také v kabinové lanovce.

Šestý den (osa: **Rýchorská bouda
– Dvorský les – Žacléř, resp. Trutnov**)

Cesta do Žacléře se plně shoduje s druhou částí doporučovaného „žacléřského" výletu. Pokud budeme chtít dojít až do Trutnova, využijeme červeně značenou Cestu

bratří Čapků. Míří k jihu přes Hřebínek a kolem zříceniny Ruchenburk, dále přes Zámecký vrch (635 m) a kolem boudy Vebrovka přímo do městského centra (pozor, z Hřebínku je to ještě téměř devět kilometrů chůze).

39. Za Modrým dolem a za údolím Úpy se zvedají Rýchory. Vpravo napřed Světlá (1244 m) a Černá hora (1299 m)

Vybrané mapy a průvodce

Krkonoše. Cykloturistická mapa č. 24, SHOCART, Zlín, 1:75 000, 2000.

Krkonoše. Geodézie ČS, Praha, 1:50 000, 1999.

Krkonoše. Střediska zimních sportů. Geodézie ČS, Praha, 1:50 000, 1999.

Krkonoše. Turistická mapa č. 104, SHOCART, Zlín, 1:50 000, 1999.

Krkonoše. Turistická mapa č. 22, Edice Klubu českých turistů, Praha, 1:50 000, 2. vydání 1998.

Krkonoše - východ. Průvodce po Čechách a Moravě č. 12, S & D, Praha, 1996.

Krkonoše - východ. Turistická a lyžařská mapa, Vojenský kartografický ústav Harmanec, Nakladatelství ROSY a KČT, Praha, 1:25 000, 1993.

Krkonoše - západ. Průvodce po Čechách a Moravě č. 11, S & D, Praha, 1996.

Krkonoše - západ. Turistická a lyžařská mapa, Vojenský kartografický ústav Harmanec, Nakladatelství ROSY a KČT, Praha, 1:25 000, 1993.

Krkonoše po celý rok. Průvodce po Čechách, Moravě a Slezsku, Kartografie, Praha, 1998.

Krkonoše. Atlas. Geodézie ČS, Praha, 1:25 000, 1998.

HRUBÝ JESENÍK
(Praděd a jeho družina)

Málokteré středoevropské hory soustřeďují tolik příběhů. Stýkaly se tu a stále ještě stýkají ambice hledačů rud a drahých kamenů, tajuplné silokřivky čarodějnických rejů i neblahé a nelítostné dědictví inkvizičních procesů. Zjitřenou mysl od Petrových kamenů uklidní klikatá lesní pěšina, potemnělá hladina Mechových jezírek nebo pobyt v některém ze zdejších lázeňských středisek. Účinky jesenických pramenů zůstanou asi navždycky spjaty s léčebným uměním Vincenze Priessnitze či Johana Schrotha.

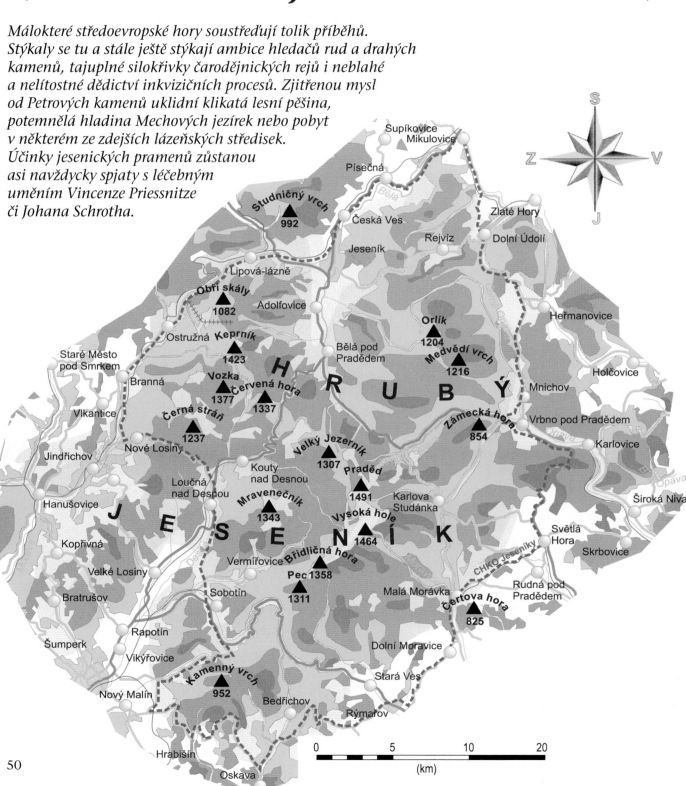

POLOHA

Horstvo se zvedá na severozápadě Moravy, tam kde se dotýkají správní jednotky Šumperku, Jeseníku a Bruntálu. Horopisně se jedná o členitou hornatinu, součást Českého masivu a Sudetské soustavy. Od pohraničních Rychlebských hor na severozápadě vymezuje Hrubý Jeseník Ramzovské sedlo společně s říčkami Branná a Staříč. Na severozápadě s ním sousedí Zlatohorská vrchovina, na východě Nízký Jeseník, k jihu a jihozápadu přechází do Hanušovické vrchoviny. Za ní se už začíná rozbíhat plochý a úrodný Hornomoravský úval.

Celková rozloha Hrubého Jeseníku dosahuje zhruba 530 km^2, jeho průměrná nadmořská výška se blíží 890 m. Nejvyšší celek Moravy a korunního prince mezi všemi českými horstvy činí z pohoří vrchol Praděda. Vystupuje do výše 1491 m.

Vnitřně můžeme Hrubý Jeseník rozdělit do dvou podcelků. Části severozápadní dominuje vrchol Keprníku (1423 m), jihovýchodně leží vlastní Pradědská hornatina.

Obě jednotky rozděluje ve výšce 1013 m známé a navštěvované Červenohorské sedlo.

GEOLOGIE A GEOMORFOLOGIE

Pohoří má dnes povahu složitého dvoudílného antiklinoria, odděleného sníženinou (tzv. synklinoriem) přibližně v oblasti Červenohorského sedla. Pokud keprnickou část tvoří hlavně ortoruly, ruly a svorové ruly, jihozápadní klenbu desenskou (Pradědská hornatina) budují zejména jádrové magmatity, ruly, břidlice, svory, kvarcity a fylity. Celkově tedy převládají v horninovém prostředí Hrubého Jeseníku krystalinické horniny, devonské vápence nebo bazaltické vložky se objevují jen výjimečně.

Ačkoli byl zdejší terén vyvrásněn již v prvohorách, k dosud poslednímu výzdvihu došlo v třetihorách a na začátku čtvrtohor. Vděčíme za něj tzv. saxonské dynamice, vyprovokované hlavně vrásněním karpatské soustavy na východě. Jesenické

40. Petrovy kameny (1448 m) a Praděd (1491 m). Historie, symbolika a metafyzika v kostce

hřebeny tvoří často zbytky starých zarovnaných povrchů, mívají proto velmi masivní a zaoblené tvary. Údolími protékají dravé říčky, které se do podloží hluboce zařezávají. Studené období pleistocénu zanechalo v pohoří stopy po periglaciální i glaciální činnosti. Zatímco první z nich je někdy ještě činná a zastupují ji například izolované skály (např. Petrovy kameny nebo Vozka), kryoplanační terasy, kamenné proudy (Břidličná) či strukturní půdy (tzv. tufury), ledovce z hor již dávno zmizely. Nespornou ukázku jejich působení skýtají dnes většinou k východu orientované kary a karoidy.

Z raně poledového období se v horách zachovalo několik malých a dvě rozlehlejší rašeliniska (Rejvíz, Skřítek).

VODSTVO

Hrubý Jeseník je významná vodohospodářská oblast. Prameni

41. Hostina v květenství haveze česnáčkové (Adenostyles alliariae). V jediné latě bývá prostřeno ke dvěma stům až dvěma stům padesáti jednotlivých úborů

tu Bělá a Opava stejně jako několik důležitých přítoků Moravy. Jmenujme aspoň Moravici, Desnou nebo Mertu. Hřebeny hor vytvářejí rozvodí mezi Baltským a Černým mořem.

Některé jesenické říčky překonávají romantické peřeje a vodopády (např. Vysoký vodopád). Ke skutečným hydrologickým perlám náleží rašelinná jezírka v prostoru rejvízského rašeliniště (Malé a Velké Mechové jezírko). Zvláštní kapitolu jesenického vodopisu tvoří místní lázeňské a minerální prameny (např. Jeseník, Lipová, Velké Losiny nebo Karlova Studánka).

PODNEBÍ

Pohoří má klima celkově sušší a teplejší než srovnatelné západosudetské celky. Přesto patří nižší polohy Hrubého Jeseníku do oblasti chladné, nejvyšší partie dokonce do velmi chladné. Průměrné roční teploty dosahují například v lázních Jeseník 7,1 °C, na Rejvíze 5,3 °C, na vrcholu Pradědu 0,9 °C. Roční úhrny srážek se pohybují zhruba mezi 830 mm až 1400 mm, v nejdeštivějších místech až 1500 mm. Na nejvyšších místech a na hřebenech se často uplatňuje vrcholový jev. V důsledku drsného podnebí a následně také změněných pedologických podmínek se oproti předpokládaným hodnotám snižuje horní hranice lesa. V oblasti Velké kotliny byl podobně jako v Krkonoších popsán vliv anemo- -orografických systémů.

Hrubý Jeseník má ideální zimní podmínky. Na hřebenech leží

42. V mechovém lese. Houšť plonýkových tobolek a štětů

43. Chlupáček oranžový pravý (Pilosella aurantiaca *subsp.* aurantiaca). *Proměnlivý druh horských luk, niv a holí. Pro svůj atraktivní vzhled bývá pěstován, často pak zplaňuje*

sněhová pokrývka obvykle od října do dubna nebo května, v okolí Ovčárny se dá lyžovat výjimečně ještě začátkem června. Největší mocnost sněhové pokrývky tu dosahuje i několika metrů.

Místní klima prospívá jesenickému lázeňství. V některých střediscích byly opakovaně naměřeny zvýšené koncentrace tzv. malých záporných iontů, jejichž blahodárné působení na tělesné i duševní zdraví člověka je dostatečně známé.

ROSTLINSTVO

Hrubý Jeseník je jednou z nejlesnatějších oblastí střední Evropy. Lesní porosty kryjí bezmála 80 % povrchu horstva a z velké části byly ovlivněny člověkem a jeho hospodářskou činností. Zbytky původního pralesa se vyskytují pouze ostrůvkovitě, například v oblasti Šeráku a Keprníku, nebo jihovýchodně od vrcholu Velký Máj v Pradědské hornatině. Na jesenické vegetaci je již dobře patrna geografická poloha hor při východním okraji Sudet a relativně blízké sousedství Západních Karpat.

Odhlédněme od smrkových monokultur a zkusme si na chvíli představit, jak původní jesenické hvozdy vypadaly. Nejnižší polohy hor patřily květnatým bučinám, částečně také bučinám klenovým. Strmé a kamenité svahy porůstaly světlé suťové lesy s převládajícími

44. Prasetník jednoúborový (Trommsdorffia uniflora). *Roste na horských loukách a na světlinách v kosodřevině. Mimo Hrubého Jeseníku se vyskytuje ještě v Krkonoších a v Králickém Sněžníku*

45. Violka žlutá sudetská (Viola lutea *subsp.* sudetica). *Ozdoba horských a subalpínských niv a holí. Výskytem je vázána pouze na nejvyšší Sudety a na Karpaty*

javory a lipami, ve vlhčích údolích je střídaly olšiny s příměsí smrku. V Jeseníkách se vyskytuje původní sudetský modřín, hory jsou dokonce jádrem jeho výskytu. Nejvyšším polohám Hrubého Jeseníku dominují hluboké horské smrčiny, jejich horní hranice dosahuje asi k 1250 až 1350 m nad úrovní moře. A právě tady nás vůči ostatním vysokým českým pohořím čeká překvapení. Kosodřevina, kterou při výletech uvidíme poměrně často, není v Jeseníku doma. V nedávné historické době sem byla dovážena z lesoochranných důvodů z různých evropských horstev.

Zcela zvláštní společenstva rostlin hostí ledovcové kary a karoidy (Malá a Velká Kotlina) nebo jesenická rašeliniště (např. Rejvíz). První z nich jsou jakousi ekologickou laboratoří, z které

pravidelné laviny vytěsňují veškeré vzrostlé dřeviny. Právě v podmínkách jesenických a krkonošských karů byly podrobně popsány tzv. anemo-orografické systémy a s počtem bezmála pěti stovek druhů cévnatých rostlin (Velká Kotlina) patří k botanicky nejpestřejším středoevropským lokalitám. Větším jesenickým rašeliništím kralují porosty blatkových borů, do nichž bývá vtroušena bříza, v bylinném patře najdeme pak většinu rašelinných specialistů, včetně rojovníku bahenního, kyhanky sivolisté nebo na otevřenějších místech rosnatky okrouhlolisté či blatnice bahenní.

Netypický subalpínský stupeň Hrubého Jeseníku završují holní alpínská společenstva. V okolí nejvyšších vrcholů a na hřebenech najdeme bezlesá prostranství se smilkou tuhou, sítinou trojklanou nebo s některou zástupkyní horských lipnic. Rozkvétají tu však i takové floristické ozdoby jako violka dvoukvětá, hvozdík pyšný alpínský nebo vzácný zvonek vousatý. Nemnohé jesenické endemity reprezentuje v holních

společenstvech více méně nenápadná travina lipnice jesenická.

ZVÍŘENA

Fauna Hrubého Jeseníku naplno využívá místní pestré životní podmínky. Její základ tvoří představitelé horské lesní zvířeny. Z významnějších druhů hrubojesenických bezobratlých jmenujme například měkkýše závornatku křížatou či skalnici lepou, saranči druhu *Miramella alpina*, horské brouky (střevlík *Carabus variolosus*) nebo motýly (okáči *Erebia sudetica, E. euryale, E. epiphron*). Obratlovce zastupují mimo jiné čolek horský, ještěrka živorodá nebo zmije obecná, mezi opeřenci neschází kos horský, čečetka, hýl rudý, linduška horská ani vzácný a ohrožený tetřev, tetřívek a jeřábek. Mezi drobnými savci můžeme při troše štěstí potkat i takové „horaly", jako rejska horského nebo v blízkosti rašelinišť myšivku horskou s tmavým podélným proužkem na zádech. Vedle obvyklé vysoké zvěře nás v horských polohách nejspíš překvapí stádečka kamzíků. Zdržují se ponejvíc v lesních porostech a byli sem počátkem třicátých let 20. století dovezeni z Karpat nebo z Alp. Pozdější pokusy s vysazováním tatranských svišťů skončily neúspěchem.

Díky zeměpisné poloze Hrubého Jeseníku můžeme v jeho zvířeně zaznamenat také mnohé přirozené karpatské prvky. Výskytem sem zasahují například nápadně zbarvený plž modranka nebo vzácný obojživelník s nažloutle oranžovým bříškem a hranatým tělem, čolek karpatský. Samečka v době rozmnožování poznáme podle krátkého niťovitého zakončení ocásku. Východním zoologickým prvkem a současně největší jesenickou šelmou je rys ostrovid. Z Beskyd sem sporadicky zaběhne také vlk.

46. Výr velký (Bubo bubo). *Největší středoevropská sova. V dospělosti mívá rozpětí až 170 cm. Hnízdívá na skalnatých srázech, v roklích nebo uprostřed rozlehlých a tišších lesů*

47. Pstruh obecný potoční (Salmo trutta morpha fario). *Krásná a barevně nesmírně variabilní lososovitá ryba. Průměrně se dožívá tří až pěti let*

ČLOVĚK A PŘÍRODA

Jesenické podhůří bylo osídleno již v dávné minulosti. K masovější kolonizační vlně tu došlo ve 13. století, kdy vznikaly zárodky mnoha současných osad a měst, z níže položených krajů sem přicházeli první dřevorubci, pastevci, kameníci a horníci. Lákalo je nejen zdejší přírodní a nerostné bohatství, ale také výhodná poloha na pomezí vlivu české a polské koruny. V následujících časech zažívá zdejší území periody hospodářského vzestupu i hlubokých propadů. K historii oblasti patří neodmyslitelně také ponurý konec 17. století, období velkých

čarodějnických procesů. Tehdejší inkviziční řízení vedl nechvalně proslulý Jindřich František Boblig a jejich tísnivou atmosféru popsal ve své známé knize Kladivo na čarodějnice Václav Kaplický. Příběh později sugestivně nafilmoval režisér Otakar Vávra.

Průmyslový rozvoj kraje nastává v souvislosti s dalekosáhlými reformami za vlády Marie Terezie a Josefa II. Ve vyšších polohách Jeseníků se vliv člověka projevoval především hornickou, dřevařskou a místy také intenzivnější pastevní činností. Na místě původního

seníku a později salaše (ovčince) vzniklo například v 19. století známé horské středisko Ovčárna.

Na přelomu 18. a 19. století se rychle rozvíjelo také jesenické lázeňství. Vznikla léčebná střediska v Jeseníku, v Lipové nebo v Karlově studánce. Specifické procedury, zvláštní klimatické podmínky a vývěry minerálních pramenů získaly brzy oblasti pozoruhodné renomé. Kromě lázeňských hostů z domova i z ciziny přitahují hory stále víc také přátele horské přírody a milovníky pohybu na čerstvém vzduchu.

OCHRANA PŘÍRODY

Nejvyšší polohy Hrubého Jeseníku byly naštěstí ušetřeny přímého vlivu sídel, nezůstaly však nevyužity. Zejména pastevci uměle snižovali horní hranici lesa, právě do těchto poloh pak lesníci v nedávných desetiletích vysazovali nepůvodní kleč. Významné zásahy člověka do horské přírody se odehrály také v jesenických lesích. Ovlivnění jejich druhové struktury bylo dlouhodobé a motivováno bylo většinou hospodářsky. Nepříznivý vývoj vyvrcholil

48. Červenohorské sedlo (1013 m). Důležitý dopravní a turistický uzel v samotném srdci hor

v druhé polovině 20. století, kdy se k nevhodným těžebním a zalesňovacím postupům připojily dopady dálkových přenosů škodlivin z tepelných elektráren a z blízkých průmyslových aglomerací. Větrné proudění sem zanášelo emise z Čech (např. východočeské Chvaletice), z Moravy a Slezska (Ostravsko), z bývalé NDR i z Polska. Od imisních těžeb nebývá daleko ke kalamitám přemnožených škůdců.

Problémem v nižších polohách hor je dnes hlavně hledání rovnováhy mezi esteticky působivým, ekologickým a ekonomicky rentabilním způsobem hospodaření.

A jak si vedla uvědomělá ochrana přírody a krajiny? Nikoli

náhodou vzniklo první zvláště chráněné území na Moravě právě v Jeseníkách. Bylo to hned na počátku 20. století a jednalo se o rezervaci Šerák-Keprník. Tamní pralesní smrčiny jsou nejpřísnější možnou formou chráněny dodnes. Mezi dalšími unikátními oblastmi je třeba vyzvednout rašelinnou oblasti Národní přírodní rezervace (NPR) Rejvíz, obdobné ekosystémy NPR Skřítek v jižní části hor nebo široké okolí nejvyšší jesenické hory. Právě NPR Praděd patří s 2031 ha k nejrozlehlejším přírodním oblastem střední Evropy. Území zahrnuje i takové přírodní klenoty, jako Velkou a Malou kotlinu, Tabulové skály nebo Petrovy kameny. V pohoří je chráněna celá řada dalších přírodních rezervací

(PR) a přírodních památek (PP), jejichž celková výměra čítá přes 40 km². A to nejdůležitější nakonec: Hrubý Jeseník a jeho blízké okolí bylo v roce 1969 vyhlášeno chráněnou krajinnou oblastí (CHKO). Její plocha je 740 km² a stejně jako ostatní CHKO v České republice byla rozdělena do čtyř zón s odstupňovaným způsobem ochrany přírody a krajiny. Nejpřísnější první zóna zabírá asi sedmiprocentní plošný podíl a zahrnuje mimo jiné výše uvedené národní přírodní rezervace. Druhá zóna (23 %) a zóna třetí (66 %) tvoří postupný přechod k hospodářsky relativně nejvyužívanější zóně čtvrté (4 %). V té leží především sídelní útvary a lázně.

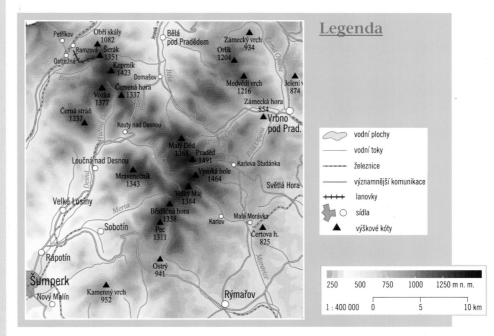

Legenda

vodní plochy
vodní toky
železnice
významnější komunikace
lanovky
sídla
výškové kóty

250   500   750   1000   1250 m n. m.

1 : 400 000   0   5   10 km

TURISTICKÉ CÍLE A ZAJÍMAVOSTI

Bílá Opava, Střední Opava, Černá Opava

Bílá Opava protéká zahloubeným a romantickým údolím, porostlým zachovalými jesenickými smrčinami. Území je součástí Národní přírodní rezervace Praděd, mezi Karlovou Studánkou a chatou Barborka vede naučná stezka. Bystřina pramení jižně pod Pradědem a její horní tok přerušuje několik skalních stupňů s vodopády. Ve Vrbně pod Pradědem se stéká se Střední a poté ještě s Černou Opavou. Jestliže Střední Opava pramení v karoidu mezi Pradědem a Malým Dědem, Černá Opava přivádí vodu ze severovýchodní oblasti Hrubého Jeseníku. Pod soutokem se říčka jmenuje Opava.

Břidličná hora

Rozhledové místo v jižní části hlavního hřebene (1358 m). Okolí vrcholu je travnaté, po geologické stránce budované bílým kvarcitem. Pozoruhodné jsou zdejší

polygonální a brázděné půdy, důsledek drsných periglaciálních podmínek. V severovýchodním sedle vyvěrá pramen Stříbrného potoka, známá Jelení studánka. Ve špatném počasí přijde vhod blízký kamenný přístřešek.

Červenohorské sedlo, Červená hora

Červenohorské sedlo (1013 m) odděluje keprnickou a pradědskou část pohoří. Prochází jím hlavní silniční tah mezi Šumperkem a Jeseníkem. Od místních rekreačních zařízení vybíhají značené turistické cesty do nejvyšších partií Hrubého Jeseníku, využít lze také naučnou stezku na Šerák. Místo je oblíbené také cyklisty a v zimě běžkaři, na svazích Velkého Klínovce (1164 m) bývají dobře udržované sjezdařské tratě. Sedlo se jmenuje podle blízké Červené hory (1337 m). Na sever pod jejím vrcholem najdeme Vřesovou studánku (viz dále). Tato místa jsou součástí veřejnosti nepřístupné biologické zóny klidu (Sněžná kotlina), příkré východní svahy vymodeloval staročtvrtohorní ledovec.

Divoký důl

Soutěska na západním úbočí nejvyšší hrubojesenické hory, součást NPR Praděd. Údolí vyhloubil v krystalických břidlicích pravostranný přítok Divoké Desné. Bystřina překonává četné peřeje a skály. Ve vyšších polohách a na světlinách rozkvétá zajímavá bylinná flóra, níže porůstají příkré boční svahy přirozené smrčiny s vtroušeným klenem, jeřábem a bukem.

Domašov

Obec leží v širokém údolí říčky Bělá, která se od severu hluboko zakusuje do hrubojesenického masivu. První zmínky o Domašově pocházejí z konce 13. století. V pozdějších letech zažila vesnice kruté rozsudky čarodějnických procesů, v 18. století se stala významným střediskem přadláků.

Právě v té době vyrostl dolnodomašovský kostel svatého Tomáše. Kostel v Horním Domašově je klasicistní a nese některé barokní architektonické prvky. Byl zasvěcen svatému Janu Křtiteli. V obci se dále dochovalo několik rázovitých lidových stavení.

Keprník

Vrcholem Keprníku (1423 m) kulminuje severozápadní část pohoří, tzv. keprnická klenba. Horu buduje převážně hrubozrnná žula, v nejvyšších polohách se uplatňují též staurolitické svory (vrcholové skalky). Okolní partie vystupují nad horní hranici lesa a najdeme na nich v českých pohořích vzácné kopečkovité útvary, tzv. tufury. Nabízejí se odtud vynikající kruhové rozhledy. Hora Keprník stojí v centru Národní přírodní rezervace Šerák-Keprník, druhého největšího zvláště chráněného území tohoto druhu v Hrubém

Jeseníku (cca 800 ha). Motivem přísné ochrany jsou především pralesní porosty horských hercynských smrčin. Místy lze rovněž zahlédnout menší lesní rašeliniska s jejich typickou vegetací.

Koberštejn

Zřícenina tvoří výraznou krajinnou dominantu nad údolím Černé Opavy. Pod kótou 934 m (Zámecký vrch) byl hrad vybudován ve 13. století. Jeho hlavním účelem bylo chránit naleziště vzácných rud v oblasti Zlatých Hor. Dnes významná kulturní památka.

Na Skřítku

Oblíbené východiště turistických cest, nacházející se v širokém sedle (877 m) mezi Hrubým Jeseníkem a Hanušovickou hornatinou. Mezi Šumperkem a Rýmařovem tudy prochází silnice, u níž stojí motorest a příznačná plastika ducha hor – skřítka. Jihovýchodně odtud leží druhé nejrozlehlejší rašeliniště v Hrubém Jeseníku. Má statut národní přírodní rezervace a porůstá jej rozvolněná smrčina s význačnými druhy rašeliništní květeny.

Obří skály

Obří skály (1082 m) jsou nepřehlédnutelnou dominantou nad Ramzovským sedlem (viz dále). Jedná se o výjimečné rozhledové místo, jsou tu i cvičné horolezecké terény. Samotný přírodní útvar tvoří 10 až 16 m vysoká skalní hradba, budovaná svorem a různorodými horninovými a minerálními vložkami. Geomorfologicky jsou zajímavé místní erozní útvary jako pokličky, skalní hřiby nebo skalní okno.

49. Červnové lyžování pod Vysokou holí

50. Rozeklané Obří skály (1082 m) vévodí severním jesenickým úbočím

51. U Velkého mechového jezírka. Dřevěná vyhlídková plošina na konci naučné stezky

Ovčárna

Horská chata, lyžařské středisko a celoročně rušné východisko do oblasti Pradědu, Petrových kamenů a dále na hřebeny. Historie objektu sahá až před rok 1863. Nejprve tady stával seník a později ovčín, vyrábějící syrovátku pro lázeňské hosty v Karlově Studánce. Na začátku 20. století postihl původní objekt požár. Od Hvězdy u Karlovy Studánky vede dnes na Ovčárnu veřejně neprůjezdná komunikace s kyvadlovou autobusovou dopravou. Spoj jezdí jednou za hodinu od osmi ráno do osmnácti odpoledne.

Petrovy kameny

Petrovy kameny (1448 m) jsou nejcharakterističtější skalní skupina Hrubého Jeseníku. Tvoří je horizontálně uspořádané fylitické a chloritické břidlice s rulami (tzv. svědecká skála) a jsou krajinotvorným protějškem vrcholu Pradědu na hřebeni nad Ovčárnou (viz výše). V jejich nejbližším okolí se vyskytují torza polygonálních půd, roste zde mimořádně cenná alpínská vegetace (NPR Praděd). Lokalita je významná také kulturně a historicky. Za éry nechvalně proslulých čarodějnických procesů se tu měly konat sabaty, při nichž se nařčené osoby údajně setkávaly s ďáblem. V blízkosti byl v roce 1681 vztyčen barokní hraniční kámen. Vlastní skaliska nejsou turisticky přístupná.

Praděd

Vrchol Pradědu (1491 m) je nejvyšším bodem pohoří a celé Moravy. Z Hrubého Jeseníku činí druhé nejvyšší horstvo v České republice. Dominanta je nezaměnitelná i díky televiznímu vysílači (restaurace s výhledem, celková výška 162 m), postavenému v místě původní rozpadlé kamenné rozhledny. Za vydařeného počasí lze odtud vidět Krkonoše i Tatry. Podle Pradědu se jmenuje i přilehlá největší národní přírodní rezervace pohoří (přes 20 km^2). Přímo u vrcholu jsou chráněna typická

holní společenstva s řadou mimořádně cenných alpínských druhů. U zásobovací komunikace najdeme severně od vrcholu historický hraniční kámen. Nese znaky řádového kříže (němečtí rytíři), mitry (vratislavské biskupství) a žerotínského lva (někdejší velkolosinské panství). Stranou stezky stojí opodál tzv. Tabulové skály.

Ramzovské sedlo

Široké Ramzovské sedlo (760 m) leží na pomezí Hrubého Jeseníku a Rychlebských hor. Prochází tudy rozvodí Baltského a Černého moře. Vedla jím stará obchodní stezka mezi Moravou a Slezskem,

v nedávné minulosti ji nahradila komunikace č. 369 mezi Hanušovicemi a Jeseníkem s paralelní železniční tratí (nejmenší rychlíková zastávka v České republice). Dnes se jedná především o atraktivní středisko letní i zimní turistiky (obce Ostružná a Ramzová). Z Ramzové na hrubojesenický Šerák lze využívat dvojúsekovou sedačkovou lanovku. Novodobou dominantu sedla tvoří impozantní větrné elektrárny.

Rejvíz

Rejvíz je nejvýše položená obec ve Slezsku. Založen byl jako dřevorubecká osada v roce 1768, místní kostel pochází z počátku 19. století. V blízkosti sídla najdeme největší a nejkrásnější horské rašeliniště široko daleko. Zdobí je dvě charakteristická jezírka, Velké a Malé Mechové jezírko. První z nich je veřejně přístupné po povalovém chodníku od silnice na západním okraji obce (naučná stezka, vybírá se poplatek). Rašeliniště vzniklo v raně poledové době a i jeho současné klima je relativně chladné a deštivé (průměrná roční teplota 5,6 °C, roční úhrny srážek okolo 1400 mm). Celý komplex je chráněn nejvyšším možným stupněm (NPR Rejvíz) a hostí mimořádně cennou ukázku rašeliništní vegetace (např. borovice blatka, bříza karpatská, rojovník bahenní, rosnatka okrouhlolistá) a zvířeny (zejména hmyz). K místu se váže několik tajuplných pověstí.

Šerák

Vrchol (1351 m) v severní části keprnické klenby. Poblíž vrcholu stojí známá horská chata, postavená v roce 1899. Místo obklopují zachovalé horské smrčiny a je součástí nejstarší moravské rezervace, vyhlášené počátkem 20. století Janem II. z Lichtenštejna (dnešní NPR Šerák--Keprník). Shora se rozbíhají turistické cesty k severu (Jeseník),

52. Jaro na Rejvízu

na východ (Domašov), jihovýchod (hřebenovka na Červenohorské sedlo – naučná stezka) a i k západu (Ramzová). Právě z Ramzovského sedla (viz výše) vede na Šerák sedačková lanovka.

Švýcárna

Nejstarší horská chata v Hrubém Jeseníku. Nachází se na bezlesé enklávě Malého Děda v severní části Pradědské hornatiny (1310 m). Od roku 1829 stávala na tomtéž místě salaš, později tu hospodařil švýcarský rodák J. Aegeler (odtud název Švýcárna). Jako turistická chata začal objekt sloužit v polovině 19. století, zatím naposledy byl rekonstruován v padesátých letech 20. století. U chaty se sbíhá turistická hřebenovka se značenými cestami vedoucími do západní, severní i východní části pohoří.

Velká kotlina, Malá kotlina (Velký Kotel, Malý Kotel)

Dva ledovcové kary (karoidy) pod hlavním hřebenem Pradědské hornatiny. Jsou orientovány k jihovýchodu a pramení v nich Moravice a Kotelní potok. Představují jedny z nejpozoruhodnějších přírodovědných míst střední Evropy a tvoří součást NPR Praděd. Jejich přirozené bezlesí dotváří příkré a místy skalnaté srázy a lavinové dráhy. Podrobně prozkoumána byla zejména Velká kotlina. Mísí se v ní horská i podhorská flóra a fauna (celkem bezmála 500 druhů cévnatých rostlin a několik mimořádně vzácných druhů živočichů). Poskytuje ukázku působení tzv. anemo-orografických systémů se zvláštním režimem proudění větrů a ukládáním sněhu, minerálních částic a zárodků živých organismů.

53. Vřesová studánka. Kaplička s vývěrem údajně léčivé vody

Velké Losiny

Obec na březích Losinky poblíž soutoku s Desnou. Zeměpisně patří do Hanušovické hornatiny, pro kulturní a historický vývoj Hrubého Jeseníku měla však značný význam. První zmínka o Velkých Losinách pochází z poloviny 14. století. Brzy se staly střediskem panství, spravovaného rodem Žerotínů. Mezi nejvýznamnější stavební památky obce patří renesanční zámek z 16. století, přibližně ve stejném období byla založena dodnes funkční papírna (výroba ručního papíru). Renesanční farní kostel vznikl na počátku 17. století, později byl doplněn barokní kaplí s hrobkou Žerotínů. V období 1678 až 1693 se do Velkých Losin soustředily tzv. čarodějnické procesy. Doplatilo na ně více než padesát nevinných obětí. Světlejší stránku místní historie představují lázně obklopené starým parkem. Vyvěrají tu sirné prameny (termální koupaliště), léčí se zde nervové choroby a dětská obrna.

Vozka

Výrazný vrchol (1377 m) v jižním výběžku Národní přírodní rezervace Šerák-Keprník. Sedmimetrovou vrcholovou skálu budují staurolitické svory. Na sever od ní leží středně veliké rašeliniště, nedaleko stával za druhé světové války koncentrační tábor. K místu se váže stará pověst o zkamenělém vozkovi. Nešťastník byl prý potrestán za to, že podkládal kola svého do bahna zapadlého vozu chlebem.

Vřesová studánka

Někdejší poutní místo pod Červenou horou (viz výše) a nad hlubokým zářezem Hučivé Desné. Nad studánkou s údajně léčivou

54. Svěží zeleň jesenických bučin

55. Tufurové pole v nejvyšších partiích keprnického hřebene. Důsledek opakovaného mrznutí a tání zvětralinového pokryvu

vodou stojí kaplička. Při přívalovém dešti v roce 1921 došlo v okolí k velkému sesuvu půdy, následné strže musely být stabilizovány umělými hrázkami. Dříve sloužila u keprnické hřebenovky horská chata, nejstarší zařízení svého druhu v Hrubém Jeseníku. Nad cestou po ní zůstaly masivní základy.

Vysoká hole

Ploché temeno (1464 m) nad Velkým Kotlem v nejvyšší části Pradědské hornatiny. Od zdejšího hraničního kamene z druhé poloviny 17. století je výborný kruhový rozhled. Samotné prostranství místy ozvláštňují okrouhlé krátery, pozůstatky po vojenských cvičeních v letech 1919 až 1922 a po dělostřelecké munici. Během druhé světové války zde mělo vzniknout německé vojenské letiště. V severovýchodní rozsoše

byl popsán v Čechách a na Moravě ojedinělý úkaz. Horninové částice a suť ve zdejším kamenném moři prostupuje vmezeřený led, tzv. skalní ledovec se zvolna pohybuje ze svahu.

Vysoký vodopád

Zajímavý geomorfologický útvar najdeme na severních sklonech Velkého Jezerníku (1307 m) a Malého Děda. Někdejší téměř padesátimetrový skalní stupeň na Studeném potoce rozrušila koncem 19. století velká voda. Kaskády s význačnými erozními útvary a specifickou vegetací jsou chráněny jako přírodní památka.

Zámecká hora

Výrazný ostroh západně od Vrbna pod Pradědem. Zdejší výletní trasa obchází vrchol (854 m) s dřevěnou rozhlednou. Míjí

rozvaliny hradu Fürstenwalde, který vybudovali při své poslední kolonizační expanzi na Moravu Přemyslovci (13. století). Hrad byl zničen již v 15. století.

Zelené kameny, Ztracené kameny

Prvohorní kvarcitová skaliska a k nim příslušející kamenná moře. Vynikající rozhledová místa. Oba útvary jsou situovány v jižní části Hrubého Jeseníku mezi lokalitou Na Skřítku a kótou Pec (1311 m). Podle lidové pověsti měl Ztracené kameny (1250 m) vysypat čert, pronásledující jednoho z místních sedláků.

56. *Chata Jiřího pod Šerákem.*
Východiště do keprnické části
Hrubého Jeseníku

VYBRANÁ TURISTICKÁ STŘEDISKA

Kouty nad Desnou, Loučná nad Desnou

Dvě protáhlé obce v údolí Desné, rodící se v Koutech soutokem Hučivé Desné a Divoké Desné. Poblíž soutoku stojí barokní sloup. V roce 1683 jej dal postavit místní lesník Zeydler, člen tribunálu v tehdejších čarodějnických procesech. Dnešní Kouty žijí především z turistického a rekreačního ruchu, rozbíhají se odtud cesty do keprnické i do pradědské části Hrubého Jeseníku. V zimě je v okolí dostatek běžeckých tratí, pod obcí jsou k dispozici krátké lyžařské vleky.

Loučná na zástavbu Koutů prakticky přímo navazuje. O její horní části Rejhoticích jsou dochované zmínky již ze 14. století. Bydleli zde hlavně dřevorubci a uhlíři, později tu vznikly také hamry a dokonce vysoká pec na zpracování železa. Místní dynastie podnikatelů Kleinových vyráběla kolejnice již v 17. století. Žerotínský zámek stojí v obci od roku 1608. Byl původně renesanční, později barokně (18. století) a nakonec empírově upravovaný (19. století). Jinou významnou stavbou byla zámecká kaple a od roku 1784 také farní kostel, zasvěcený svatému Cyrilovi a svatému Metodějovi.

K současnosti obce patří výrobna dřevotřískových desek a továrna Velamos na jízdní kola. Také Loučná nabízí zimním návštěvníkům kratší sjezdovky a běžecké tratě. Pro nástup do hřebenových částí Hrubého Jeseníku bude výhodnější přesunout se do Koutů nebo do Červenohorského sedla.

Dopravní dostupnost

Z jihozápadní strany využijeme k cestě do obou středisek silnici č. 44, která odbočuje v Rapotíně z komunikace č. 11 mezi Bruntálem a Šumperkem. Komunikaci č. 44 využijeme též od severovýchodu přes Červenohorské sedlo (směr od Jeseníku a od hraničního přechodu s Polskem Mikulovice). Oboustranně lze použít autobus nebo individuální dopravu, v zimě může být trasa obtížně sjízdná a bez zimní výbavy ji nelze

doporučit. Ze Šumperka vede do Koutů nad Desnou železnice.

DOPORUČENÝ VÝLET

Kategorie: celodenní

Od soutoku Hučivé a Divoké Desné v Koutech postupujeme proti proudu druhé z nich. Po zelené značce sledujeme silnici až za mostek, za ním se vypravíme vzhůru serpentinami do tzv. Hřbetů (1058 m). Dostaneme se za jejich vrchol a po horní hraně

údolí Hladového potoka (v této části vede souběžně cyklotrasa) vystoupáme na Velký Jezerník (1307 m). Odtud je to jen necelý kilometr k chatě Švýcárna (viz Turistické cíle a zajímavosti). Tamním rozcestníkem se necháme nasměrovat na severovýchod. Červeně značenou hřebenovkou postupujeme směrem k zalesněné hoře Výrovka (1167 m) a napříč sjezdovkami dolů do Červenohorského sedla (od Švýcárny je to sem asi 6 km).

Ze sedla můžeme sejít zpět do Koutů po žluté značce, pro stejný účel můžeme využít také autobus. Budeme-li chtít ovšem pokračovat po hřebeni k severovýchodu (červená), obejdeme volnějším stoupáním bezejmennou kótu 1152 m a k návratu využijeme až levostrannou, zeleně značenou odbočku. I zde lze však ještě pokračovat po souběžném červeném a zeleném značení pod Červenou horu a k Vřesové studánce (viz Turistické cíle a zajímavosti). Odtud už zase výlučně po červené dojdeme až na důležité rozcestí pěti směrů. Musíme zvolit ostře vlevo odbočující žlutou, všechny ostatní směry by nás už zavedly příliš daleko od cíle. Vracíme se podél celého toku Hučivé Desné, povede nás zprvu chodník, v dolní části už široká lesní cesta. K soutoku bystřiny s Divokou Desnou je to shora asi šest kilometrů.

57. Dvojúseková lanovka zkracuje cestu z Ramzovského sedla na Šerák. Vzadu se rýsují Rychlebské hory

58. Když u Ramzovského sedla vychází slunce

Ostružná, Ramzová

Sousední horské vsi a rekreační střediska v Ramzovském sedle (viz Turistické cíle a zajímavosti) vytvářejí jediný správní celek s charakteristickou rozptýlenou zástavbou.

Název Ostružná pochází z překladu německého Spornhau („Sporn" se v nářečí říkalo ostruze, využívané při těžbě dřeva). Obec byla založena v roce 1561. Největší rozmach zaznamenala v druhé polovině 19. století, kdy měla bezmála 900 stálých obyvatel. Obživu jim přinášela práce v lese, zpracování dřeva (pila), horské zemědělství a těžba pyritu a tuhy (místní část Petříkov). Právě v Petříkově pracovala v druhé polovině 19. století menší továrna na výrobu zinkových barev. Zajímavostí v okolí Ostružné jsou vápencové skalky a krasové závrty.

V Ramzové byla již od začátku 19. století připomínána sklárna, v které se lilo vyhlášené tabulové sklo. Nachází se tu nejvýše položená rychlíková zastávka v České republice. V posledních desetiletích přispívá do obecní pokladny především cestovní ruch a rekreace. Svojí polohou mezi Hrubým Jeseníkem a Rychlebskými horami jsou k tomu obě střediska přímo předurčena. Dobře dostupná je odtud oblast Šeráku a Keprníku (Turistické cíle a zajímavosti) i komplex protilehlého Smrku. V zimě běžecké terény doplňují kratší sjezdové tratě jednoho z nejkvalitnějších lyžařských areálů Severní Moravy v prostoru Šeráku a Černavy.

Dopravní dostupnost

Střediska Ostružná a Ramzová leží na komunikaci č. 369 mezi Hanušovicemi a Lipovou-lázněmi s návazností na tah č. 453 mezi Jeseníkem a Javorníkem. K příjezdu lze použít osobní automobil, v zimě je třeba počítat s kompletní výbavou. Projíždí tudy pravidelná autobusová linka. Ramzovským sedlem prochází železniční trať (Zábřeh – Głuchołazy), zprovozněná v roce 1888.

DOPORUČENÝ VÝLET
Kategorie: celodenní

V první etapě výletu se musíme dostat k rozcestníku pod Šerákem (1351 m). Vyjedeme sem z Ramzovského sedla buď sedačkovou lanovkou, nebo se vydáme obloukem po zelené a dále po modré značce okolo Obřích skal (1082 m). Stoupání od Vražedného potoka bude poměrně příkré, stejně jako následná pěšina k chatě pod Šerákem. Nahoře vykročíme po červeně značené hřebenovce a souběžné naučné stezce k jihu. Cesta chviličku klesá, pak začne hřebenovou smrčinou pozvolna směřovat vzhůru. Dovede nás až k nejvyššímu vrcholu severozápadní čási Hrubého Jeseníku, 1423 m vysokému Keprníku. Dostaneme se tu nad přirozenou hranici lesa a za pěkného počasí můžeme vstřebávat překrásné kruhové rozhledy. Nezapomínejme přitom, že jsme v centru přísně chráněného území.

Z vrcholu míříme stále k jihu. Asi po kilometru v bodu nazývaném Trojmezí se nám naskytne možnost odbočit doprava. Okrajem rašelinné smrčiny tudy dojdeme až pod známé skalní útvary Vozky (1377 m).

K poměrně dlouhému ústupu do údolí můžeme nyní vybírat žlutě nebo zeleně značenou alternativu. Obě skončí asi po 6 kilometrech nad obcí Branná. K tamní autobusové i železniční zastávce zbývá ujít ještě asi 2 km vlevo. Do Ostružné lze samozřejmě využít silnici i koleje. Pokud ale budeme chtít výlet uzavřít pěšky, nescházíme až do obce. Postupujeme z údolí vpravo proti toku říčky Branná. Přes lokalitu Splav máme do cíle po zelené čtyři pět kilometrů. Tato varianta je sice méně pohodlná, avšak zdravější a nejspíš i časově výhodnější.

59. Zářez horního toku Hučivé Desné

Jeseník, Lipová-lázně

Jeseník je hlavní středisko na sever od pohoří, světoznámé lázně a od roku 1996 okresní město. Vznikl na přirozeném bezlesém štěrkovisku, odtud dřívější název města Frývaldov („frei vom Walde"). Stalo se tak patrně již v první polovině 13. století, první písemné zmínky o sídle pocházejí z roku 1267. Ještě ve stejném století mu byl přiznán statut města.

Tou dobou sloužilo v okolí

60. Skaliska na vrcholu Vozky (1377 m) obestírá hned několik lidových pověstí

města několik hamrů, zpracovávajících kvalitní železo. Postaven byl také gotický kostel Nanebevzetí Panny Marie, naposledy přestavovaný koncem století devatenáctého. Nepředbíhejme však! Veliký rozvoj zaznamenal Jeseník s rozvojem hornictví na počátku 16. století, horní statut získal v roce 1506. Od druhé poloviny téhož století hornictví pozvolna upadá, vytěsňuje je méně výhodné, avšak perspektivnější plátenictví. Postupně se tu soustředila řemeslná a po ní také průmyslová výroba.

Jeseník je nerozlučně svázán se jménem Vincenze Priessnitze (1799-1851), frývaldovského občana a zakladatele moderní vodoléčby. Priessnitz stál u zrodu lázeňského komplexu a architektonické perly města – Lázní Jeseník (založeny roku 1831). Léčila se zde řada slavných lidí, včetně velkého ruského spisovatele N. V. Gogola. Speciální léčebné postupy pomáhají hlavně při vleklých onemocněních dýchacích cest nebo krevního oběhu. Výstavné Priessnitzovo sanatorium pochází z roku 1910.

61. Keprnická klenba vrcholí oblým temenem Keprníku (1423 m). Pohled z Vozky

Západně od Jeseníku leží další věhlasné léčebné středisko Lipová-lázně. Ačkoli sídlo v údolí Staříče bylo zmiňováno již ve 13. století, rozmachu se dočkalo až ve století devatenáctém, právě v souvislosti s lázeňstvím. Iniciátorem místní léčebné tradice byl Priessnitzův současník Johann Schroth (1798 – 1856). Kúra zahrnovala kombinaci zvláštní diety

62. V Národní přírodní rezervaci Šerák-Keprník. Klimaxové smrčiny u samé horní hranice svého rozšíření

a působení vody. Dodnes se tu úspěšně léčí poruchy látkové výměny, kožní i oběhové nemoci.

Z Jeseníku i z Lipové-lázní lze podnikat krásné výlety po okolí i do okolních hor. Vedle Hrubého Jeseníku se nabízejí také protilehlé Rychlebské hory (viz zvláštní kapitola). Samotná střediska nabízejí četné kulturní akce i sportovní příležitosti. V Jeseníku lze navštívit divadlo Petra Bezruče, místní kino nebo krytý bazén.

71

Dopravní dostupnost

Do Jeseníku se nejlépe dostaneme po silnici č. 44 buď od Šumperka (přes Červenohorské sedlo), nebo od hraničního přechodu s Polskem Mikulovice. Při cestě od jihovýchodu přes Videlské sedlo (od Bruntálu a Vrbna) můžeme použít komunikaci č. 450, která se s uvedenou „čtyřiačtyřicítkou" setkává v Bělé pod Pradědem. Ve východozápadním směru prochází městem tah č. 453, spojující Zlaté Hory a Javorník. Ve směru na Javorník lze asi 3 km za městem v Lipové-lázních odbočit doleva směrem na Ramzovské sedlo a Hanušovice (silnice č. 369). Jeseník i Lipovou spojuje s okolím poměrně hustá autobusová síť, samozřejmostí je dobrá dostupnost individuální automobilovou dopravou. Oběma středisky prochází železniční trať mezi Zábřehem a polskými Głuchołazy.

DOPORUČENÉ VÝLETY

Trasa č. 1

Kategorie: celodenní

Z Jeseníku dojedeme autobusem do rázovité vesničky Domašov. Po jižním úbočí Domašovského kopce (663 m) traverzujeme silničkou k rozcestí Výrovka (památník zajateckého tábora z období 2. světové války). Z rozcestí uhneme vlevo po souběžné zelené a modré značce, abychom překročili Rudohorský potok a věrni zelené odbočíme vzhůru na horu Točník (1143 m). Z Točníku postupujeme hranou karovité Sněžné kotliny k tzv. Kamennému oknu a dále až pod Červenou horu (1337 m) k Vřesové studánce (viz Turistické cíle a zajímavosti). Odtud můžeme pokračovat přímo po červeně značené hřebenovce doprava k Trojmezí, asi kilometr za Červenou horou lze také zvolit okliku po zelené přes údolí Hučivé

Desné a památná skaliska Vozky (viz Turistické cíle a zajímavosti). Za vrcholem Vozky je ovšem nutné uhnout k Trojmezí po žluté doprava.

Z Trojmezí pokračujeme po červené hřebenovce (naučná stezka) na Keprník (1423 m) a dále na Šerák (1351 m). Další sestup k severovýchodu absolvujeme po žlutě značené klikatící se pěšině. Přibližně po čtyřech kilometrech můžeme ustoupit vlevo do Lipové, nejprve po zelené a později ještě po modré značce. Chceme-li se ovšem dostat až do Jeseníku, přidržme se žluté. Mírným a později příkřejším klesáním dojdeme až k chatě Bobrovník a po dalších asi 3 kilometrech přímo do městského centra.

Trasa č. 2

Kategorie: celodenní

Úvodní část výletu strávíme v západní části Zlatohorské vrchoviny. Z Jeseníku vykročíme vzhůru na západ po červené značce okolo lázeňských pramenů (např. Český, Diana, Turistický). Dosáhneme až kamenné rozhledny pod vrcholem Zlatý chlum (908 m). O víkendech se můžeme občerstvit a nabrat síly k dalšímu pochodu. Modrou značku, která se k nám na posledním úseku připojila, necháme pokračovat na sever. My scházíme po červené k jihovýchodu a po levé ruce necháváme vrchol Bílých skal (922 m) a okolo tzv. Chlapeckých kamenů (skalní útvar z deskovitého kvarcitu) přijdeme až k silnici z Jeseníku na Rejvíz. Tady se zleva připojuje žlutá a zprava zelená značka, s jejichž asistencí absolvujeme několik desítek metrů k rejvízskému parkovišti. Právě odtud bude třeba odbočit po modré značce a zároveň naučné stezce k jednomu z nejkrásnějších zákoutí jesenické přírody, rašeliništi s Velkým Mechovým jezírkem. Povalový úsek chodníku je zpoplatněn (viz Turistické cíle

a zajímavosti).

Zpět do města Jeseníku zbývá možná ještě sedm osm kilometrů. Modré značení nás povede zprvu mělkým, posléze stále zahloubenějším údolím Vrchovištního potoka. Asi v polovině zpáteční cesty vstoupíme na asfalt silnice č. 453, který neopustíme až do cíle. V Dětřichově vyměníme modrou značku za zelenou.

Malá Morávka, Karlov, Karlova Studánka

Malá Morávka a Karlov jsou dnes již prakticky sousedící střediska na jihovýchodě pohoří. Rozkládají se při soutoku Moravice (Karlov) a Bělokamenného potoka (Malá Morávka). Archeologicky bylo doloženo, že lidé zde žili již od 13. století. Místní dochované pamětihodnosti představuje např. barokní kaple Kapliččin vrch z roku 1765 či farní kostel Nejsvatější Trojice (1793) ve spodní části Malé Morávky. Poblíž něho se nachází sídlo správy Chráněné krajinné oblasti Jeseníky.

V oblasti Karlova a Malé Morávky se dnes soustřeďují patrně největší ubytovací kapacity v celém pohoří. Je tu řada sportovišť i sauna. Karlov je v létě ideálním východištěm do Velké Kotliny a dále na hřebeny, v zimě středisko nabízí atraktivní podmínky pro zimní sporty, například několik lyžařských vleků a sjezdovek na severních svazích Smolného vrchu a Klobouku. Kratší sjezdařské svahy s vleky jsou také v Malé Morávce. V okolí sídel se nacházejí staré a opuštěné štoly po těžbě železné rudy. Jejich vyústění jsou zpravidla dnes uzavřena a podzemní prostory slouží jako útočiště netopýrů. K technickým kuriozitám oblasti patří rovněž železnice spojující Malou Morávku s Bruntálem.

Klimatické a železitouhličité lázně Karlova Studánka leží zhruba tři kilometry severně od okraje

63. V Karlově Studánce není o zajímavé a stylové pavilony nouze

64. Hrubý Jeseník a Hanušovickou vrchovinu odděluje sedlo Skřítek. Místní motorest střeží prapodivná soška ducha hor

Malé Morávky. Byly založeny v roce 1785 na místě staré osady Hubertov. Léčí se zde rozmanité dýchací, srdeční a oběhové nemoci. Architektonicky jsou tu pozoruhodné například původní dřevěná Kaple svatého Huberta, empírový skleník, kostel Panny Marie Uzdravení nemocných (1829) či rozmanité roubené lázeňské budovy. Průjezd motorových vozidel je v lázních zakázán. Pro výstup na hřebeny a na Praděd lze z nedaleké lokality Hvězda využít kyvadlově jezdící autobus (viz heslo Ovčárna v kapitole Turistické cíle a zajímavosti).

Dopravní dostupnost

Všechna tři uvedená střediska najdeme na silnici č. 445 mezi Rýmařovem a Vrbnem pod Pradědem. Pro cestu do Karlovy Studánky můžeme zvolit také komunikaci č. 450 spojující Bělou pod Pradědem (po silnici č. 453 pak dále Jeseník) s Bruntálem (odbočka ze silnice č. 451 ve Starém Městě). Směřují sem četné autobusové linky. Pozor, individuální vjezd do Karlovy Studánky je značně omezen, na jejím okraji najdeme velká odstavná parkoviště. Až do Malé Morávky vede z Bruntálu historická železnice. V úseku u Nové Rudné je její stoupání místy až čtyřprocentní – nejvyšší ve Slezsku.

DOPORUČENÉ VÝLETY
Trasa č. 1 (letní)
Kategorie: celodenní

Z Malé Morávky vyjdeme po souběžné zelené a modré značce, v Karlově uhneme proti proudu Moravice s modrou doprava. Hlubokým lesem postupujeme až do Velkého Kotle (viz Turistické cíle a zajímavosti). V horní části je cesta otevřena pouze v létě, současně po ní vede

naučná stezka. Od vyhlídkového místa traverzujeme vpravo severním závěrem pleistocénního karu. Modrá značka nás dále dovede až k Ovčárně, odkud vybíhá v pravém úhlu do svahu červené značení. Se siluetou Petrových kamenů na horizontu šplháme k Vysoké holi (1464 m; viz Turistické cíle a zajímavosti). Ocitáme se na pravé jesenické holi, ostrůvky okolní kleče nejsou stejně jako v ostatních částech pohoří původní. Pokračujeme po hřebeni až ke kótě Velkého Máje (1384 m). Svahy nalevo se teď propadají do Malého Kotle, my však držíme směr až k Jelení studánce. Teprve nyní opouštíme souběžné červenozelené značení, nahrazujeme je za značení červenožluté. Asi dvoukilometrovým chodníkem klesáme k chatě Alfrédka, kde je nezbytné odbočit doleva. Až do údolí horního Karlova budeme sledovat zelenou značku. Ta nás po čase přivede ke křižovatce s modrou, po níž jsme se ráno vypravovali na hřeben.

65. Jihozápadní hřeben Pradědské hornatiny uzavírají kóty Velký Máj (1384 m) a Břidličná hora (1358 m)

67. Závěr Velké kotliny a pocukrovaný hrubojesenický hřeben z Malé Morávky

66. Chata Ovčárna leží uprostřed Pradědské hornatiny. Vychází se odtud na hřebeny i na vrchol nejvyšší moravské hory

Trasa č. 2

Kategorie: celodenní nebo půldenní (zkrácená verze s použitím autobusu)

Z Karlovy Studánky se přímo nabízí výlet k nejvyšší moravské hoře Pradědu. Z několika možných variant volíme cestu k tzv. Hvězdě, odkud se k Ovčárně svezeme kyvadlovým autobusem (autobus vyjíždí od 8 hodin každou celou hodinu, alternativně lze cestu absolvovat pěšky po zelené značce). Od Ovčárny nás povede červená a v posledním úseku zásobovací komunikace modrá značka. Z Ovčárny na vrchol Pradědu to není více než dva a půl kilometru stoupání (paralelní cyklotrasa) a za slušného počasí je to vcelku pohodlná vycházka. Cestu nazpět absolvujeme buď úplně stejným způsobem, nebo – je-li jen trochu možné – před Ovčárnou uhneme vlevo k chatě Barborka. Od Barborky potom můžeme pokračovat po modré značce svahem jednoho z nejromantičtějších údolí Hrubého Jeseníku. Přímo dnem údolí vede podél Bílé Opavy žlutě značená cesta (ta začíná ale u Ovčárny). Obě alternativy překonávají do Karlovy Studánky asi pět nebo šest kilometrů.

DOPORUČENÁ TRASA PŘECHODU POHOŘÍ

První den (osa: **Ramzovské sedlo – Šerák – Keprník – Červenohorské sedlo**)

Cesta z Ramzovského sedla do tzv. Trojmezí byla popsána v první části okružního výletu z Ostružné. Z bodu Trojmezí pokračujeme po červeně značené hřebenovce na Červenohorské sedlo (viz protisměrně druhá část výletu z Koutů).

Druhý den (osa: **Červenohorské sedlo – Švýcárna – Praděd – Ovčárna – Břidličná hora – Ztracené skály – Na Skřítku**)

Cestu z Červenohorského sedla ke Švýcárně popisujeme protisměrně v části výletu z Koutů. Mezi Švýcárnou a Ovčárnou postupujeme po souběžné červené a zelené značce. Za pěkného počasí nezapomeňme navštívit také vrchol Pradědu. Pokud nám štěstí nepřeje a budeme chtít výlet spíše rychle ukončit, doporučujeme využít autobus na silnici mezi Ovčárnou a Karlovou Studánkou (Hvězdou). Odjezd je každou hodinu počínaje 8.30 a konče 16.30 hod.

Za normálních okolností pokračujeme po hřebeni k jihozápadu (viz trasa č. 1 z Malé Morávky a Karlova). Za Jelení studánkou ovšem nesmíme zapomenout vyměnit červené značení za zelené. Vlevo od vrcholu Břidličné hory (1358 m) se rozloučíme s travnatým bezlesím. Postupně mineme Ztracené kameny a Ztracené skály. Tři poslední kilometry jsou již důsledně z kopce, k zelenému a žlutému značení se později přidává ještě červené. Na přespříč vedoucí silnici č. 11 zůstane jen na nás, počkáme-li na autobus, nebo jestli navážeme putováním v sousední Hanušovické vrchovině.

Vybrané mapy a průvodce

Hrubý Jeseník. Turistická mapa č. 55, Edice Klubu českých turistů, Praha, 1:50 000, 2. vydání 1999.
Jeseníky. Kartografie, Praha, 1:100 000, 1979.
Jeseníky - Šumpersko. Průvodce po Čechách a Moravě č. 9, S & D, Praha, 1995.
Jeseníky, Králický Sněžník. Cykloturistická mapa č. 118, SHOCART, Zlín, 1:75 000, 1999.
Jeseníky, Praděd, Králický Sněžník. Turistická mapa č. 58, SHOCART, Zlín, 1:50 000, 1999.
Jeseníky, Rychlebské hory. Turistická mapa č. 57, SHOCART, Zlín, 1:50 000, 1999.

KRÁLICKÝ SNĚŽNÍK
(Hory tří moří)

*Jmenuje se po městečku Králíky a podle sněhové čepice, která
z jeho temene mizí jen na několik měsíců v roce. Jedná se o třetí
nejvyšší horstvo v České republice, a přesto leží stranou
největšího turistického zájmu. Jeho vrcholové partie patří mezi
nejtřpytivější přírodní poklady široko daleko.
Pramení tu i matka všech moravských řek...*

Králický Sněžník má ráz členité
hornatiny a leží na rozhraní
východních Čech, severozápadní
Moravy a polského Kladska.
Nejvyšším vrcholem dosahuje do
nadmořské úrovně 1424 m a mezi
českými horstvy tak zaujímá třetí
příčku pomyslného pořadí.

Na západě a na jihu oddělují
Králický Sněžník tzv. Kladská
kotlina a Králická brázda. Za
Kladským sedlem na severovýchodě
na něj navazují jižní výběžky Gór
Bialskich a masiv Smrku, patřící již
do hor Rychlebských. Délka
Králického Sněžníku činí asi 16 km,
šířka 12 km. Rozkládá se zhruba na

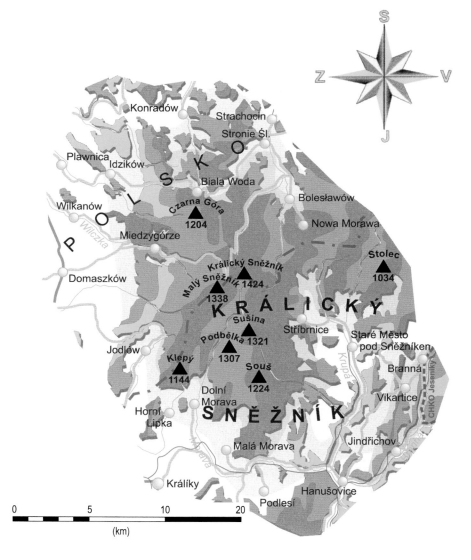

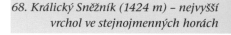

*68. Králický Sněžník (1424 m) – nejvyšší
vrchol ve stejnojmenných horách*

76 km² se střední nadmořskou výškou 930 m. Polský protějšek pohoří, Masyw Snieźnika, je poněkud rozlehlejší.

Horopisně je celek součástí Českého masivu, úže Západosudetské oblasti. Budují jej přeměněné horniny orlicko-kladského krystalinika. Převažují mezi nimi ruly, migmatity a svory, nouze není ani o vložky křemenců, grafitických břidlic nebo částečně zkrasovělých krystalických vápenců. Právě na ně jsou vázány např. Tvarožné díry nebo Mramorový lom v horní části moravského údolí.

Během starších čtvrtohor se v exponovanějších polohách Králického Sněžníku intenzivně uplatňovaly periglaciální podmínky. Dodnes po nich zůstala rozlehlá kamenná moře a suťové

proudy či amfiteátrovité uzávěry některých údolí.

Hlavní hřeben tvoří unikátní hydrologický uzel. Stýkají se tu rozvodnice Černého, Baltského a Severního moře. Vedle řeky

Moravy s přítoky (např. Krupá) pramení v pohoří k severu tekoucí

69. Ze sjezdovky na Návrší se otevírá výhled na Rychlebské hory a Hrubý Jeseník

70. Mochna zlatá (Potentilla aurea).
Trsnatá rostlinka z čeledi růžovitých.
V nízkostébelných horských
až alpínských trávnících a podél
chodníků jí nesmí vadit
pastva ani sešlap

71. Skokan hnědý (Rana temporaria).
Z českých žab vystupuje v horách nejvýš.
Snůšky vajec se objevují velmi časně,
nezřídka ještě v napůl zamrzlých tůních

72. Řebříček obecný sudetský (Achillea
millefolium subsp. sudetica).
Vystupuje z podhůří až do alpínského
stupně. Na horských loukách
a pastvinách rozkvétá od července do září

Nysa Kłodzka, levostranný přítok Odry. Lipkovským potokem plynou pak vody do Tiché Orlice, Orlice a konečně až do Labe.

V nejvyšších polohách Králického Sněžníku panuje vlhké, chladné a velmi větrné klima. Průměrná roční teplota vzduchu dosahuje pouze 1,7 °C, srážek tu za stejný časový úsek spadne v průměru 1200 – 1300 mm. Pokud chceme z vrcholu uvidět slunce, musíme mít štěstí a vystoupat raději brzo dopoledne.

Biotu Králického Sněžníku ovlivňují zeměpisná poloha na pomezí jesenického, orlickohorského, šumperského a vidnanského bioregionu a značná nadmořská výška. Kromě obvyklých horských vegetačních stupňů je tu zastoupen stupeň subalpínský, ve srovnání s nedalekým jesenickým protějškem je však plošně menší a druhově chudší. Přirozená horní hranice lesa leží v Králickém Sněžníku asi v 1300 m, vystupují nad ni proto jen hlavní vrchol a anemo-orografickými podmínkami ovlivňovaný amfiteátr pramenné oblasti Moravy. Hlavními dřevinami takových poloh jsou původní jalovec obecný nízký a uměle vysazená kleč. Mezi nimi se na travnatých prostranstvích vyskytuje jako v Hrubém Jeseníku zvonek vousatý či koprníček bezobalný, z alpínských druhů známých také z Krkonoš nebo Karpat jsou to například stračka vyvýšená či hvozdík pyšný alpínský.

Králickosněžnickou zvířenu můžeme opět nejlépe charakterizovat jako horskou – – hercynskou. Pouze okrajově a v nejjemnějších náznacích sem od východu zasahuje také karpatský prvek. Z větších obratlovců tu jsou doma i takoví horalé jako ořešník kropenatý, pěvuška podhorní, tetřev a tetřívek nebo maličký tarbíkovitý savec myšivka horská. Endemičtí živočichové ani rostliny nebyli v pohoří prozatím zaznamenáni.

Přírodu nejvyšších poloh Králického Sněžníku začal člověk ovlivňovat teprve v posledních staletích. Těmto místům se vyhnulo trvalé osídlení, hospodářské snažení se zde uplatnilo formou horského zemědělství (pastvinářství a lukařství), hornictví, především ale těžbou dřeva a v posledních desetiletích také rozvojem rekreace a letních a zimních sportů.

Ačkoli na polské straně hranice plní již řadu let záslužnou funkci Snieżnicki park krajobrazowy, na české straně hranice se centrální masiv důstojné speciální ochrany dočkal teprve v roce 1991. Na ploše bezmála 17 km² tu byla vyhlášena národní přírodní rezervace, druhá největší v celé České republice.

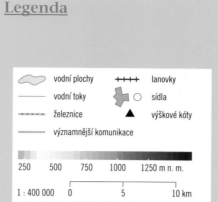

Legenda

vodní plochy		lanovky	
vodní toky		○ sídla	
železnice		▲ výškové kóty	
významnější komunikace			

250   500   750   1000   1250 m n. m.

1 : 400 000   0   5   10 km

73. Horní Morava sbírá po většinu roku sněhovou vodu

74. Kopule Králického Sněžníku ze sedla pod Stříbrnickou

TURISTICKÉ CÍLE A ZAJÍMAVOSTI

Klepý

Výrazná hora v jihozápadní části hraničního hřebene (1144 m). Polsky se mu říká Trójmorski Wierch, zde se stýkají rozvodnice Baltu, Severního a Černého moře. Horu budují tzv. sněžnické ruly, v nejvyšších partiích a na úbočích se nacházejí kamenná moře, sutě a izolovaná skaliska. Vrchol je zalesněný, dostupný je z Polska.

Králický Sněžník

S 1424 m se jedná o nejvyšší horu stejnojmenného pohoří. Budují jej sněžnické ruly. Vrchol Sněžníku kryje dvě třetiny roku sníh. Stojí na něm starý kamenný trojmezník, oddělující české království, moravské markrabství a kladské hrabství. Poblíž se rozkládají četné periglaciální jevy, vyskytuje se zde vzácná holní flóra a fauna. Patří k jádru rozlehlé NPR Králický Sněžník. Mimořádné rozhledové místo.

Malý Sněžník

Plochá, zalesněná hora v jihozápadním hraničním hřebeni (1338 m). Její vrchol je druhý nejvyšší v Králickém Sněžníku a prochází přes něj hlavní evropské rozvodí Odra – Dunaj. Nejlépe dostupný je po zeleně značené hřebenovce z polské strany.

Morava

Nejdelší moravská řeka překonává po soutok s Dunajem vzdálenost 353 km. Pramení u cesty pod vrcholem Králického Sněžníku, v nadmořské výšce 1380 m. Horní tok má charakter horské bystřiny. Vodácky splavný bývá již od Velké Moravy.

Podbělka

Vrchol Podbělky vystupuje z rozsochovitého hřbetu (1307 m), je zalesněný a plochý. V jeho blízkosti najdeme menší

75. Kamenité proudy a sutě u hlavního hřebene. Vzadu ubíhá na jih údolí Moravy

76. Od Starého Města pod Sněžníkem se hory podobají souvislé hradbě

rašeliništní ekosystém, níže se vyvinuly některé periglaciální tvary. Hora je součástí NPR Králický Sněžník. Při jihozápadním úpatí najdeme mramorový lom a nepřístupnou Patzeltovu jeskyni.

Sušina

Dominantu východního („moravského") hřebene Králického Sněžníku (1321 m) budují sněžnické ruly. K přírodovědným zajímavostem hřebenových partií patří několik menších rašelinišť s výskytem horské mokřadní flóry a fauny. Komplex je součástí Národní přírodní rezervace Králický Sněžník.

77. Oblíbená soška slůněte u bývalé Františkovy chaty

78. Vrcholem Králického Sněžníku prochází česko-polská hranice

směru na Hanušovice, asi po pěti kilometrech budeme zleva objíždět Malou Moravu. Do středisek lze přicestovat rovněž vlakem, tratí mezi Lichkovem a Hanušovicemi. Máme-li namířeno do Dolní, Velké či Horní Moravy, vystoupíme ve stanici Červený Potok. Dojít je třeba pěšky nebo lze využít místní autobusový spoj. Malá Morava má na téže železnici vlastní zastávku.

DOPORUČENÝ VÝLET

Trasa č. 1
Kategorie: celodenní

Horní Morava – Velká Morava – rozcestí červené a žluté u státní hranice – vrchol Králického Sněžníku (stále po žluté); Králický Sněžník – rozcestí červené a žluté u státní hranice (nejprve zpět po žluté, z rozcestí po souběžné červené a žluté a zhruba po kilometru již jen po červené) – Hluboký důl – rozcestí červené a modré turistické značky nad Horní Moravou (na tomto místě je třeba odbočit po modré vlevo) – Horní Morava.

Trasa č. 2
Kategorie: celodenní

Horní Morava – Velká Morava – rozcestí červené a žluté u státní hranice – Králický Sněžník (stále po žluté); Králický Sněžník – rozcestí červené a žluté u státní hranice (nejprve zpět po žluté, z rozcestí v přímém směru po červené) – Sedlo pod Králickým Sněžníkem (zde odbočit vpravo po modré) – Stříbrnická – Sušina – Podbělka – rozcestí modré a zelené (odbočíme vpravo po zelené) – rozcestí zelené a modré (po necelém kilometru opustíme zelenou a odbočíme vpravo po modré) – Velká Morava – Horní Morava.

VYBRANÁ TURISTICKÁ STŘEDISKA

Velká Morava, Dolní Morava, Horní Morava, Malá Morava

Několik rázovitých horských obcí s více nebo méně rozptýlenou zástavbou. Založeny byly zpravidla již ve 14. století. Horní, Velká a Dolní Morava tvoří významné turistické středisko, posazené v údolí horního toku Moravy. V provozu jsou zde četná ubytovací, stravovací a sportovní zařízení, během zimních měsíců jsou návštěvníkům k dispozici dva lyžařské svahy vybavené vlekem.

Malá Morava leží v sousedním údolí na spodním toku stejnojmenné bystřiny – levostranného přítoku Moravy. Jejími nejvýznačnějšími pamětihodnostmi jsou bezesporu barokní kostel Nanebevzetí Panny Marie a historické srubové statky.

K návštěvě všech zmíněných center lze využít ubytovací zázemí blízkého města Králíky (viz kapitola o Hanušovické vrchovině).

Dopravní dostupnost

Všechna střediska jsou dostupná automobilem nebo autobusem po silnici č. 312. Vyjíždíme-li z Králíků do údolí Moravy, brzy z ní odbočuje levostranná komunikace k Dolní, Velké a Horní Moravě. Pokud bychom však třistadvanáctkou pokračovali ve

Stříbrnice, Staré Město pod Sněžníkem

Obec Stříbrnice vděčí za jméno vzácnému kovu, který se v okolí společně se zlatem ve středověku dobýval. Horská vesnička byla v tomto místě poprvé připomínána v první polovině 14. století. Dnes slouží Stříbrnice jako východiště na Králický Sněžník, západně od obce se nachází lyžařský areál a rekreační středisko Návrší (dříve tzv. Jungmannova chata).

Také Staré Město pod Sněžníkem bývalo významným hornickým městem. Dobývalo se tu stříbro, zlato, měď a později také grafit (tuha). Dlouhou tradici má rovněž zdejší textilní průmysl. Historickému jádru města kraluje farní kostel sv. Anny z počátku 17. století. Patří sem také pozdně renesanční radnice a několik zachovalých domů na náměstí. Sportovně zaměřeným návštěvníkům město nabízí koupaliště a v zimním období dvě kratší sjezdařské tratě.

Dopravní dostupnost

Do Starého Města směřuje silnice č. 446 z Hanušovic, dostupné je také místní horskou komunikací odbočující v Branné z podjesenického tahu č. 369. Město je terminální zastávkou železniční odbočky z tratě mezi Lichkovem a Hanušovicemi. Stříbrnici propojuje se Starým Městem místní silnička. Při cestě do obce je třeba sledovat severozápadní směr.

DOPORUČENÝ VÝLET
Kategorie: celodenní

Staré Město – Stříbrnice – rozcestí U kapličky – Sedlo pod Králickým Sněžníkem (stále po modré, ze sedla dále po červené) - rozcestí červené a žluté u státní hranice (odtud po žluté) – vrchol Králického Sněžníku; Králický Sněžník – rozcestí červené a žluté u státní hranice (nejprve zpět po žluté, z rozcestí v přímém směru po červené) – Sedlo pod Králickým Sněžníkem (zde budeme pokračovat po souběžné modré a červené značce přímo) – rozcestí žluté, modré a červené (odbočujeme vpravo po žluté) – Návrší – Stříbrnice (vracíme se na modrou) – Staré Město.

Vybrané mapy a průvodce

Jeseníky, Králický Sněžník. Cykloturistická mapa č. 118, SHOCART, Zlín, 1:75 000, 1999.
Jeseníky, Praděd, Králický Sněžník. Turistická mapa č. 58, SHOCART, Zlín, 1:50 000, 1999.
Králický Sněžník. Turistická mapa č. 53, Edice Klubu českých turistů, Praha, 1:50 000, 1994, aktualizovaný dotisk 2000.

80. Králický Sněžník a jeho příslovečná bílá čepice

ŠUMAVA (Silva Gabreta)

Česko-bavorské pomezí střežily odjakživa tmavá jezera pod skalními stěnami, záludné močály a neproniknutelné nekončící lesy. Hory se hemžily divokou zvěří, zakleli je již staří Keltové, hledači pokladů a podivínští pašeráci. A jakoby ani to nestačilo! Ve druhé polovině dvacátého století sem dosedla hermeticky nepropustná železná opona, rozdělující dva uměle znesvářené světy. Téměř hmatatelné obrysy Velkého Javoru, Roklanu či naopak Poledníku nebo Boubína se tak staly pro generace sousedních národů nedosažitelným přeludem.

POLOHA

Šumava se rozkládá na pomezí tří států – České republiky, Německa (zde se nazývá Bayerischer Wald) a Rakouska (Mühlviertel). Je součástí tzv. Šumavské hornatiny v jihozápadní části Českého masivu. Na severozápadě vymezuje pohoří

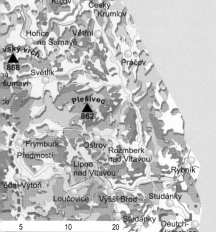

Všerubské sedlo (508 m), na jihovýchodě průsmyk u rakouské obce Summerau (646 m), jižně od Dolního Dvořiště. Je dlouhé asi 130 kilometrů a široké 30 kilometrů.

Nejvyšší šumavské vrcholy leží na Bavorské straně (Grosser Arber – 1456 m, Grosser Rachel – 1453 m). Česká část kulminuje Plechým (1378 m). Zatímco na jihozápad se horstvo svažuje relativně příkře do širokého Podunají, severovýchodní expozice jsou daleko mírnější. Zvolna se rozpouštějí v Šumavském podhůří.

Vnitřně můžeme šumavský trupový masiv podrobněji rozdělit do několika podcelků. Jsou jimi Šumavské pláně, hornatiny Železnorudská, Trojmezenská, Boubínská a Želnavská. Zvláštní zeměpisnou jednotku tvoří Vltavická brázda.

81. Chalupská slať u Borové Lady ukrývá nejrozlehlejší rašeliništní jezírko ve střední Evropě

GEOLOGIE A GEOMORFOLOGIE

Z větší části Šumavu budují silně přeměněné krystalické horniny moldanubika, nejstarší části českého masivu. Širokou klenbu s více či méně rovnoběžnými hřbety a plochými temeny tvoří především různorodé prahorní a starohorní ruly, pararuly i ortoruly, méně pak také svory, granulity nebo migmatity. Přibližně v ose pohoří vycházejí k povrchu části prvohorního (variského) plutonu, zosobněného žulovými i granodioritovými suky. Ty jsou základem mnoha typických šumavských vrcholů.

82. „Obří hrnce" v korytě Vydry.
Z naučné stezky nad Turnerovou chatou

Současnou výšku nabrala
Šumava v důsledku tlaků,
způsobených třetihorní fází
alpínského vrásnění. Právě tehdy
došlo k několikrát opakovaným
kerným posuvům a výzdvihům.
V centrální oblasti hor se dodnes
dochovala prapůvodní parovina
(tzv. Šumavské pláně). Na okrajích
ji zřetelně vymezují zářezy Vltavy
a Úhlavy, na německé a rakouské
straně levostranné přítoky Dunaje.
Současnou tvářnost hor
dokreslily intenzivní
geomorfologické pochody ve
starších čtvrtohorách. Pleistocénní
sněžná čára sahala místy až
k 1000 m n. m., v časech největšího
zalednění se tu vyskytovalo několik
menších ledovců, zpravidla
karových nebo svahových. V jádru
pohoří zanechaly dvanáct karoidů
a karů, řady morén a skalních stěn.
V předpolí ledovců se díky
periglaciálním podmínkám
formovaly kryoplanační terasy,
mrazové sruby, srázy či zvláštní
typy tzv. strukturních půd.
Z dalších pozoruhodných úkazů
Šumavy připomeňme rozsáhlá
kamenná moře, skalní hradby,
izolovaná skaliska (tory) nebo
známé a velmi oblíbené obří hrnce.
Jsou dílem trpělivého vymílání
podložních bloků menšími
kameny, poháněnými vířivým
proudem, a najdeme je například
v korytě Vydry. Obřím hrncům se
velmi podobají skalní mísy.
Ty ovšem vznikají selektivním
zvětráváním žulových bloků
a nejspíše je nalezneme
v obnažených vrcholových nebo
hřebenových partiích. Často bývaly
považovány za lidskou rukou
vytvořené pohanské obětní oltáře.

83. Jezero Laka pod hraničním
masivem Plesné (1337 m).
Malé, mělké, nádherné...

VODSTVO

Šumava je mimořádně důležitá pramenná oblast. Její zadumané hřebeny tvoří hlavní evropské rozvodí mezi Černým a Severním mořem. K jihu stékající bystřiny sbírá jednu po druhé veletok Dunaj, potůčky a říčky severního směru napájí národní českou řeku Vltavu. Ta zde také pod Černou horou nedaleko hranice s Německem pramení. Z početné rodiny vltavských přítoků musíme jmenovat přinejmenším trojlístek známých artérií. Především je to Vydra, která se rodí v komplexu vrchovišť mezi Luzným a Roklanem. V prášilských lesích a ve slatích u Nové Hůrky a Gerlovy Huti vzniká další z výjimečných přírodních skvostů – jiskřivá a rybnatá Křemelná. A když potom u Čeňkovy Pily Vydra s Křemelnou splývají, povstává třetí člen západošumavského "triumvirátu", Otava.

Na řádcích o šumavských vodách nelze vynechat přirozeně vzniklá jezera. Na jižní straně pohoří známe takové útvary tři (např. známé Roklanské jezero (Rachelsee) v Národním parku Bavorský les), v české části hor se jezer v plné kráse dochovalo hned pět: Černé, Čertovo, Laka, Prášilské a Plešné. Každé z nich je pozůstatkem po staročtvrtohorním ledovci a hradí je obvykle stará ústupová moréna.

K šumavskému vodopisu patří dnes konečně také četná umělá vodní díla. Nejčastěji se jedná o staré a zpravidla již nefunkční nádrže na plavení dřeva, důmyslné plavební kanály (např. Schwarzenberský nebo Vchynicko--Tetovský), rozmanité břehové úpravy, náhony či velkorysá díla, jako nejrozlehlejší údolní nádrž v České republice Lipno se zatopenou plochou 46,5 km^2.

Samostatnou hydrologickou kapitolu představují šumavská horská rašeliniště. Pocházejí vesměs

84. Pod zasněženou hradbou

z raně poledového období a patří dnes k tomu nejcennějšímu, co může středoevropská krajina vnímavému návštěvníkovi poskytnout. Těší se většinou přísné národní i mezinárodní ochraně. Podle podmínek vzniku šumavská rašeliniska zpravidla dělíme na typ údolní a horský. Údolní rašeliniska (luhy) bývají vázána na plošší sníženiny v okolí potoků a říček, například horní Vltavy nebo Křemelné. Druhou skupinu, tzv. vrchoviště, najdeme v pramenných oblastech hlavních šumavských toků. Na průřezu mívají typický bochníkovitý tvar a často se jim zde říká slatě (Tříjezerní, Chalupská, Jezerní, Roklanská atd.). Prostředí vrchovišť bývá kyselé a chudé na živiny (tzv. oligotrofie), na jejich povrchu vynikají kopečkovité bulty a jejich prohlubňovité protějšky – šlenky. Vzácně se tu objevují krásná temná jezírka nebo živá a zrádná třasoviska. Zcela zvláštním typem šumavského mokřadu jsou tzv. rašelinné smrčiny. Představují je obvykle vzrostlé lesní porosty v okolí vlastních rašelinišť.

PODNEBÍ

Oblast Šumavy leží na pomezí oceánského a kontinentálního vlivu, v místních i v regionálních podmínkách lze ovšem vystopovat řadu zvláštností a odchylek. Oceánský vliv má celkově přece jen mírně navrch, a tak většinou hovoříme o podnebí perhuminním. Charakterizují jej vcelku vyrovnané teplotní i srážkové poměry, jaro snad bývá proti očekávání poněkud chladnější, podzim naopak teplejší. V nižších šumavských polohách dosahuje průměrná roční teplota zhruba 6,5°C, v okolí vrcholů a na hraničním hřebeni již pouze 3,5°C. Teplotní průměry během vegetačního období dosahují 10,7°C. Obvyklým jevem šumavských údolí i plání bývají časné nebo naopak pozdní přímrazky či teplotní inverze. A zimní extrémy? Například v kvildské nebo v březnické oblasti může rtuť teploměru snadno sestoupit až k minus 40°C!

Roční úhrny srážek dosahují průměrně 800 – 1500 mm, poměr jejich kapalné a pevné formy je přibližně vyrovnaný. Návětrné svahy a nejvíce exponované hřebeny patří k srážkově nejbohatším místům v Čechách. Nejsuššími

85. Dřípatka horská (Soldanella montana). Něžný pozdrav jara z šumavských lesů. Od slovenských druhů dřípatek se odlišuje hlavně délkou a tvarem drobných žlázek na řapíku

šumavskými lokalitami jsou potom závětrná údolí, zejména jsou-li orientována k jihovýchodu nebo na východ. Ve vyšších polohách padá sníh zpravidla od listopadu do dubna a nadílky využívají sjezdaři i milovníci běžek. Zvláště posledně jmenovaným nabízí Šumava bezpočet ideálních terénů.

ROSTLINSTVO

Šumavská květena je vůči svému alpskému, krkonošskému nebo karpatskému protějšku zřetelně chudší a méně pestrá. V důsledku nižší nadmořské výšky zde nemohl vzniknout alpínský vegetační stupeň a o náznacích subalpínského stupně můžeme hovořit snad jen v případě několika ojedinělých vrcholů. Klíčovou úlohu při utváření současné flóry sehrály dále dva faktory. Jednotvárné, na živiny většinou skoupé horninové podloží a komplikovaný klimatický vývoj ve starších čtvrtohorách a počátkem čtvrtohor mladších.

Počet druhů, rostoucích výhradně na Šumavě, je poměrně nízký. Mezi cévnatými rostlinami je to například hořeček český šumavský. Daleko příznivěji by dopadla „inventura" šumavských reliktů. Z časů ledových a raně poledových mají zbytkový charakter kupříkladu bříza zakrslá, sítina trojklanná nebo drobnokvětá ozdoba horských vrchovišť kyhanka sivolistá.

Zajímavé je sledovat původ některých „typických šumavských" rostlin. Od východu přicestovaly například podél pleistocénních

86. Záplava šumavských kopretin

87. Šumavská dutohlávka (Cladonia
pleurota). *Mnohé lišejníky si nezadají
s těmi nejatraktivnějšími cévnatými
rostlinami. Řada z nich vyniká
tzv. bioindikačními vlastnostmi*

88. Hra barev a tvarů. Ohniváček celíkový
(Lycaena virgaureae) *na úborech vratiče*

ledovců jirnice modrá, chráněná
popelivka sibiřská nebo převzácný
všivec žezlovitý. Šumava má oproti
ostatním hercynským horstvům
daleko více druhů společných
s Alpami. Značná část takových
rostlin překonala mezilehlou
sníženinu již v drsném pleistocénu,
zbytek se činil až v čase pozdějším.
K první skupině patřil fialově
kvetoucí hořec šumavský nebo
žlutá a léčivá okrasa červnových
a červencových luk, prha chlumní
(arnika). Mezi „opožděnější alpské
přivandrovalce" řadíme křehký
šafrán bělokvětý, dřípatku horskou,
kamzičník rakouský nebo nijak
zvlášť nápadnou travinu lipnici
širolistou.
    Tři nejvýznamnější rostlinná
společenstva Šumavy jsou určitě
lesy, rašeliniska a kulturní bezlesí.
Zaměřme se nyní krátce na každé
z nich.
    Stav a druhovou skladbu
šumavských lesů dlouhodobě

ovlivnil člověk, v různých částech
hor přesto nalezneme „ostrůvky",
které se přirozené podobě přibližují
nebo se s ní prakticky kryjí
(např. pralesy Boubín nebo Stožec).
A jak se takové původní šumavské
porosty mění s nadmořskou
výškou?

90. Hořec šumavský (Gentiana
pannonica). *Původně se vyskytuje
pouze na Šumavských pláních.
Krkonošská, králickosněžnická
a hrubojesenická naleziště jsou
s nejvyšší pravděpodobností druhotná*

91. *Zlatobýl obecný alpínský* (Solidago virgaurea *subsp.* alpestris). *Na pláních v okolí Horské Kvildy rozkvétá v červenci až v srpnu*

93. *Prstnatec májový rašelinný* (Dactylorhiza majalis *subsp.* turfosa). *Krásné a ohrožené orchideje z podmáčených luk u Hamerského potoka*

92. *Prha chlumní* (Arnica montana). *Zákonem chráněný druh byl na několika lokalitách zcela vyhuben „bylinkáři". Obývá chudší půdy a vřesoviště*

Mezi 750 až 1100 m nad mořem se obvykle střetáváme se stupněm smrkobukovým. Ten pro srovnání pokrývá asi 60 % plochy národního parku a typickými dřevinami jsou v něm buk, vzácněji smrk, jedle a na exponovanějších svazích také jilm, klen a borovice. Právě borovice mívá často na podobných stanovištích reliktní původ a jako druh vytváří na Šumavě škálu původních ekotypů. V bylinném podrostu takových květnatých bučin rostou mimo jiné bažanka vytrvalá, kyčelnice devítilistá nebo řeřišnice nedůtklivá. V bučinách bikových, vázaných na méně úživná podloží, se vedle biky lesní a třtiny chloupkaté uplatňují spíše borůvka, podbělice alpská nebo kapradina žebrovice různolistá.

V úzkém rozmezí mezi 1100 a 1200 m n. m. (necelých 30 % plochy národního parku) najdeme vegetační stupeň bukosmrkový. Převažuje v něm smrk a společně s bukem, klenem a jedlí se zde na

světlejších místech uplatňuje také jeřáb. Například na Ždanidlech můžeme obdivovat elegantní úzké a válcovité koruny prapůvodních šumavských smrků. Sněhová peřina, námraza i silná jinovatka z jejich krátkých a jakoby ke kmeni přitisknutých větví sjíždějí jako po másle, takže k jejich poškození nebo dokonce ulomení dochází jen výjimečně. Bylinné patro bukosmrčin tvoří jakýsi přechod mezi stupněm smrkobukovým a smrkovým. Na lesních prameništích nebo v okolí horských potůčků se stromy obvykle rozestupují a najdeme tu navíc skupinky něžných dřípatek horských, modrokvětý oměj šalamounek nebo statný mléčivec alpský.

Na klasickou smrčinu se bukosmrkový stupeň mění okolo hranice 1200 metrů nad mořem. V takové výšce již vedle smrku potkáme nanejvýš sporadický jeřáb. Smrkový stupeň zabírá asi jen jednu desetinu území NP Šumava a jeho podrost je také poměrně chudý. Tvoří jej borůvka, třtina chloupkatá, papratka vysokohorská, kapraď horská, možná sedmikvítek. Horské smrčiny trpí v posledních letech opakovanými invazemi přemnoženého lýkožrouta – – kůrovce. Odborné názory na řešení takové problematiky nejsou zdaleka jednoznačné.

Dostali jsme se k poslednímu šumavskému vegetačnímu stupni. Je vázán na okolí nejsmělejších vrcholů, zvláštní prostředí karových stěn nebo na vysoko položená vrchoviště a říká se mu subalpínský. Dřevinám dominuje borovice kleč, pouze vzácně jsou k ní přimíseny zakrslé smrčky nebo břízky. Zdejší byliny zastupují například arkticko-alpínská travina sítina trojklanná nebo kapraďorost psineček skalní.

Mimořádnou pozornost zasluhuje vegetace šumavských rašelinišť. Dřevinnou královnou

94. *Vrbka úzkolistá* (Chamerion angustifolium). *Na lesních pasekách nebo na světlinách může vystoupat až do subalpínského stupně. Rozšířena je v horách celého státu*

vlochyně, nouze není ani o suchopýry, klikvy, kyhanky nebo šichy. Vzácnější bývá již setkání s masožravou rosnatkou či s blatnicí bahenní. V drsném prostředí horských vrchovišť napočítali odborníci všehovšudy patnáct druhů cévnatých rostlin.

Naposledy se zastavíme u bezlesých šumavských prostranství. Až na výjimky vznikla vždy aspoň částečným přispěním člověka. Otevřené enklávy byly obvykle využívány jako louky nebo pastviny, nacházejí se často na podmáčeném nebo na prameništním podkladu. Botanicky mohou být taková společenstva velmi zajímavá a kromě vřesovišť nebo zápojů smilky tuhé, třtiny chloupkaté či tuřice Davallovy se tu můžeme setkat s krásně kvetoucími hvozdíky, oměji, toliemi, tučnicemi, všivci a celou přehlídkou vstavačovitých rostlin. Najdeme zde i takové rostlinné poklady jako upolín evropský, některou z lilií nebo hořeček český.

95. *Tetřev hlušec* (Tetrao urogallus). *Obyvatel rozlehlých lesních porostů. Kriticky ohrožený druh, který se na Šumavě ještě stále spontánně rozmnožuje. Na obrázku je samec*

údolních luhů je určitě borovice bažinná (blatka), doprovázená obvykle borovicí lesní nebo vzácněji rojovníkem bahenním. Ve vyšších polohách blatku doplňuje nebo se s ní kříží keřovitá, zpravidla vícekmenná kleč horská rašelinná. Bylinné patro luhů reprezentuje obyčejně vřes,

96. *Kůrovcová kalamita vyvolala často diskutované těžby*

ZVÍŘENA

Šumavu obývá velmi zachovalá středoevropská lesní fauna. Její prapůvod hledejme již v poledovém období, kdy na celém kontinentu docházelo k významným proměnám a přesunům. Původní chladnomilné druhy se stěhovaly za ustupujícími ledovci buď na sever, nebo do horských poloh. Uprázdněná místa postupně zabíraly organismy méně asketické.

Živoucích pozůstatků z doznívajícího ledového a raně poledového období je mezi šumavskou zvířenou poměrně hodně. Mezi bezobratlými jmenujme lesní plže druhů *Iphigena badia*, *Trichia edentula* či *Pseudalinda turgida*, za jejichž dalšími současnými působišti bychom museli jet až na severovýchod Sudet, do Alp nebo do Karpat. Na šumavských vrchovištích přežívá několik

93

97. Střevlík zlatolesklý (Carabus auronitens). Dravý brouk loví hlavně drobnější bezobratlé živočichy. Střevlíci při podráždění vylučují páchnoucí sekret s kyselinou máselnou

98. Ještěrka živorodá (Lacerta vivipara). Druhové jméno získala díky tzv. vejcoživorodosti. Oplozená vajíčka se zpravidla vyvíjejí již v mateřských vejcovodech

99. Rys ostrovid (Lynx lynx). Největší evropská kočkovitá šelma. Do šumavských hvozdů byla úspěšně vysazena koncem 20. století z Karpat

zástupců členovců, které bychom mohli nalézt už jen při putování severskou nebo severosibiřskou tajgou a tundrou. Týká se to například některých sekáčů, pavouků, ale také brouků, vážek a motýlů. Určité druhy, jako motýlek travařík šumavský, vytvořily již na izolovaném šumavském působišti dokonce novou a zvláštní místní formu. Vzácnou reliktní zvířenu hostí také skalnaté a mikroklimaticky velmi svérázné karové stěny. Zbytkově rozšířeni jsou i mnozí pravověrní obyvatelé lesa, např. hraboš mokřadní, tarbíkům příbuzná myšivka horská s tmavým proužkem na zádech nebo maličký, hbitý hmyzožravec rejsek horský. Také přehlídka ptačích glaciálních i postglaciálních reliktů je obsáhlá. Protagonisty jsou tu např. plachý obyvatel hlubokých smrčin datlík tříprstý, hlasitý příslušník čeledi krkavcovitých ořešník kropenatý, kos horský s bílou půlměsícovou skvrnou na tmavé hrudi nebo pověstný soví skřítek – kulíšek nejmenší. V posledních desetiletích je do šumavských hvozdů kontrolovaně vysazován další reliktní noční lovec, puštík bělavý.

Z výčtu ostatních ornitologických skvostů Šumavy nemůžeme vynechat mezinárodně chráněného chřástala polního, orla královského, sokola stěhovavého, typické obyvatele nekonečných smrkových či smíšených porostů čápa černého, hýla rudého nebo známé příslušníky řádu hrabavých – jeřábka, tetřívka a tetřeva. Právě plachý a v zimních měsících velmi zranitelný tetřev hlušec má v nedostupných koutech šumavských slatí a smrčin jedno z posledních evropských útočišť, kde se spontánně udržuje a rozmnožuje.

Na závěr připomeňme ještě osud zdejších velkých šelem. Poslední volně žijící vlk byl na Šumavě střelen roku 1891.

Posledního medvěda stihl obdobný osud dokonce již v roce 1856 a podrobná historie jeho skonu je dodnes zaznamenána v kronice Horní Plané. Vzpomínku tomuto chlupáčovi můžeme věnovat u pomníčku severně od Jeleních Vrchů. Jiný nebyl ani úděl šumavského rysa, naštěstí vyvrcholení jeho příběhu bylo veselejší. V rámci projektu z osmdesátých let 20. století bylo v prostoru dnešního národního parku pokusně vysazeno sedmnáct exemplářů ze Slovenska. Současné stavy této největší evropské kočky jsou odhadovány již na několik desítek jedinců.

ČLOVĚK A PŘÍRODA

Šumavské hvozdy vzbuzovaly odpradávna respekt. Byly odlehlé, neprostupné, tajemné. Ruku v ruce s členitým horským terénem plnily strategické poslání přirozené přírodní bariéry a spolehlivého obranného valu. Jenom několika sedly vedly po staletí prošlapávané obchodní cesty a pašerácké pěšiny, spojující rakouské a německé Podunají s vnitrozemím Čech. Postupná kolonizace horstva probíhala v několika nevýrazných vlnách, zřetelnější stopy osídlení a hospodaření se však v jeho krajině objevily až v posledních staletích.

Prvními známými obyvateli Šumavy byli staří Keltové, konkrétně jejich středoevropská větev. Nepochybně je přitahovaly zásoby zlaté rudy a svoje záhadná oppida tady zakládali již nedlouho před započetím letopočtu. O keltské minulosti dnes vypovídají například kamenné snosy opevnění Obřího hradu nebo nejstarší sejpy (haldy jalové hlušiny po rýžování zlata) podél několika šumavských potoků. Do starověkých písemností a map se pohoří dostalo pod názvem *Gabréta hylé*.

Ve středověku plnila Šumava již několikrát zmiňovanou úlohu hraničního valu. Když Karel IV. v roce 1355 nařizoval ochranu pomezního hvozdu, jistě měl na mysli především funkce vojensko-strategické. Prvního zenitu slávy dosáhla v té době obchodní Zlatá stezka mezi Pasovem a pošumavskými Prachaticemi, Vimperkem a Sušicí. Putovaly jí kupecké karavany naložené cestou na sever zejména solí, tkaninami, exotickými potravinami a zbraněmi, nazpátek potom tradičními českými produkty jako obilím, chmelem, sklem nebo rozmanitými řemeslnými výrobky. Šumava byla zvolna a zatím velmi rozptýleně osídlována novými osadníky a zlatokopy. U Zlaté stezky byly budovány důležité opěrné a obranné body, např. hrad Kynžvart připomínaný již v roce 1359.

Z hlediska další kolonizace a s ní souvisejících proměn šumavské krajiny hrála klíčovou úlohu vzrůstající poptávka po dřevě v sedmnáctém a osmnáctém století. Společně s dřevorubci přicházeli pilaři, s těmi zas plavci, pastevci a skláři. Kolik jen „hamrů", „pil" a „hutí" bychom dnes vypátrali v šumavském místopise a názvosloví? Na přelomu osmnáctého a devatenáctého století byly dokončeny stavby dvou plavebních kanálů. Jimi se i to doposud nejméně dostupné dřevo dalo splavovat buď po Vltavě, nebo Otavě ku Praze, popřípadě po Gross Mühlu a dále po Dunaji až do Vídně. Důmysl a technická dokonalost Schwarzenberského a Vchynicko-Tetovského kanálu budí dodnes uznání a nic na tom nemění skutečnost, že právě ony významně přispěly k prvnímu plošnému rozvratu původních lesních ekosystémů. Při četbě románů šumavského romanopisce K. Klostermanna rychle pochopíme souvislosti tehdejších těžeb a autorem líčené větrné a později také kůrovcové kalamity. A jaké analogie s dnešními problémy šumavských lesů se tak vynořují!

Z výčtu událostí, které šumavskou krajinu a přírodu výrazně ovlivnily, nelze vynechat

100. Na šumavských pláních je místy chován skotský náhorní skot. Předností masného plemene je jeho odolnost vůči drsnému počasí

prazvláštní vývoj po druhé světové válce. Absurdní renesanci tehdy doznal vojensko-strategický význam pohoří, na hřebeny postupně dosedala neprodyšná clona mezi východní a západní částí bipolárně rozděleného světa. Hory se rychle vylidňovaly, zanikaly samoty i celé osady. Naproti tomu rostly mnohakilometrové ploty z ostnatého drátu. Paradoxně však toto čtyřicetileté „vakuum" vtisklo Šumavě jedinečný předpoklad stát se patrně nejzachovalejším přírodním regionem v samém evropském srdci.

Na první pohled málo zjevné, o to však záludnější nebezpečí se ukrylo do setrvalého působení dálkově přenášených atmosférických škodlivin. Ty vyvolaly dalekosáhlé změny v půdním i ve vodním prostředí a společně s nevhodným druhovým a věkovým složením zkulturnělých šumavských lesů mohou znamenat opravdovou hrozbu. A ještě jeden novodobý jev bude třeba rychle usměrnit i využít. Je jím nebývalý rozvoj

turismu a rekreace, který nyní Šumava po pádu železné opony zažívá.

OCHRANA PŘÍRODY

Cílevědomá ochrana šumavské přírody a krajiny počíná v 18. století, kdy kníže Adam František Schwarzenberg vydává známé opatření na ochranu medvědů. V roce 1858 bylo úředně zřízeno chráněné území v prostoru Boubínského pralesa, jedno z nejstarších území podobného typu na světě. Ochranářské snahy neustaly ani počátkem století dvacátého. Při ochraně Černého a Čertova jezera v západní části hor

se angažoval Hugo Conwentz (rok 1911) a ve dvacátých letech vyhlásil za rezervace Mlynářskou a Rokyteckou slať pokračovatel Schwarzenberského rodu Jan. Významné datum pro celou Šumavu bylo 27. prosince 1963. Na ploše 1630 km^2 byla vyhlášena chráněná krajinná oblast a síť

velkoplošných chráněných území v Čechách tím získala v pořadí čtvrtý, ovšem dodnes nejrozsáhlejší článek. V roce 1990 se Šumavě dostalo ocenění na mezinárodní scéně. Byla začleněna mezi tzv. biosférické rezervace v rámci programu Člověk a biosféra při organizaci UNESCO. Dlouholeté úsilí bylo konečně korunováno v březnu 1991, kdy vládním nařízením č. 163 uzřel světlo světa

N P Šumava. Vytyčen byl na ploše 69 030 ha a přes hranice navázal na území nejstaršího německého národního parku a od roku 1990 rovněž biosférické rezervace Bayerischer Wald (NP Bayerischer Wald byl zřízen o dvacet let dříve).

Podle stupně uplatňované ochrany je dnes území Národního parku Šumava rozděleno na tři zóny. První z nich je tzv. zóna přírodní a zahrnuje nejdokonaleji dochované

ekosystémy celého pohoří. Jakékoli ovlivnění člověkem by v ní mělo být vyloučeno a spadá sem asi 13 % plochy parku. Druhá zóna s relativní plochou asi 83 % soustředí přírodní oblasti méně či více pozměněné dřívější činností člověka. Jejím posláním bude postupná úprava a přibližování přírodních poměrů vlastnostem zóny první. Poslední zóna má sloužit především dlouhodobě udržitelnému využívání národního

parku. Právě v ní je soustředěna šumavská zástavba, rozvíjí se tu ekologické zemědělství a důležitější turistická střediska. Třetí zóna v současnosti představuje pouhá 4 % z celkové rozlohy parku.

Národní park Šumava obemykají zbylé části někdejší chráněné krajinné oblasti. Statut CHKO jim zůstal zachován a plní především funkce ochranného pásma parku. I zde najdeme mnoho přírodních a kulturních pokladů.

101. Březník. Za bílou hraniční slatí se zvedá symetrická silueta Luzného (1373 m)

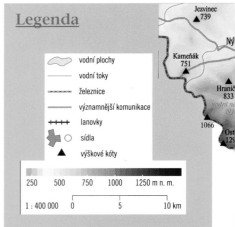

vodní plochy

vodní toky

železnice

významnější komunikace

lanovky

sídla

výškové kóty

250   500   750   1000   1250 m n. m.

1 : 400 000   0   5   10 km

TURISTICKÉ CÍLE A ZAJÍMAVOSTI

Antýgl

Již na přelomu 15. a 16. století zde stávala obec s jednovannou hutí (název Antýgl vznikl zkomolením německého „ein Tiegel"). Později tu stál královácký dvorec a zájezdní hostinec. Rekonstruovaná stavení se stylovou kapličkou a zvoničkou pocházejí z 18. století. Část objektu dnes slouží jako ubytovací zařízení, v sousedství je během letní sezóny využíván veliký kemp. Oblíbené východiště do Povydří i do centrálních partií Národního parku Šumava (Modravsko, Kvildsko, oblast Srní atd.).

Blanice

Výjimečná krajinotvorná ukázka pošumavské říčky s přirozeným korytem a vzácnou vodní a pobřežní flórou a faunou. Jeden z ekologických klenotů CHKO Šumava. Horní tok a přiléhající nivu chrání stejnojmenná národní přírodní rezervace s rozsáhlým ochranným pásmem.

102. Boubínský prales.
Nejstarší chráněné území na Šumavě

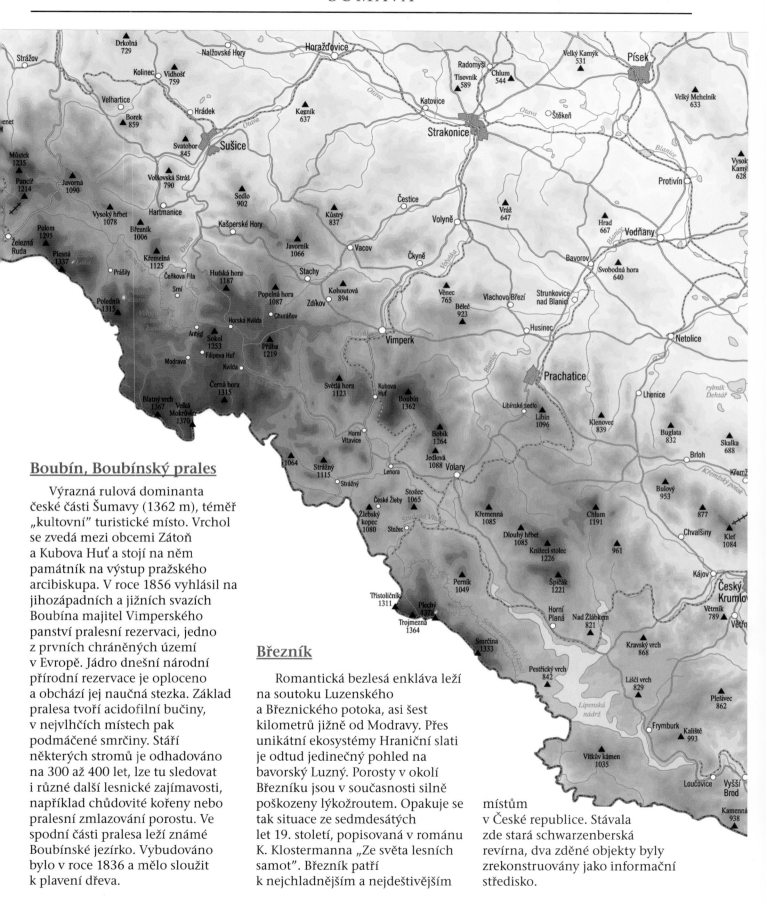

Boubín, Boubínský prales

Výrazná rulová dominanta
české části Šumavy (1362 m), téměř
„kultovní" turistické místo. Vrchol
se zvedá mezi obcemi Zátoň
a Kubova Huť a stojí na něm
památník na výstup pražského
arcibiskupa. V roce 1856 vyhlásil na
jihozápadních a jižních svazích
Boubína majitel Vimperského
panství pralesní rezervaci, jedno
z prvních chráněných území
v Evropě. Jádro dnešní národní
přírodní rezervace je oploceno
a obchází jej naučná stezka. Základ
pralesa tvoří acidofilní bučiny,
v nejvlhčích místech pak
podmáčené smrčiny. Stáří
některých stromů je odhadováno
na 300 až 400 let, lze tu sledovat
i různé další lesnické zajímavosti,
například chůdovité kořeny nebo
pralesní zmlazování porostu. Ve
spodní části pralesa leží známé
Boubínské jezírko. Vybudováno
bylo v roce 1836 a mělo sloužit
k plavení dřeva.

Březník

Romantická bezlesá enkláva leží
na soutoku Luzenského
a Březnického potoka, asi šest
kilometrů jižně od Modravy. Přes
unikátní ekosystémy Hraniční slati
je odtud jedinečný pohled na
bavorský Luzný. Porosty v okolí
Březníku jsou v současnosti silně
poškozeny lýkožroutem. Opakuje se
tak situace ze sedmdesátých
let 19. století, popisovaná v románu
K. Klostermanna „Ze světa lesních
samot". Březník patří
k nejchladnějším a nejdeštivějším
místům
v České republice. Stávala
zde stará schwarzenberská
revírna, dva zděné objekty byly
zrekonstruovány jako informační
středisko.

Březník (u Dobré Vody)

Žulový vrch (1006 m) hledejme asi půldruhého kilometru jihozápadně od obce Dobrá Voda. Pod vrcholem jsou v kameni vytesané schody. V jedenáctém století tu míval poustevnu benediktýnský mnich Vintíř, jehož ostatky spočívají dnes v pražském Břevnovském klášteře. Samotná Dobrá Voda je poutní místo s vývěrem minerální vody, kaplí, barokním kostelem a středověkou sochou sv. Vintíře.

Bučina

Bezlesá enkláva v místě někdejší obce. Založili ji v druhé polovině osmnáctého století a definitivně zanikla po druhé světové válce. Obývalo ji i přes čtyři sta lidí a v nadmořské úrovni 1162 m se jednalo o nejvýše položené sídlo na české straně Šumavy. Historii Bučiny připomínají zbytky polorozpadlého hotelu a obnovená kaplička u vyvěrajícího pramínku. V posledních letech správa národního parku vybudovala u hlavní cesty informační středisko v přírodě. Za dobrého počasí jsou odtud neopakovatelné výhledy na Alpy. V sezóně přijíždí na severní okraj bezlesí z Kvildy několikrát denně autobus. Jeho návaznost na obdobné spojení v Bavorsku (tzv. Igel Bus) je velice dobrá.

Čeňkova Pila

Rekreační osada na soutoku Křemelné a Vydry. Odtud dále se již řeka jmenuje Otava. Stávala zde pila, zpracovávající kalamitní těžby v 60. letech 19. století. Zařízení patřilo pražskému podnikateli Čeňku Bubeníčkovi, jehož jméno osada převzala. Blízko soutoku najdeme historickou elektrárnu s dřevěným náhonem a turbínou z roku 1936. Nad mostem přes Vydru je její modernější a výkonnější sestra. Pohání ji voda z nádrže pod Sedelským vrchem,

odkloněná z Plavebního kanálu a dále vedená potrubím. Čeňkova Pila je svázána s pobytem romantického malíře J. Navrátila a skladatele B. Smetany. Ten tu roku 1867 vysadil s přáteli dodnes stojící stromy (tzv. Smetanovy smrky).

Černé jezero, Čertovo jezero

Proslulá a turisty oblíbená jezera vyplňují karové deprese v masivu Jezerní hory, součásti Královského hvozdu. Černé jezero v nadmořské výšce 1008 m zatápí plochu 18,5 ha, což z něj činí největší přirozenou nádrž v České republice. Je hluboké bezmála čtyřicet metrů. Jezero Čertovo leží o dvaadvacet metrů výše a plocha jeho hladiny zabírá 10,3 ha. Oproti Černému jezeru je asi o tři metry mělčí. Mezi jezery probíhá hlavní evropské rozvodí. Obě jsou součástí národní přírodní rezervace, která byla původně vyhlášena již v roce 1911. S jezery jsou tu dnes chráněna také cenná společenstva karových stěn (u Černého jezera je např. stěna vysoká 330 m). Pod upravovaným hradícím valem Černého jezera byla v letech 1929 až 1930 vystavěna první československá přečerpávací elektrárna (technická památka).

České Žleby, Zlatá stezka

Českými Žleby procházela hlavní (tzv. prachatická) větev Zlaté stezky, starého obchodního spojení mezi Pasovem, Volary a Prachaticemi (viz kapitola Člověk a příroda). Název osady pochází od žlabů na vodu, z kterých se soumaři při karavanních pochodech přes hory občerstvovali. Historické zbytky po stezce mají dnes statut národní technické památky.

Filipova Huť

Jedinečná náhorní osada s rozptýlenou zástavbou a překrásnými výhledy na Roklan. Vznikla v 18. století při huti specializované na výrobu dutého skla. Jméno dostala podle někdejšího majitele zdejšího panství Filipa Kinského. Po zániku huti tady žili hlavně dřevaři. V současné době správně patří k nedaleké Modravě.

Horská Kvilda

Široce rozptýlená obec při horním úseku Hamerského potoka. Stavebně jí dominuje bývalý Polaufův hostinec se zvoničkou (dnes penzión). Právě sem zasadil Karel Klostermann části svého románu „V ráji šumavském". Dole u potoka jsou památkově chráněny zbytky po těžbě zlata (tzv. sejpy neboli hrůbata). V obci pracovalo několik dnes již zcela zaniklých hamrů.

Chalupská slať

Malebné údolní vrchoviště u Borové Lady. Jižní kraj vzácného ekosystému poznamenala těžba rašeliny. Ostatní části se dochovaly ve velmi dobrém stavu i přes tzv. náhradní rekultivace okolních luk, prováděné v sedmdesátých a osmdesátých letech 20. století. Od informačního střediska správy národního parku se odvíjí povalový naučný chodník. Zakončuje jej plošina u největšího rašelinného jezírka Šumavy (1,3 ha).

103. Sejpy u Horské Kvildy přikryl sníh

Javoří Pila, Modravské slati

Kdysi tu stávala osada s pilou, později oblíbený hostinec, dnes se jedná o důležité turistické rozcestí. Lze se odtud vydat směrem k Rybárně (vpravo od cesty se otevírají výhledy do Rybárenské slatě), nebo na Polední. Mimo zimní období lze jít okolo slati Javoří. Všechna místní rašeliniska patří ke komplexu Modravských slatí, nejrozlehlejších a nejlépe vyvinutých horských vrchovišť střední Evropy.

Jezerní slať

Velké rozvodnicové rašeliniště mocné až 7,5 m. Od parkoviště mezi Kvildou a Horskou Kvildou je přístupné štěrkovou cestou a dále po povalovém chodníku. Krátká naučná stezka nás seznámí s vývojem šumavských vrchovišť a s nejcharakterističtějšími zástupci jejich flóry a fauny. Neobvyklý pohled na slať a vrchol Sokol (1253 m) v pozadí umožňuje dřevěná vyhlídková věž. Mikroklima lokality je velmi drsné.

V létě jsou tu obvyklé noční přímrazky, v době zimních inverzí teplota při zemi klesá až k – 40 °C.

Jezero Laka

Se 2,8 ha nejmenší šumavské jezero. Je ledovcového původu, o jeho pokračujícím zazemňování svědčí zarůstající slatinné břehy i několik plovoucích ostrůvků. Hladina leží v nadmořské výšce 1096 m severozápadně od vrcholu Plesná (1336 m). Maximální

naměřená hloubka činí 3,9 m. Do roku 1991 stál nedaleko hráze objekt pohraniční stráže. V bezprostředním okolí jezera rostou mimořádně hodnotná lesní společenstva.

Knížecí Pláně

Rozsáhlé bezlesí po stejnojmenné obci. Knížecí Pláně byly založeny v roce 1792 a ještě v roce 1930 tu stálo téměř osmdesát obydlí včetně pošty a obecního

úřadu. Koncem druhé světové války zde žilo 57 lidí a po zřízení vojenského pásma se vystěhovali i ti poslední z nich. Naučná stezka nás vede kolem několika rozvalin a mezi řadami kamenných snosů, třeba až k ruinám původního kostela nebo k obnovenému hřbitovu. Osud Knížecích Plání odráží pohnutý vývoj příhraniční české Šumavy i unikátní ukázku přírodních procesů v padesátileté sukcesní řadě.

Královský hvozd

Hraniční svorový hřeben v západní části Šumavy, přibližně mezi Ostrým (1293 m) a Jezerní horou (1343 m). Jedna z ekologických perel CHKO a Biosférické rezervace Šumava. V historickém smyslu představoval Královský hvozd daleko širší správní celek a svébytné pohraniční území, sahající od Svaté Kateřiny až po Stodůlecko a Stašsko. Od časů vlády Přemysla Otakara II. (r. 1273) byl součástí Českého království a významnější kolonizační vlnou prošel v 16. století. Celou oblast obývali tzv. Králováci, strážci hranic vybavení zvláštními pravomocemi.

Lenora

Hornovltavská obec, rekreační středisko. Sídlo vzniklo v roce 1834 v zázemí sklářské huti „Eleonorenhain", pojmenované na počest kněžny Eleonory ze Schwarzenberku. Vyráběli tu duté sklo, později také šlechtěný a broušený křišťál. Na firemní tradice dnes navazují Šumavské sklárny a ukázku místních výrobků vystavuje menší muzeum (prodejní výstava). K vyhledávaným kulturním cílům patří také tradiční sídlo majitelů sklárny

(tzv. zámeček), památník skladatele A. Hartauera (nad sklárnou), historická pec na chleba nebo krytý most přes Vltavu u silnice do Volar. Své výpravy nebo jejich části v Lenoře obvykle začínají nebo končí šumavští vodáci.

Medvědí stezka, Poslední medvěd

Stezka se odvíjí od železniční zastávky Ovesná k Jelením Vrchům a poté až ke stanici Černý Kříž. Poslednímu úseku se také říkává Rudolfova cesta. Celá stezka je značena žlutě. Prochází převážně lesem s několika svéráznými útvary z dvojslídé žuly (např. Perníková skála, Soutěska lapků, Kaple). Vrcholem Perníku (1049 m) překonává nejvyšší bod a asi ve třetině úseku mezi Jeleními Vrchy (portál tunelu Schwarzenberského kanálu – viz dále) a Černým Křížem obchází památník posledního šumavského medvěda. Jednalo se o samici a byla zastřelena v listopadu roku 1856. Vypreparované zvíře patří dnes ke sbírkám zámečku Ohrada na Hluboké.

Modrava

Proslulé rekreační středisko leží v samotném srdci Šumavy. Pod obcí se rodí soutokem Roklanského a Modravského potoka peřejnatá Vydra. Na Modravě se od první poloviny 19. století zpracovávalo rezonanční dřevo, později tu pracovala pila. Dnes již historickou budovou je tzv. Klostermannova chata ve svahu nad obchodem. S problematikou záchrany a obnovy šumavských horských lesů seznamuje informační středisko (dnes v rekonstrukci).

104. Enkláva Knížecí Pláně byla ještě v polovině 20. století trvale osídlena

105. Poslední medvěd, poslední výstřel.
Stalo se roku 1856

z někdejší pozorovatelny vznikla turistická rozhledna. Za dobrého počasí z ní lze přehlédnout velkou část Šumavy i českého a bavorského vnitrozemí.

Mrtvý luh

Údolní rašelinisko a základní pilíř tzv. Vltavského luhu. Nedílná součást mezinárodně chráněných mokřadů Šumavská rašeliniště. Územně Mrtvý luh vymezuje těleso železničního náspu mezi zastávkami Dobrá a Černý Kříž a toky Teplé a Studené Vltavy, které se při jeho jihozápadním cípu slévají (731 m n. m.). Vrstva zdejší rašeliny dosahuje až sedmi metrů. Vyrůstá tu řada vzácných rašelinných bylin a dřevin, například stromová borovice blatka. Unikátní je místní entomofauna. Do luhu lze nahlédnout ze železniční trati nebo ze silničky spojující Novou Pec se Stožcem. Prohlídku můžeme uskutečnit rovněž loďkou, jelikož Teplá Vltava je přes léto vodácky splavná.

Obří hrad

Nejvýše položené pravěké hradiště v Čechách se nacházelo nad hlubokým zářezem Losenice u současného střediska Popelná. Keltské oppidum pocházelo z 2. až 1. století př. n. l. Délka stavby činila 370 metrů, šířka 80 metrů. Dodnes jsou zde patrna dvě pásma obvodových valů a lícované kamenivo předhradní zdi. Shora je na protilehlém jižním úbočí Šafářova vršku vidět kamenné moře s reliktním borem.

Plechý, Stifterův památník, Plešné jezero

Vrchol Plechého je nejvyšším bodem české Šumavy (1378 m). Tvoří jej žulová skaliska a leží na česko-rakouském pomezí. Porůstá dochovanou horskou smrčinou při samé horní hranici lesa. Průměrná roční teplota vzduchu na vrcholu dosahuje 3 °C, úhrny srážek představují za stejné období bezmála 1700 mm. Severovýchodní Jezerní stěna měří celých 260 m. Hraně hlubokého karu dominuje 14,5 m vysoký žulový obelisk, upomínka na nejznámějšího šumavského básníka Adalberta Stiftera. Dno vyplňuje jediné ledovcové jezero v jihočeské části pohoří. Jeho hladina měří 7,5 ha, hluboké je až 17 m. Čelní moréna byla uměle utěsněna a navýšena koncem 18. století společně s výstavbou Schwarzenberského kanálu (viz dále). Na břehu stával do roku 1989 objekt turistické chaty, později objekt hraniční stráže. Ve vodě i v jejím okolí našla útočiště řada význačných reliktních organismů.

Poledník

Široko daleko viditelná dominanta. Vrchol (1315 m) se nachází ve vegetačním stupni klimatických smrčin. V době studené války zde stával mohutný vojensko-strategický objekt. Ten byl z převážné části demolován,

Povydří

Turisticky hojně navštěvované místo patří zároveň k nejcennějším přírodním zákoutím Šumavy. Sevřeným zářezem kaňonovitého údolí prochází mezi Antýglem a Čeňkovou Pilou cesta, vystavěná během lesní kalamity v 70. letech 19. století (dnes naučná stezka). Nad peřejnatým tokem z ní lze mj. pozorovat bizarní skalní útvary (viklany a skalní věže), dílo postupného rozvětrávání údolních hran a svahů. Blízko Turnerovy chaty uvidíme v korytě krásnou ukázku „obřích hrnců".

Pramen Vltavy, Černá hora

Národní česká řeka (Teplá Vltava) pramení nedaleko hranice jižně od Kvildy. Napájí ji rozvodnicové prameniště mezi Černou horou (1315 m) a Stráží (1308 m). Zatímco Vltava odtud teče na sever, dunajský přítok Reschbach bublá směrem na jih. U vltavského pramene stávala od roku 1922 turistická chata. Dnes tu najdeme informační turistické tabule. Zápodní černohorské svahy porůstají statné exempláře původních šumavských smrků. Takové stromy mají husté a pravidelné letokruhy a vyráběly se z nich hudební nástroje (tzv. rezonanční dřevo). Jižní expozice hory postihly větrné a po nich ještě kůrovcové kalamity, v současnosti jsou zalesňovány. Zpod vrcholu Černé hory se otevírají pohledy na vzdálené alpské vrcholy i na nejvyšší horu Šumavy, Velký Javor.

106. Vrcholek Trojmezné vystupuje z pralesů v oblasti Trojmezná – Smrčiny

Prášilské jezero

Jezero najdeme pod horami Skalka (1238 m) a Poledník (viz výše). Jeho hladina odráží 150 m vysokou jezerní stěnu, hradí ji devítimetrová čelní moréna. Pod ní jsou patrny ještě dva další valy. Rozloha Prášilského jezera činí 3,7 ha a maximální hloubka 15 m. V okolí řádily v 70. a 80. letech dvacátého století opakované větrné kalamity, nahrály jim i nevhodně zvolené způsoby těžba a přemnožený lýkožrout.

Schwarzenberský kanál

Mezinárodně významná technická památka. Čtyřiačtyřicetikilometrový kanál byl vystavěn podle projektu inženýra J. Rosenauera koncem 18. století. Původně umožňoval plavbu polenového dříví po Dunaji do Vídně, zásluhou Želnavského smyku se dalo od roku 1887 plavit také kládové dřevo po Vltavě. Soustava je důmyslně napájena vodou, její součástí je i 429 m dlouhý tunel pod hřebenem Plešivce. Svému účelu sloužil Schwarzenberský kanál až do počátku 60. let dvacátého století. V posledním období bývá příležitostně demonstrována ukázka tradičního plavení.

Smrčina

Výrazný vrchol v zalipenské části Šumavy (1333 m), součást klidového území Trojmezná – Smrčina. Severovýchodní svahy leží v 1. zóně národního parku a porůstají je přírodě blízká lesní společenstva. Na protilehlé straně státní hranice kulminuje masiv skalnatým vrcholem Hochficht (1338 m). Rakouská úbočí využívá rozlehlý sjezdařský areál.

Stožecká skála, Stožecká kaple

Na jih od vrcholu Stožec (1065 m) leží turisticky přístupná Stožecká skála (974 m). Od 13. století na ní stávala pozorovatelna, určená k ochraně zdejší větve tzv. Zlaté stezky. Dnes žulovému skalisku vévodí pětimetrový železný kříž. Při výstupu k němu míjíme pověstnou kapli Panny Marie. Chráněná kulturní památka byla poprvé vystavěna roku 1791, naposledy obnovena koncem osmdesátých let 20. století a vysvěcena v roce 1990. Kapli obklopují smíšené šumavské hvozdy v 1. zóně Národního parku Šumava.

Trojmezí, Třístoličník, Rakouská louka

Všechny tři cíle najdeme v západní části Klidového území Trojmezná – Smrčina. Trojmezí (1321 m) leží v nevýrazném sedle mezi Plechým a Trojmeznou (1364 m). Od trojbokého kamenného mezníku tu vybíhají hraniční linie České republiky, Německa a Rakouska. Zajímavá je i zdejší Alpská vyhlídka nebo porosty autochtonní kleče. Západně od Trojmezí je 1311 m vysoký vrchol Třístoličníku. Přísloveční tři skalky hledejme již na německé straně hranice, nabízejí hned několik výborných vyhlídek. Jen kousek dál stojí horský hotýlek a půl kilometru ve vnitrozemí vystupuje vrcholový kříž Hochsteinu (1332 m). Konečně Rakouská louka patří k největším přírodovědným klenotům pohoří. Od Trojmezí k ní musíme na východ, asi kilometr po hřebeni směrem k Plechému (viz výše). Vrchovištní společenstva bezlesého sedla tu přecházejí do porostů traviny smilky tuhé, které již připomínají alpínské hole.

Tříjezerní slať

Vrchoviště nalezneme v nadmořské úrovni asi 1160 m, v mělkém sedle mezi Oblíkem (1225 m) a Adamovou horou (1078 m). Má rozlohu 12 ha a jeho centrální částí se třemi jezírky prochází povalová naučná stezka. Výjimečná ukázka rašeliništního ekosystému typického pro komplex blízkých Modravských slatí.

Vchynicko-Tetovský (Plavební) kanál

Významná technická památka. Stavěla se tři roky (1799 – 1801) a stejně jako Schwarzenberský kanál pochází z „dílny" inženýra Rosenauera. Měří 14 km a spojuje Vydru s Křemelnou tak, aby byl překonán nesplavný úsek mezi Antýglem a Čeňkovou Pilou. Mezi Hrablovým mostem a Rokytou se tu plavilo dříví ještě v polovině 20. století. Dnes je zde rybářský revír, obhospodařovaný správou národního parku. Voda z kanálu je sváděna do akumulační nádrže u Srní, odkud padá potrubím na turbíny elektrárny v Čeňkově Pile. Nevhodně se tím někdy snižují průtoky v dolní Vydře.

Zhůří, Zhůřské slati

Někdejší obec pod Huťskou horou (1187 m). Rozvaliny stavení a malých skláren jsou při silnici mezi obcemi Horská Kvilda a Svojše stále dobře patrné. Na východním kraji enklávy stojí skupina bývalých vojenských ubytoven, naproti u vrcholu mapovaly nebe velké radiolokátory (dnes výborné rozhledové místo). Komplex slati leží v nadmořské výšce přes jedenáct set metrů, napravo od cesty na Zlatou Studnu (viz dále). V minulosti byla rašelina zčásti těžena a slať dnes zabírá plochu 42 ha. Vstup do ní není povolen (1. zóna národního parku).

Zlatá Studna, Ranklov

Zlatá Studna dnes představuje důležité rozcestí mezi Zhůřím, Horskou Kvildou a Churáňovem. Na rozlehlé bezlesé enklávě stávala od konce 18. století osada s nejdéle provozovanou hutí Kašperskohorska. Specializovala se na výrobu dutého skla a páteříčků, které se navlékaly do modlitebních růženců. Nedalekou a rovněž již zaniklou osadu Ranklov proslavil román

107. Obnovená Stožecká kaple, tradiční poutní místo

„V ráji šumavském" Karla Klostermanna. Bydlíval zde legendární silák Josef Rankl.

Zřícenina Kunžvart

Zdaleka viditelná ruina nad obcí Strážný (1115 m). Jednalo se o strážní hrádek, střežící důležitou větev Zlaté stezky (viz kapitola Člověk a příroda). První zmínka o Kunžvartu (také se mu říkalo Kungenstein) pochází z roku 1359. Největší rozkvět zaznamenal za vlády Václava IV. a jako funkční stavba zanikl při požáru v roce 1578.

Žďárek, Stodůlky, Žďárecká slať

Žďárek a Stodůlky bývaly dřevařské osady blízko česko-německé hranice. Zbyla po nich pouze stará kasárna a rozvaliny dvou žďáreckých stavení. Enkláva po obou obcích leží asi dva kilometry od Knížecích Plání a pozvolna zarůstá. S někdejšími Stodůlkami sousedí 92 hektarů velká Žďárecká slať, porostlá typickou vrchovištní vegetací. Při cyklotrase mezi Knížecími Pláněmi a Strážným najdeme Žďárské jezírko. Je umělého původu a kdysi sloužilo k plavení dřeva.

VYBRANÁ TURISTICKÁ STŘEDISKA

Železná Ruda

Nejvýznamnější šumavské středisko, od roku 1960 město. Leží u důležitého hraničního přechodu v Železnorudské hornatině. Současná poloha hranic platí od šedesátých let 18. století.

Osada byla zmiňována již v roce 1569. Spravovala ji česká vrchnost a bydleli v ní především bavorští horníci. Těžili a zpracovávali místní zásoby železné rudy (hnědel). Od první poloviny 17. století se zde rychle rozvíjela sklářská výroba (rodiny Abelů a Hafenbrädlů). Největší rozmach zaznamenalo železnorudské sklářství v 19. století.

Nejznámější památkou města je originálně řešený barokní kostel Panny Marie Pomocné (1729–1732). Na břehu říčky Řezná stojí unikátní historický hamr, sklářskou slávu připomíná expozice místního muzea. Pozornost

návštěvníků přitahuje také obnovená křížová cesta. Poprvé byla vysvěcena v roce 1815, naposled v roce 1995. Končí na Hladovém vrchu kaplí sv. Anny.

Současná Železná Ruda nabízí mnoho kulturních i sportovních zážitků. V létě jsou v městě a v jeho okolí k dispozici sportovní hřiště, půjčovny kol nebo bazény. Během zimní sezony nastanou ideální podmínky pro běžkaře i pro milovníky sjezdu. V sedle nad městem se nachází rušné a populární středisko Špičák.

Dopravní dostupnost

Dobrou dostupnost Železné Rudy umožňuje především mezinárodní silnice E 53 mezi Klatovy a bavorským

108. Chata a rozhledna na západošumavském Pancíři (1214 m)

Zwieselem nebo silnice č. 190 od Nýrska. Síť místních parkovišť je poměrně hustá, počet parkovacích míst bývá však během extrémních turistických náporů omezen (zejména v zimě o víkendech). K dopravě autobusem lze využít linkové spoje a v letní sezóně tzv. Zelený autobus, projíždějící několikrát denně Šumavu od Špičáku po Kaplici pod Boubínem. Po pádu „železné opony" obnovili města Železná Ruda a Bayerisch-Eisenstein společné historické nádraží. Trať mezi Deggendorfem a Plzní byla zprovozněna již roku 1877, kdy byl pod Špičáckým sedlem proražen nejdelší tunel v Čechách a na Moravě (1747 m).

DOPORUČENÉ VÝLETY

Kategorie: půldenní (zkrácená varianta s využitím lanovky) nebo celodenní

Z železnorudského centra sledujeme modře značenou cestu a souběžnou naučnou stezku. Asi po třech kilometrech a dvousetmetrovém převýšení se vyhoupneme na zalesněný hřeben. Stále severním směrem nás přivede až k tzv. Hoffmankám, za kterými prochází sedačková lanovka mezi Špičáckým sedlem a Pancířem (1214 m). Pokud bychom dali přednost pohodlí, mohli bychom ji alternativně využít. Pod ocelovým lanem a stále po modré zdoláme poslední strmější úsek. Dostaneme se na volnější podvrcholový hřebínek. Poslední stovky metrů bude „naši" modrou doprovázet ještě červená značka.

Vrchol Pancíře nás přivítá nově upravenou horskou chatou a u ní zpřístupněnou rozhlednou. Za slušného počasí se z ní otevírají panoramatické pohledy, v Německu se dá například dohlédnout až na skupinu alpského Watzmannu.

Z vrcholu sestupujeme zprvu stejnou cestou, nesmíme ovšem přehlédnout odbočku červené

vpravo. Ta nás poměrně příkrým klesáním přivede asi po dvou kilometrech do Špičáckého sedla se dvěma velkými parkovišti u silnice č. 190. Čeká nás druhá a neméně pěkná část výletu.

Rovnou od parkoviště vybíhá žlutě značená horská silnička. Asi po čtyřech kilometrech nás pohodlně dopraví až k čelní moréně největšího jezera v Čechách (viz Turistické cíle a zajímavosti – Černé jezero). Po jeho prohlídce začneme z hradící morény postupovat horským lesem doleva. Po přibližně kilometrovém stoupání můžeme odbočit po zelené značce, která směřuje zpět do Špičáckého sedla. Vydržíme-li však ještě na červené, budeme odměněni. Zbude-li nám dost času a sil, můžeme zakrátko absolvovat malou odbočku na vrcholek Špičáku (1202 m), z něhož se k východu rozvíjí vějíř náročných i jednodušších sjezdových tratí. Hlavní překvapení máme však pořád ještě před sebou. Vrátíme se proto znovu na červeně značenou cestu a ta nám asi po kilometrovém klesání odhalí druhý zakletý poklad Jezerní hory a tím i celého Královského hvozdu. Kouzelné jezero Černé.

Pro návrat do Železné Rudy můžeme nyní vybírat ze dvou

109. Tradiční šumavská usedlost Horní Antýgl

možností. Buď si zvolíme cestu podél Jezerního potoka a napříč sjezdovkami sejdeme k parkovištím ve Špičáckém sedle, nebo zůstaneme věrni naší červené. Ta se vine pod stále ustupujícím hřebenem jihovýchodním směrem. Asi po půlhodině chůze staneme na úrovni cílového města. Stačí jen odbočit po zelené značce se svahu.

Srní

Rekreační středisko Srní je v centrální části Národního parku Šumava. Historie obce sahá do první poloviny 18. století, kdy se tu usidlovali první dřevorubci. Hlavním architektonickým magnetem je kostel Nejsvětější Trojice, vystavěný v roce 1804. Zachovalo se zde i několik lidových chalup, nejznámější je nejspíš Klostermannova chata při cestě z obce do sedla, kde začíná potrubí k elektrárně na Čeňkově Pile (viz Turistické cíle a zajímavosti).

Srní návštěvníkovi nabízí nejširší spektrum ubytovacích

možností. Vybírat lze od komfortního hotelu s vyhřívaným bazénem až po skromné, útulné a tiché penziony. V blízkém okolí můžeme uskutečnit prohlídku spodní části Vchynicko-Tetovského kanálu nebo romantické výlety do středního Povydří. Přes nedaleké Prášily je dostupné také Prášilské jezero či Polední (rozhledna).

Dopravní dostupnost

Srním prochází silniční komunikace spojující Sušici s Modravou. K Prášilům a dále k Železné Rudě z obce odbočuje bývalá vojenská komunikace. Všechny tři směry lze využít individuálně, první z nich projíždí celoročně pravidelná autobusová linka. Během letní sezony v Srní zastavuje také tzv. Zelený autobus, kyvadlová doprava mezi Špičákem a Kaplicí pod Boubínem.

DOPORUČENÝ VÝLET
Kategorie: celodenní

Po žlutě značené turistické cestě vyrazíme ze Srní na západ. Cesta se odklání vlevo od asfaltky do Prášil, přes můstek Plavebního kanálu pokračujeme ostrůvky lesa, lučních porostů a kolem starých kamenných snosů do svahu Jezerního hřebene. Na kraji enklávy po někdejších samotách (tzv. Zelená hora) uhýbáme vpravo a připojíme se ke zpevněné lesní cestě. Za nevýrazným předělem čeká další enkláva (Nová Studnice), odkud sestupujeme do údolí Jezerního potoka.

Zatímco žlutá značka míří dále do Prášil, my odbočíme po zelené vlevo. Po asi kilometrové chůzi proti proudu potoka přijdeme ke trojnému bodu, rozcestníku s příčnou červenou. Nemůžeme si odpustit krátký výpad: vpravo přes potok a pak přes morény vyšplháme až ke známému Prášilskému jezeru (viz kapitola Turistické cíle a zajímavosti).

Temná hladina pod skalnatou karovou stěnou působí podmanivě až přízračně, okolní porosty bohužel hodně zdecimovaly větrné polomy a po nich ještě hmyzí škůdci. Nastal čas vrátit se k našemu trojnému bodu.

Stále po červené z něho šikmo stoupáme protilehlou stranou Jezerního hřbetu. V závěru se sklon zmírní a nabízí se možnost zajít až na vrchol Poledníku (1315 m). Panoramatické rozhledy z nedávno přestavěné vojenské pozorovatelny vyváží dozajista vynaloženou námahu i hodnotu symbolického vstupního poplatku.

Dalším cílem bude Javoří Pila. Leží při soutoku Tmavého a Javořího potoka, hned vedle přísně chráněného komplexu Modravských slatí. A právě výjimečnost a zranitelnost tohoto území je důvodem, aby byl další úsek červeně značené cesty otevírán pouze v létě. Mimo sezonu, zvláště v zimě a časně zjara, musíme k Javoří Pile poněkud komplikovaněji. Zpod Poledníku se vrátíme zpět po červené a ještě dále po zelené, abychom mohli po žluté obejít masiv Jezerního hřbetu. Od „staré známé" Zelené hory můžeme buď výlet ukončit a vrátit se do Srní, nebo pokračovat podle plánu po modré. Po levici budeme pak míjet velmi příslovečnou siluetu hory Oblík (1225 m).

Na romantické světlině Javoří Pily nezapomeňme za dřevěným přístřeškem odbočit vlevo. Vzhůru tu vede modře značená zpevněná lesní cesta. Brzy se ocitneme na rozcestí Pod Oblíkem, z něhož se můžeme opět vypravit rovnou do Srní. Musí se po modré seběhnout z kopce k Plavebnímu kanálu, asi dva kilometry podél něj a nakonec odbočit napravo.

Druhá varianta je pro vytrvalejší. Předpokládá z rozcestí Pod Oblíkem dojít ke kouzelné Tříjezerní slati (viz Turistické cíle a zajímavosti). Pokračovat budeme po žluté značce dlouhou

a zpevněnou cestou dolů na Rokytu. Po silnici nebo přes cíp lesa seběhneme k mostu přes Vydru (z Tříjezerní slati je to sem přes 4 km). Nyní se přidržíme pravého břehu nejkrásnější šumavské říčky. S hukotem a bubláním její vody se po naučné stezce dostaneme až k úzké lávce. Využijeme ji. Kolem bývalé Hálkovy chaty nejprve proti proudu a pak prudce do svahu vyšplháme na samotnou hranu údolí. Nespouštějme z očí žlutou značku. Přes Horní a Dolní Hrádky míří až do Srní.

Kašperské Hory

Věhlasné šumavské městečko a stále oblíbenější turistické středisko. Jako osada Reištejnské hory (Bergreichenstein) vznikly již ve 13. století. O dalších sto let později se jednalo o prosperující hornické městečko s četnými privilegii. Období největšího rozkvětu trvalo do konce 17. století a jeho „motorem" byla těžba zlata. Zdejší ložisko patřilo k nejdůležitějším v Čechách, na Moravě i ve Slezsku. Pro město nebyly nikdy zanedbatelné ani příjmy z obchodu. Od 14. století jím procházelo důležité spojení mezi Bavorskem a sušickým vnitrozemím Čech.

Stopy po zlatokopectví objevíme v nejširším okolí města dodnes. Lze se s nimi setkat u potoků i podél Otavy, mají podobu kup a částečně zasypaných jam, tzv. sejpů. Z historických památek Kašperských Hor je třeba na prvním místě vyzvednout gotický hrad Kašperk. Tyčí se asi dva kilometry severně od města a vznikl za panování Karla IV. Jeho poslání bylo hlavně správní a ochranné. Často měnil svého držitele a jeho úpadek nastal po roce 1655. Z jedné z věží se nabízí

110. Plavební neboli Vchynickotetovský kanál. Kulturní a technická památka prvořadého významu

překrásný výhled po kraji. Význačnou památkou města je určitě také kostel sv. Mikuláše (hřbitovní), vystavěný okolo roku 1330 a později několikrát upravovaný. Další kostel (děkanský) je zasvěcen sv. Markétě a pochází z druhé poloviny čtrnáctého století. Má charakter trojlodní baziliky. Přímo u něj si lze prohlédnout dva mlecí kameny na zlatou rudu. Typický kolorit náměstí dotváří kašna se sousoším a portál renesanční radnice, upravené ze dvou domů z konce 16. století. Při cestě do Rejštejna míjíme konečně další důležitou sakrální budovu. Je jí pseudorománská kaple Panny Marie Sněžné z druhé poloviny 19. století.

Oblíbeným kulturním cílem je kašperskohorské Muzeum Šumavy. Uchovává rozsáhlé přírodovědné i kulturní sbírky, vysoce ceněné jsou například ukázky secesního skla z nedalekého Klášterského Mlýna. Svého času tam stávala možná nejvýznamnější sklárna v celém Rakousko-Uhersku. Sportovně zaměření návštěvníci ocení hustou síť turistických a cyklistických tras a stezek, v zimě pak běžecké stopy a jednu kratší sjezdovku na jihovýchodním okraji města (Liščí vrch).

Dopravní dostupnost

Kašperskými Horami prochází „hlavní pošumavská silnice" č. 145, spojující Sušici a Modravu (silnice č. 169) s Vimperkem. Město je dostupné osobním automobilem i autobusovou linkou.

DOPORUČENÝ VÝLET

Kategorie: celodenní

Z náměstí nás vyvede červeně značená cesta. Postupujeme na jih do údolí Zlatého potoka a dále po zeleně značené silničce až k soutoku s Losenicí. V nivě jsou občas patrny zbytky starých sejpů.

Zelená značka uhýbá po širší asfaltce vstříc toku Losenice. Zanedlouho však silnici opouští a stoupá poměrně prudce vpravo přes louky a remízy. Nezapomeňme se čas od času obracet: otevírající se pohledy na Kašperk a okolí stojí určitě zato! Po asi kilometrovém úseku mineme první chalupy rekreační osady. Právě na Kozím Hřbetu se naše trasa stáčí doleva.

Pokračuje téměř po rovině a až později začne zvolna zdolávat severozápadní úbočí Huťské hory (1187 m). Okrajem lesa a později i souvislým porostem traverzujeme k silnici č. 169. Zhruba dva kilometry musíme šlapat po jejím asfaltu, v druhé části úseku nás ovšem odmění zvolna se proměňující pohled do údolí Vydry. Na obzoru se vlní hlavní šumavský hřeben včetně Poledníku a široko daleko nejkrásnější hory – Roklanu (1453 m). Skrz zaniklou osadu Zhůří dojdeme až k rozcestníku. Dále se vypravíme po žluté doleva. Zpevněnou a poté již jen kamenitou lesní cestou obcházíme zleva Zhůřskou slať a kolem památníčku U tří jedlí a Ranklova (viz Turistické cíle a zajímavosti) se přesuneme až na další důležité rozcestí – Zlatou Studnu. Seběhneme po louce nebo při okraji lesa až k můstku přes Losenici a možná dvě stě metrů za ním čeká opět ukazatel. Zde uhneme po modré značce vlevo a okolo známé meteorologické stanice dojdeme až na okraj Churáňova. Zůstane jenom na nás, budeme-li se kochat výhledy do Pošumaví, nebo se občerstvíme v některém z místních zařízení.

Na horním konci Churáňova doporučujeme vyhledat východní část místního poznávacího okruhu (naučná stezka). Právě ji totiž využijeme pro sestup k Losenici. U potoka se napojíme na červenou značku, která nás po dalších dvou a půl kilometrech dovede do střediska Popelná. Máme ještě dostatek sil? Pak si nenechme ujít

zacházku k jednomu z nejznámějších keltských opevnění v Čechách, Obřímu hradu (pozor, červená značka vede asi kilometr do prudšího kopce).

Jsme opět v Popelné a k soutoku Losenice a Zlatého potoku zbývá ujít ještě asi pět kilometrů. Z toho místa následuje už jen důvěrně známý úsek na kašperskohorské náměstí...

Kvilda

Horské středisko přímo v srdci šumavských plání a Národního parku Šumava. V nadmořské výšce 1066 m se jedná o nejvýše položenou českou obec současnosti. První zmínky o sídle pocházejí ze čtyřicátých let 14. století. Místo zaujímalo důležitou polohu na obchodní stezce mezi Kašperskými Horami, Sušicí a bavorským Pasovem. O dřívějším rýžování zlata svědčí sejpová pole u Kvildského potoka, pramenícího v blízké Jezerní slati. Spíše než zlatokopové získali obci věhlas zruční sklomalíři nebo později slavný film Karla Kachyni Král Šumavy. Téměř symbolickou místní stavbou Kvildy je kostel sv. Štěpána z roku 1756. Do dnešní podoby byl upraven po požáru koncem 19. století.

Současná Kvilda je rájem milovníků Šumavy. Vychází se odtud k Prameni Vltavy, k hraničnímu přechodu pro pěší, lyžaře a cyklisty Bučina, k Jezerní slati i na Nové Hutě. Přímo u kostela nabízí služby velkoryse pojaté informační středisko Správy NP Šumava, oblíbená je také malá kvildská pekárna. V zimě nás potěší hojné a dobře udržované běžecké stopy, přímo v obci najdeme dokonce kratší sjezdařský svah s vleky.

111. Největší jezírko v Tříjezerní slati. Přístupná část mezinárodně chráněných mokřadů Šumavská rašeliniště

112. Lyžařská sezona na Kvildě

Dopravní dostupnost

Kvildou probíhá silnice č. 169, spojující Sušici s Horní Vltavicí. Dva a půl kilometru před obcí z ní odbočuje „vimperská silnice" č. 168. Středisko je celoročně dosažitelné pravidelnou autobusovou linkou i osobním automobilem, v zimě je rozumné počítat s kompletní výbavou. Přes léto se z Kvildy stává přestupní stanice tzv. Zeleného autobusu. S jeho pomocí se lze dostat od Železné Rudy po Boubín, respektive od Horské Kvildy po Bučinu s návazností na linky „Igel Busu" v Národním parku Bavorský les.

DOPORUČENÉ VÝLETY
Trasa číslo 1
Kategorie: celodenní

Kdo by se z Kvildy nechtěl vydat

k prameni české národní řeky? K tomuto cíli nás vyvedou souběžná zelená a modrá značka, sledující silničku na jih kolem pily. Zakrátko odbočíme z asfaltové cesty doprava. Necháme za sebou tzv. Hamerské domky a vnoříme se do krásného horského lesa, jemuž se nikoli náhodou říká Vltavský. Proti slábnoucímu potoku Teplá Vltava postupujeme stále směrem k hranici s Německem. Zvolna nás vtahuje sedlo mezi Černou horou (1315 m) a Stráží (1308 m), a když cesta přestane stoupat, budeme u cíle. Pramen Vltavy má podobu udržované studánky vlevo pod cestou, na druhé straně stojí na malé plošině informační tabule, vypalované do dřeva (viz Turistické cíle a zajímavosti). Popojdeme-li dalšího půl kilometru, čeká nás rozcestí. Vybereme si alternativu

vpravo a cesta bude chvíli téměř kopírovat státní hranici. Stružky a potůčky odtud již netečou ku Praze, nýbrž kamsi k černomořským hlubinám.

Zdoláváme teď táhlé stoupání přes jihozápadní úbočí Černé hory. Díky kalamitnímu bezlesí se otevírají výhledy na hřeben Mokrůvek, za dobré viditelnosti se dá v horní části přehlédnout dokonce panoráma Alp. Z oddychového místa pod vrcholem budeme již jen klesat, než však ztratíme výšku, zadívejme se kupředu. Přímo v průseku cesty se zvedá homole Velkého Javoru (1456 m), nejvyšší šumavské hory.

U rozcestí Ptačí nádrž uhneme po žluté značce vlevo. Překročíme Ptačí potok, kde kdysi ona plavební nádrž stávala a pokračujeme vzhůru a zase dolů k příčně protékajícímu Modravskému potoku. Bude nás to stát malou zacházku, ale nelitujme jí: pokud se vydáme doleva, asi po kilometru začne již probleskovat Březník, jedno z nejromantičtějších šumavských zákoutí (Turistické cíle a zajímavosti). Jako na dlani se zde otevírá téměř dokonalá ukázka severské tundry. Hraniční slatí se klikatí meandry Luzenského potoka až kamsi pod kužel Luzného (1373 m). Suché stromy připomínají nedávné kůrovcové dopuštění a dodávají místu bezmála mystickou zasmušilost.

Vracíme se. Nejprve k rozcestí Na ztraceném a pak podél zurčícího Modravského potoka. Jeho romantické a hustě lesnaté údolí neopustíme až do Modravy. Na kraji obce odbočíme doprava po příčné silnici a zelené značce vystoupáme až na náhorní enklávu Filipovy Huti (Turistické cíle a zajímavosti). Po tom, kdy se k nám připojí žlutá značka, a ještě před tím, než vstoupíme do lesa, určitě se rozhlédněme! Pláň s panoramatem dvojvrcholového Roklanu patří opět k nejpůsobivějším krajinářským lahůdkám.

Poslední část výletu půjdeme hustou šumavskou smrčinou. Staletí prošlapávaný úvoz se chvílemi noří pod okolní terén. Pod Březovou horou musíme odbočit doprava po žluté, která nás dovede na silnici Filipova Huť – Kvilda. Obejdeme po ní východní výběžek Tetřevské slati a s vrcholem Lapky (1171 m) po levici scházíme do Kvildy. Ke konci se otevírají pohledy na obec, do údolí Vltavy a vzadu napravo vykukuje Boubín.

Trasa číslo 2
Kategorie: půldenní (s využitím dvou autobusových spojení) nebo celodenní

Autobus z Kvildy nás doveze

podél Teplé Vltavy až k zastávce Chalupská slať na okraji Národního parku Šumava. Absolvujeme kratičký úsek k informačnímu středisku a od něj vstoupíme povalovým chodníčkem do snad nejpohádkovitějšího rašeliniště Šumavy. Naučná mikrostezka nás tu seznamuje s historií mokřadu i s jeho současnou biotou. Končíme na dřevěné plošině u největšího rašelinného jezírka v České republice. Zpět musíme stejnou cestou, přesto nebudeme jistě litovat.

Od autobusové zastávky nyní půjdeme po zelené značce k Borové Ladě. Hned na jejím bližším okraji vybíhá vpravo žlutě značená lesní cesta. Po mírném stoupání dojdeme k levostranné odbočce a po ní k menší rozhledně pod vrcholem Vyhlídka. Ještě jednou si můžeme vychutnat Chalupskou slať, teď ovšem z ptačí perspektivy.

Sestupme zpátky na žlutou. Povede nás do Hraničního lesa a dále na velkou a historicky velmi zajímavou enklávu Knížecí Pláně (viz Turistické cíle a zajímavosti). Ještě dál po žluté a posledních pár metrů po červené značce dojdeme k objektu zborceného kostela a k úhlednému, teprve nedávno obnovenému hřbitůvku.

Vrátíme se odtud na rozcestí žluté a červené, abychom po druhé z nich vyrazili vlevo na severozápad. Okolní krajina skýtá učebnicovou ukázku přirozené sukcese neboli postupného návratu přírody do dříve obydleného území. Přes tzv. mlýnskou mýtinu vystoupáme na příčnou turistickou cestu mezi bývalou obcí Bučina a stejnojmenným hraničním přechodem pro pěší a cyklisty. Na Bučině nenechejme bez povšimnutí informační tabule nad cestou. Dají se z nich načerpat užitečné vědomosti, vidět je odtud blízká bavorská vesnice a za ideálního počasí dokonce Alpy.

Z Bučiny do Kvildy můžeme nyní sestoupit nejkratší možnou cestou. Zeleně značenou silničkou je to pohodlným pochodem asi 7 km a k jejich překonání lze v sezoně využít linku Zeleného mikrobusu. Před nově upravenou kapličkou a u sousedního pramínku lze ovšem také odbočit dále na západ a přes horu Stráž (vlevo od jejího vrcholu) přejít až k památnému Prameni Vltavy. Z Bučiny vede červená a v posledním úseku modrá značka (odbočka vpravo) a ujít bude třeba asi 3 km. Trasa končí krásným a poklidným sestupem podél bystřiny nejznámější české řeky.

Churáňov

Sportovní centrum a oblíbené rekreační místo centrální Šumavy. Leží na území CHKO v nadmořské výšce okolo 1000 m Správou patří pod nejrozlehlejší pošumavskou obec Stachy. S Churáňovem téměř sousedí další známé středisko Zadov, jenom pár kilometrů na jihovýchod najdeme Nové Hutě.

Stašsko a jeho obyvatele proslavili spisovatelé Karel Klostermann (např. román „Šumavská rapsodie") a Eduard Bass (román „Cirkus Humberto"). Minulost vlastního Churáňova připomíná například chalupa u Churáňů, postavená již v roce 1746. Plným právem je považována za jednu z nejstarších dochovaných šumavských usedlostí. Zájemce o přírodu láká místní naučná stezka a pod Churáňovským vrchem pracuje meteorologická stanice.

Ze střediska se otevírají pohledy do šumavského podhůří,

na opačnou stranu směřují cesty do hloubi národního parku. Zabavit se lze také ve zdejších sportovních areálech. K dispozici je mimo jiné turistická sjezdovka se sedačkovou lanovkou, skokanský můstek nebo běžecký stadion s mnoha kilometry skvěle upravovaných tratí.

Dopravní dostupnost

Středisko lze navštívit autobusem nebo osobním automobilem. Využijeme buď komunikaci č. 168 od Kvildy, Horské Kvildy či od Vimperka, nebo místní odbočku

z pošumavské silnice č. 145 Vimperk – Kašperské Hory asi kilometr za obcí Stachy vlevo. Vjezd přímo do střediska je vázán na místní úpravy. Volně zaparkovat můžeme na Pláních nebo v Rychetském Mlýně.

DOPORUČENÝ VÝLET
Kategorie: celodenní

Z horního Churáňova obejdeme zprava meteorologickou stanici. Modrá turistická značka nás dovede k rozcestí s červenou. Spolu s ní sejdeme dolů k Losenici a přes historický můstek vstoupíme do Národního parku Šumava a na bezlesou enklávu Zlatá Studna. Modrá nás vede kolem starých jeřábů do lesa, jímž nejprve mírně stoupáme, poté dlouze sestupujeme k rázovité náhorní vesničce Horská Kvilda (část Vydří Most). Cesta se u tamní soukromé řezbárny napojí na silnici mezi Kvildou a Zhůřím. Vydáme se po ní doprava k obecnímu úřadu a přes můstek pokračujeme do vrchu až k budově velkého penzionu, dřívějšího Polaufova hostince. Za ním modrá značka ostře uhýbá do údolí Hamerského potoka. Dole u vody lze pozorovat dávno opuštěné zlatokopecké sejpy, na protějších pastvinách se pase stádečko chlupatého skotského skotu.

114. Hora Sokol (1253 m) vyrůstá od Hamerského potoka

Po pravém břehu horské bystřiny pokračujeme stále po modré značce. Hamerský potok a jeho okolí nabízejí po celou cestu (asi 3 km) řadu okouzlujících zátiší. Od rozcestí u soutoku s Vydrou můžeme popojít pár set metrů vlevo po silnici. Stojí zde někdejší králováčký dvorec Antýgl a v sezoně tu bývá díky velkému kempu rušno. Vrátíme se proto k rozcestníku a pustíme se do Povydří v opačném směru. Ruku v ruce nás povedou souběžná naučná stezka a červená turistická značka.

Peřeje Vydry hučí vlevo a historická cesta před námi odkrývá jednu přírodní zajímavost za druhou. Úctyhodné balvany v říčním korytě, písčité nánosy v mělčinách, hluboké tůně a napěněné skluzy. Nepřehlédněme bizarní útvary Mnich a Baba vysoko na protilehlé hraně ani překrásnou ukázku vymletých obřích hrnců v korytě před Turnerovou chatou. V chatě nebo na její terase můžeme po většinu roku příjemně posedět a občerstvit se. Před navazující částí výletu to určitě přijde vhod.

Rozloučíme se s Vydrou a po žluté značce vyrazíme vpravo do příkrého svahu. Na třech kilometrech překonáme převýšení 250 m, avšak námahu bohatě vynahrazuje krása údolí Zhůřského potoka. Asi v polovině překročíme vodu a lesním chodníčkem vejdeme na velkou louku. Daleké výhledy nazpět umožňují dosyta se vydýchat.

Potom už konečně dosáhneme silnice. Kolem osamělých rozvalin starého Zhůří a někdejších vojenských objektů po ní zamíříme k rozcestníku u lesa. Žluté značení nás odtud nasměruje vlevo ze silnice a podél Zhůřské slati, rozcestí U tří jedlí a dál a dál až ke Zlaté Studni. Zbývá dojít k již dobře známému mostku přes Losenici a za ním odbočit modře značenou pěšinou nazpět do Churáňova.

Horní Vltavice

Středisko tvoří důležitý šumavský uzel. Dopravně se tu spojují západočeská a jihočeská část pohoří a přes blízký hraniční přechod Strážný také Čechy s Bavorskem. Jižním krajem obce protéká Teplá Vltava a výhled k severovýchodu vymezuje tmavozelený masiv Boubína.

Horní Vltavice byla zmiňována již v roce 1359. Z první poloviny 16. století se datuje zápis o místní sklárně. Dominantou sídla je věž barokního kostela, zasvěceného Panně Marii, sv. Josefovi a sv. Janu z Nepomuku. Od roku 1714 stávala na stejném místě kaple, která nabyla nynější podoby již o dvanáct let později. Zajímavou budovou je rovněž místní fara. Krášlí ji a ozvláštňují krajové stavební motivy a prvky.

Do nejbližšího i vzdálenějšího okolí obce směřuje několik turisticky vyhledávaných cest (viz dále). V zimě nebývá nouze o sníh, a tak lákají udržované běžecké stopy i nedaleké sjezdařské svahy (lyžařské středisko Kubova Huť se nachází necelé tři kilometry od obce).

Dopravní dostupnost

Horní Vltavici navštívíme nejspíš po silnici č. 4 od Vimperka nebo od Strážného (hraniční přechod se SRN). Na uvedenou komunikaci se jižně od obce napojuje tah č. 141 z Volar, který z Horní Vltavice navazuje dále východním směrem (č. 169). Kromě individuální dopravy můžeme využít také pravidelné autobusové spojení a v letní sezoně tzv. Zelený autobus. S jeho pomocí je v dosahu prostor plání nebo dokonce až Železné Rudy či Špičáku. Vyhledáváte romantiku šumavských železnic? Zastávka Horní Vltavice je ve svahu přímo nad obcí (vzdálenost asi 2 km s převýšením přes 150 m) a do stanice Kubova Huť rovněž na trati

Volary –Vimperk je to necelé 3 kilometry.

DOPORUČENÉ VÝLETY
Trasa číslo 1
Kategorie: celodenní

Z Horní Vltavice půjdeme po zeleně a žlutě značené silnici směrem k Zátoni. Žlutá nás dovede na železniční zastávku, zelená po dvou kilometrech přímo do Zátoně (železnici nebo autobus lze v prvním úseku výletu alternativně použít). Pokud pokračujeme pěšky, uhneme v Zátoni vlevo a vydáme se po modré značce. Mineme zdejší železniční zastávku a přes místní tzv. Korýtko a dále lesním chodníkem dojdeme až k okraji ochranného pásma Boubínského pralesa. Cesta se zde uchýlí poněkud vpravo, aby přes malý hřebínek přešla do údolí Kaplického potoka. Zprava se k nám připojí zeleně značená široká cesta od odstavných parkovišť a od informačního střediska na Idině Pile. Právě sem je to z našeho místa jen několik desítek metrů a krátká návštěva by nás určitě nezklamala.

Z Idiny Pily se necháváme vést zelenou značkou výhradně k severu. Brzy staneme u Boubínského jezírka, kde začíná okružní naučná stezka Boubínským pralesem (viz Turistické cíle a zajímavosti). Trasa má tvar protáhlého lichoběžníku a měří celkem asi 4 km. Za normálních okolností ji doporučujeme absolvovat v plném rozsahu, vzhledem k dalšímu pokračování výletu můžeme zvolit i „úspornější kompromis". Zhruba v polovině okruhu využijeme v ostrém úhlu vpravo odbočující zelenou pěšinku. Ta nás po chvíli přivede k bývalému loveckému zámečku a za ním k rozcestí pěti turistických

115. Říjnová Vydra u Čeňkovy Pily

cest. Zvolíme vlevo souběžně vedoucí červenou a modrou značku. Na vrchol Boubína (1362 m) zbývá už jen asi kilometr a převýšení sto padesát metrů...

Sestupovat budeme k západu, hned pod vrcholem se však nezapomeňme držet doleva uhýbající modré značky. Klesáme rychle, míjíme Johnův kámen. Má tvar trojhranu a je věnován památce lesmistra a hlavního iniciátora boubínské rezervace. Napravo od kóty Srní hlava pokračujeme lesem až k železnici. Stanice Kubova Huť leží v 995 m a jedná se tak o nejvýše položené nádraží v České republice. Do Horní Vltavice se nyní můžeme vrátit vlakem, autobusem nebo pěšky po modré značce (asi 3,5 km).

Náročnější z nás mohou ve výletu pokračovat. Z Kubovy Hutě míří do protilehlého svahu Obrovce (1146 m) a Obří hory (1114 m) červeně značená cesta. Lze po ní dojít až k místu zastřelení posledního šumavského vlka. Od pomníčku do Horní Vltavice se pak vrátíme zprvu po žluté a od Šeravské huti po zelené. Úsek protisměrně zmíníme v trase č. 2 a případné prodloužení cesty z Kubovy Huti do Horní Vltavice vydá na asi dvanáct kilometrů.

Trasa číslo 2
Kategorie: celodenní

Vykročíme po silnici směrem na Kvildu. Sledujeme zelenou turistickou značku, která asi kilometr za Horní Vltavicí zabočí vpravo a přes pastvinu stoupá k lesu a tzv. Červené hájence. Další dva kilometry půjdeme převážně mírně vzhůru, abychom v údolí Račího potoka stanuli na rozcestí se žlutě značeným chodníkem. Dříve tu stávala osada Šeravská huť. Právě po žluté pokračujeme nyní proti proudu potoka, poté se odchýlíme vlevo do svahu. Na dalším rozcestí je třeba odbočit po červené vlevo,

pár metrů za předělem tzv. Liščích hřbetů pokračujeme krátkou odbočkou k pomníčku. Právě v tomto místě byl roku 1891 zastřelen poslední šumavský vlk.

Vrátíme se stejnou cestou na Šeravskou huť. Žlutá značka nás vede dále k jihu, po levé ruce nám bude vytrvale bublat Račí potok. Liščí hřbety vpravo vystřídá příkřejší ostroh Slatinského vrchu a než se nadějeme, ocitneme se u pastvin. Okolo Anenského dvoru pokračujeme k silnici č. 169. Sledujeme ji do výrazné pravotočivé zatáčky, kde značka odbočí přes vltavský mostek. Za mlýnským rybníčkem se k nám zprava přidá modrá značka. S její pomocí vyjdeme k rozcestí Nad Polkou a pak už zase jen po žluté zamíříme po hranici národního parku a větší enklávy Samoty až pod vrchol Strážného (1115 m). Cestou si prohlédneme zříceninu stejnojmenného hradu (viz kapitola Turistické cíle a zajímavosti) a pak se spustíme dolů do obce. I ona se jmenuje Strážný a procházela jí větev Zlaté stezky, historické obchodní tepny mezi Čechami a Bavorskem.

Do Horní Vltavice nás povede žlutá značka. Asi šestikilometrovým, částečně zalesněným úsekem nás „protáhne" mezi 1133 m vysokým Žlibským vrchem a bezejmennou kótou 988 m. Zbývá jen přejít Teplou Vltavu a po asfaltce společně s modrou značkou dospějeme do cíle.

Volary

Starobylé a velmi důležité jihošumavské město. První písemná zmínka pochází z roku 1359 a jeho existence byla od začátku svázána se Zlatou stezkou.

Jádru Volar vévodí kostel sv. Kateřiny. Historicky je doložen z konce 15. století, ve skutečnosti bude nejspíš ještě starší. Budova několikrát vyhořela, následně byla pak pokaždé přestavována

a rekonstruována. Posledních úprav doznala po ničivém požáru v roce 1863.

Kulturní a etnickou zvláštností města byla bezesporu výrazná kolonizační vlna obyvatel z Tyrol a Štýrska. Došlo k ní v 16. století a příchozími byli především chovatelé dobytka. Jejich zásluhou začaly vyrůstat volarské roubené domy, soustřeďující pod jedinou střechu obytné místnosti, chlévy, dvory i další nezbytná hospodářská zařízení (dnes tvoří městskou památkovou rezervaci). A tradice místního pastevectví stejně jako dřevařství stále přežívá. Svědčí o ní chovy hospodářských zvířat v blízkém okolí města nebo existence místních dřevozpracujících závodů.

Blízké i vzdálenější okolí Volar lze poznávat pěšky, na kole, s využitím silniční i železniční dopravy. V samotném městě je pak třeba kromě památek a kulturního zařízení připomenout též krytý plavecký bazén.

Dopravní dostupnost

Na západě spojuje Volary s mezinárodní silnicí č. 4 asi desetikilometrový úsek komunikace č. 141. Z opačné strany nás do města dovede stejná komunikace (č. 141) od Prachatic. Do Volar můžeme pohodlně dorazit také po levém břehu Lipenské nádrže přes Vyšší Brod a Horní Planou nebo přes Černou v Pošumaví od Českého Krumlova (silnice č. 159). Přímo do města se sbíhají železnice z Vimperka, Prachatic a z Českého Krumlova.

116. Hřebenové rašeliniště Rakouská louka mezi vrcholem Plechého (1378 m) a Trojmezím

DOPORUČENÉ VÝLETY
Trasa číslo 1
Kategorie: celodenní

Od rozcestníku v centru Volar vykročíme po souběžné červené a modré značce k severu. Po půldruhém kilometru odbočíme s červenou doleva k Meindlově Pile, od ní pak vzhůru k lesu, kde mineme samoty Myslivny. Po asi kilometrovém pochodu souvislým lesem překonáme oplocení obory a věrni červené stoupáme podél jižního hřebene Bobíku (1264 m). Nahoře můžeme využít asi půlkilometrovou stezku k zalesněnému vrcholu. Po zdolání krajinné dominanty zamíříme zpět na červeně značenou cestu. Sestupujeme nyní na protilehlou stranu hory, dokud se k nám zleva nepřipojí modře značená cesta, které se budeme držet i nadále. Vede nás lesem kolem skalnatého vršku Malý Bobík a pak dolů přes rozlehlé milešické bezlesí. Pramenná oblast Milešického potoka bývala bohatá na zlato. Stopy po jeho těžbě jsou v podobě sejpů a napůl zasypaných jam stále ještě patrné.

S modrou značkou překonáme další zalesněný hřebínek, z něhož se konečně dostaneme až do romantického údolí Blanice (viz Turistické cíle a zajímavosti). Přes říčku se přeneseme do starého pošumavského sídla Záblatí. V písemnostech bylo vzpomínáno již od poloviny 14. století a jeho centrem je kostel sv. Jana Křtitele s pozoruhodným hlavním oltářem.

Ze Záblatí zvolíme pro návrat žlutě značenou cestu. Míří ke Hlásné Lhotě, z níž je to jen kousek k hladině Křišťanovického rybníku. Lze se tu vykoupat a odpočinout si. Sejdeme-li přes Křišťanovice nebo

117. Hraniční komplex Smrčin ze Stožecké skály. Zprava bavorský Hochstein (1332 m), Třístoličník (1311 m), Trojmezná (1364 m) a Plechý (1378 m)

po modré značce přes les na silniční křižovatku pod Albrechtovicemi, můžeme výlet rychle ukončit (autobusová zastávka na linkách z Prachatic do Volar). Pokud však chceme zhruba sedmikilometrový úsek od rybníka do Volar zdolávat pěšky, zvolíme modrou značku a jihozápadní směr. Lesními porosty Panského vrchu (834 m) dojdeme k hluboce zaklesnutému údolí Blanice. Voda zde obtéká ostroh s rozvalinami středověkého hradu Hus. Byl založen ve 14. století a jako útočiště loupeživých nájezdníků jej již v roce 1441 zlikvidovali prachatičtí měšťané. Za vodou nás čeká několik serpentin a zaniklá osada Cudrovice. Stávala na volarské větvi obchodní Zlaté stezky a vylidnila se teprve během studené války. Naše modrá značka vede nejdříve po silnici, brzy se však odkloní vlevo a překonává Vysoký les. Jakmile začneme klesat, zbývají nám do Volar sotva tři kilometry.

Trasa číslo 2
Kategorie: celodenní

Na jihu Volary lemuje asi pětikilometrová sníženina při soutoku Studené a Teplé Vltavy. K příhraničním horám nás nejsnadněji přenese železnice nebo autobus. Určitě neprohloupíme, zjistíme-li si dopředu platné časy odjezdů a příjezdů naplánovaných spojů a uvedeme-li je do souladu s vlastními silami a možnostmi.

Vycházíme ze stanice Černý Kříž. Z Volar jsme sem dojeli motorovou lokálkou kolem výjimečného šumavského rašeliniště Mrtvý luh (viz Turistické cíle a zajímavosti). Po žlutě značené pěšině vyrazíme do lesnatého svahu tzv. Rudolfovou cestou. Tu volnější, tu zase příkřejší terén nás kolem pralesa Hučinka a přes stejnojmenný potok dovede až k pomníčku posledního šumavského medvěda. Osudný výstřel padl v zimě roku 1856.

Široká lesní cesta (Medvědí stezka) sleduje vrstevnici, míří k obtížně přehlédnutelnému rozcestníku. Prohlédneme si tu Horní portál, kterým se historický Schwarzenberský kanál noří pod masivní horu Plešivec. Zeleně značenou silničkou postupujeme proti proudu, dokud nás v ostrém ohbí nenasměrují značky vlevo. Mírným stoupáním se po třech kilometrech dostaneme na hráz Plešného jezera (viz Turistické cíle a zajímavosti). Západní příkrou hranou vyšplháme k obelisku Stifterova pomníku. Zastavme se, nadechněme a rozhlédněme se u něho – stojí to zato! Další stoupání bude již mírnější. Končí pod samotným vrcholem nejvyšší šumavské hory v Čechách, 1378 m vysokým Plechým (kóta je po hřebeni již jen pár metrů vlevo).

Západní částí Klidového území Trojmezná – Smrčina pokračujeme v opačném směru. Po červené hřebenovce sestoupíme na tzv. Rakouskou louku, z níž se cesta zvedá k Trojmezí (viz Turistické cíle a zajímavosti). U skalisek Třístoličníku (1311 m) hřebenovka spolu se státní hranicí uhýbá doprava a my takzvanou Třístoličníkovou cestou doklopýtáme až k bývalé Rosenauerově nádrži a pomníčku. Nádrž sloužila jako jedna z hlavních zdrojnic plavebního kanálu a pojmenována byla podle věhlasného projektanta, inženýra a stavitele. Zbývá již jen překročit nevýrazné sedlo mezi Špičákem a Kamennou, abychom stanuli na konečné trati Volary – Stožec – Nové Údolí. Pospěšme si. Poslední vlak do Volar odjíždí obvykle již po 18. hodině.

Horní Planá

Leží na levém břehu Lipenské přehradní nádrže a v přímém dohledu odtud se zvedá nejvyšší vrchol české části Šumavy Plechý. Vhodnější místo pro strávení pestré letní dovolené se snad ani nedá najít.

První zmínky o Horní Plané pocházejí z roku 1332. Statut města získala již o sedmnáct let později za vlády Karla IV. Místní obyvatele živilo především dřevařství a plavení dřeva. Má bohaté kulturní

118. Lipenská údolní nádrž.
U Frymburku se oba břehy přibližují

tradice. Původně gotický kostel sv. Markéty (1374) byl několikrát přestavován a rozšiřován, naposledy počátkem 18. století. Dalšími pozoruhodnými památkami jsou historická fara z roku 1685, pseudobarokní radnice nebo pozdně barokní kaple v městské části Dobrá Voda. V městě se narodil známý „básník Šumavy" Adalbert Stifter. V jeho rodném domku je dnes muzeum a dovede nás k němu naučná stezka. V Stifterově parku najdeme umělcovu sochu.

Jak jsme už naznačili, nabízí současná Horní Planá vedle pěší turistiky a cykloturistiky výborné podmínky pro plavání, windsurfing, jachtaření nebo pro sportovní rybaření. Lze si tu zahrát tenis nebo se projíždět na koni. V zimě bývají k dispozici kilometry běžeckých stop.

Dopravní dostupnost

Horní Planá je snadno dostupná automobilem i pravidelnou autobusovou linkou. Prochází jí silnice č. 163 mezi Volary a Vyšším Brodem, kterou lze ve stejném směru pokračovat až do Dolního Dvořiště nebo do Rakouska. K příjezdu od Českého Krumlova můžeme využít silnici č. 159. Město leží na železniční trati mezi Českým Krumlovem a Stožcem, resp. Volary, kotví tu výletní lodi plující po Lipenské údolní nádrži.

DOPORUČENÝ VÝLET

Zahajujeme jej převozem přes Lipenské jezero. Loď nás dopraví do Bližší Lhoty, z níž po zeleně značené stezce přejdeme k Huťskému Dvoru. U Schwarzenberského kanálu staneme na hranici Národního parku Šumava. Vykročíme nyní souběžně s cyklotrasou podél vody až k Josefově dolu, kde je třeba uhnout vpravo proti proudu Medvědího potoka. Stoupající stezku překříží žlutě značená lesní silnička, kterou se vydáme vlevo k rozcestí U tokaniště. Ocitneme se tak v jihovýchodním cípu klidového území Trojmezná – Smrčina a současně na kraji první ochranné zóny národního parku. Dále nás vybízí červeně značená hřebenovka, po níž je třeba zabočit do svahu vpravo. Stoupáme, dokud nás na vrcholu Smrčiny (1333 m – viz Turistické cíle a zajímavosti) nezastaví státní hranice s Rakouskem.

Postupujeme po hřebeni přes kóty Hraničník (1283 m) a Studničná (1160 m). Svahy napravo porůstají mimořádně zachovaná společenstva horského lesa. Protější úbočí v Rakousku bohužel nepříznivě poznamenala výstavba a lyžařsko-turistického komplexu. Ze sedélka s hraničním přechodem pro pěší a cyklisty můžeme po tzv. Rakouské cestě sestoupit k Rossbachu a dále až do Nové Pece. Zprvu nás bude usměrňovat modrá a ve spodní části zelená turistická značka.

Před případným sestupem radíme nepospíchat. Výlet lze totiž snadno prodloužit na Plechý (1378 m) a teprve za ním případně sejít žlutě značenou odbočkou ke Stifterově pomníku a k Plešnému jezeru. Přes jeho hráz se pak vydáme Jezerní cestou (zelená značka), abychom před již zmiňovaným Rossbachem navázali na předchozí alternativu sestupu.

Pro nejzdatnější chodce s dostatečnou časovou rezervou přichází v úvahu další prodloužení. Shoduje se s druhou částí „volarské" trasy č. 2. Připomínáme jen, že od Rosenauerova pomníku podél Schwarzenberského kanálu lze po žlutě, zeleně a nakonec ještě modře značené cestě dojít až k Rossbachu a dále do Nové Pece. Posledně zmiňovaná varianta od pomníku do obce představuje přinejmenším tříhodinový vytrvalý pochod. A ještě jedno upozornění: z Nové Pece do Horní Plané je to po modře značené turistické cestě dalších asi 9 km! Využít lze ovšem vlak mezi Novým Údolím, Novou Pecí a Horní Planou. Informace o odjezdu posledního vlaku přijdou určitě vhod, měli bychom být dole před 18. hodinou.

DOPORUČENÁ TRASA PŘECHODU POHOŘÍ

První den [osa: Nýrsko (Svatá Kateřina) – Královský hvozd – Černé a Čertovo jezero – Železná Ruda]

Z Nýrska vykročíme zeleně značenou cestou ke zřícenině hradu Pajrek. Pokračujeme po modře označkovaném chodníku k Zadním Chalupám. Jestliže vyjdeme ze Svaté Kateřiny, přivede nás do stejného místa červená značka. Červenou neopustíme ani nadále. Ze Zadních Chalup traverzujeme severozápadním úbočím hlavního hřebene s vrcholy Lomničky (1026 m) a Ostrý (1293 m). Ostrý lze mimo plán zdolat „modrou odbočkou" vpravo.

Od rozcestí Na statečku začneme pod hlavním hřebenem Královského hvozdu obcházet chráněné okolí peřejnatého Bílého potoka (tzv. Bílá strž). Vytrvale po červené přicházíme až k vodám Černého jezera. Poslední část etapy se shoduje s popisem druhé části doporučované trasy okolo Železné Rudy.

Druhý den [osa: Železná Ruda – jezero Laka – Prášily – Prášilské jezero – Javoří Pila – Modrava (Kvilda)]

Jižně od Železné Rudy se napojíme na červeně značenou hřebenovku. Postupujeme po ní vzhůru pod vrchol Polomu (1295 m), traverzujeme severní úbočí dominantní Plesné Debrníku (1337 m), odkud sejdeme k nádhernému Jezeru Laka (viz Turistické cíle a zajímavosti). Nadále si hledíme červené, která stoupá ke státní hranici. Téměř u ní

zahýbá vlevo, my po ždánidelském úbočí scházíme do Prášil buď po žluté, nebo až dále po červené údolím Prášilského potoka.

Nejkratší cesta k dalšímu jezernímu klenotu odbočuje hned za obcí. Ze silnice z Prášil do Srní uhýbá naše červeně značená „průvodkyně" vpravo. Jakmile staneme na hrázi Prášilského jezera, shoduje se další postup do Modravy se střední částí satelitního výletu ze Srní. V případě, že bychom etapu končili v Kvildě, lze obdobně využít tamní

doporučovaný výlet (závěrečná část trasy č. 1).

Třetí den [osa: Modrava (Kvilda) – Pramen Vltavy – Bučina – Knížecí Pláně – Světlé Hory – Strážný (Horní Vltavice)]

Z Modravy se vypravíme na jih, proti proudu Modravského potoka. U nejbližšího rozcestí se červená značka odkloní od souběžné modré, vybíhá vlevo proti přítoku Černohorského potoka a potom se přechodně spojí se žlutou. Úsek

od rozcestí Ptačí nádrž k Pramenu Vltavy jsme již popsali protisměrně ve střední části výletu č. 1 z Kvildy. Pokud bychom ráno vycházeli z Kvildy, usnadní nám postup k Pramenu Vltavy úvodní část téhož výletu.

Pro cestu mezi Pramenem Vltavy a Knížecími Pláněmi můžeme využít popis střední části

119. Plešné jezero.
Ojedinělé dílo pleistocénního ledovce
v jihočeské části Šumavy

kvildského výletu č. 2. Pokud budeme příští noc trávit ve Strážném, neopouštíme červenou značku a přes zaniklé obce Stodůlky a Světlé Hory dojdeme až k rozcestí, z něhož vede do cíle krátká odbočka po modré značce. Z Knížecích Plání do Strážného je to celkem asi 9 km.

Kdo by si však k noclehu vybral Horní Vltavici, sejde na Knížecích Pláních z červené značky a připojí se tu na k východu směřující modrou. Jižním okrajem Bukové slati a poté vlevo od Poleckého vrchu (1121 m) dojde na rozcestí Polka. Odtud pěšina prochází vpravo podél toku Teplé Vltavy. Úsek Knížecí Pláně – Horní Vltavice měří zhruba 10 kilometrů.

Čtvrtý den [osa: Strážný (Horní Vltavice) – Nové Údolí – Třístoličník – Plechý – Smrčina – Horní Planá]

Pokud jsme nocovali v Horní Vltavici, musíme do Strážného. Využít lze buď autobus a silnici č. 4 nebo žlutě značenou asi pětikilometrovou stezku, obcházející zleva Žlibský vrch.

Ze Strážného se už po silnici nebo po modře značené cestě připojíme na červeně značenou hřebenovku („stráženští nocležníci" tudy předešlý večer scházeli). Právě červená nás kolem Strážénské slatiny a přes tok Řasnice dovede pod Žlebský kopec (1080 m). Zde křížíme spojnici mezi Českými Žleby a hraničním přechodem pro pěší (tzv. Zlatá stezka – viz Turistické cíle a zajímavosti). V původním směru postupujeme asi pětikilometrovým pochodem do Nového Údolí, kde končí železniční trať ze Stožce a z Volar. K cestě do nejkrásnějších partií jihočeské Šumavy doporučujeme využít odpovídající instrukce pro výlety z Volar (trasa č. 2) a z Horní Plané.

Pátý den [osa: Horní Planá – Přední Zvonková – Vítkův Kámen – Přední Výtoň (Lipno nad Vltavou)]

Ráno se necháme převézt přes Lipenskou nádrž. Na druhém břehu se k červené turistické značce dostaneme pobřežní silničkou. Směřuje od přívozu vlevo k zátoce Zadní Hamry a odtud k Přední Zvonkové. Nádherná cesta vede „Bohem zapomenutým krajem", štědře nás odměňuje výhledy na přehradní jezero vlevo a na stále ještě poměrně vysoký hřeben rakouské Šumavy naproti (skupina Sonnenwald). Za vrškem Kyselov se státní hranice téměř dotýká jedné ze zátok. Horský hřeben se zde dostává na českou stranu. Před Přední Výtoní máme tak poslední možnost okusit šumavskou horskou turistiku. V prostoru tzv. Spálence zprava obkroužíme dvě lesnaté kóty. Kolem ostrohu se zříceninou Vítkův Kámen přijdeme k rekonstruovaným objektům zámečku a původně gotickému kostelu ve Svatém Tomáši. Do Přední Výtoně s opuštěným klášterem ze 16. století je to pouhých 5 kilometrů. Ve výtoňském přístavu zastavuje lipenská výletní flotila. Po souši vede do Lipna nad Vltavou nejkratší cesta těsně podél pravého břehu.

Cyklotrasy

Šumava skýtá zcela mimořádné podmínky pro příznivce horských a trekkových kol. Proto apelujeme na dodržování speciálního terénního značení, aktuálních map a pokynů strážců NP.

Vodácké trasy

V centrální části Šumavy mohou vodáci sjíždět tři následující trasy. Každá z nich představuje ve středoevropských podmínkách skutečné unikum a umožňuje vychutnat velké množství

120. Zřícenina Vítkova Kamene u obce Svatý Tomáš

sportovních, ale také přírodních a estetických prožitků a zkušeností.

Borová Lada – Lenora (Vltava); úsek je splavný pouze na jaře od 15.3. do 31.5. od 8 do 18 hodin.

Lenora – Soumarský most – Nová Pec (Vltava); letní úsek je splavný od 1.6. do 31.10. vždy od 8 do 19 hodin.

Čeňkova Pila – Rejštejn (Otava); splavnost od 15.3. do 31.10., každodenně od 8 do 19 hodin.

Vybrané mapy a průvodce

Národní park Šumava v zimě. Kartografie, Praha, 1:100 000, 1995.

Šumava, Železnorudsko. Turistická mapa č. 64, Edice Klubu českých turistů, Praha, 1:50 000, 2. vydání 1995, aktualizovaný dotisk 1998.

Šumava, Povydří a National-park Bayerischer Wald – Národní park Bavorský les. Turistická mapa č. 65, Edice Klubu českých turistů, Praha, 1:50 000, 2. vydání 1995, aktualizovaný dotisk 1998.

Šumava, Trojmezí. Turistická mapa č. 66, Edice Klubu českých turistů, Praha, 1:50 000, 2. vydání 1993, aktualizovaný dotisk 1998.

Šumava, Lipno. Turistická mapa č. 67, Edice Klubu českých turistů, Praha, 1:50 000, 1993 –1996, aktualizovaný dotisk 1999.

Šumava – Lipensko, Český Krumlov. Turistická mapa č. 36, SHOCART, Zlín, 1:50 000, 1999.

Šumava – Lipensko. Cykloturistická mapa č. 156, SHOCART, Zlín, 1:75 000, 1999.

Šumava – Lipno. Geodézie ČS, Praha, 1:50 000, (2. vydání) 2000.

Šumava – Lipno. Průvodce po Čechách a Moravě č. 23, S & D, Praha, 2000.

Šumava – Pláně. Průvodce po Čechách a Moravě č. 20, S & D, Praha, 1999.

Šumava – Prachaticko a Vimpersko. Průvodce po Čechách a Moravě č. 19, S & D, Praha, 1999.

Šumava – Trojmezí, Pláně. Turistická mapa č. 35, SHOCART, Zlín, 1:50 000, 1999.

Šumava – Trojmezí. Cykloturistická mapa č. 156, SHOCART, Zlín, 1:75 000, 1999.

Šumava – Trojmezí. Geodézie ČS, Praha, 1:50 000, 2. vydání 2000.

Šumava - Železnorudsko, Povydří, Churáňov. Cykloturistická mapa č. 155, SHOCART, Zlín, 1:75 000, 1999.

Šumava – Železnorudsko. Geodézie ČS, Praha, 1:50 000, 2. vydání 2000.

Šumava, národní park. Kartografie, Praha, 1 :100 000, 1995.

MORAVSKOSLEZSKÉ BESKYDY
(Karpatská symfonieta)

Za sníženinou Moravské brány čeká překvapení. Oproti ostatním částem Čech a Moravy se tu najednou mění krajina, objevují se předtím nepoznané druhy rostlin a živočichů. Z průmyslového a obydleného předhůří se zvedá pohoří, které je součástí úctyhodného horského oblouku Karpat, dlouhého přes tisíc kilometrů a rozprostřeného od Dunaje k Dunaji. Vysoká zvlněná úbočí zastřešují smaragdově zelené hřebeny, v příčně zahloubených údolích jiskří křišťálově čisté bystřiny. A nad tou krásou a tajuplností drží ochrannou ruku samotný Radegast, starý bůh slunce a ohně, úrody a pohostinnosti.

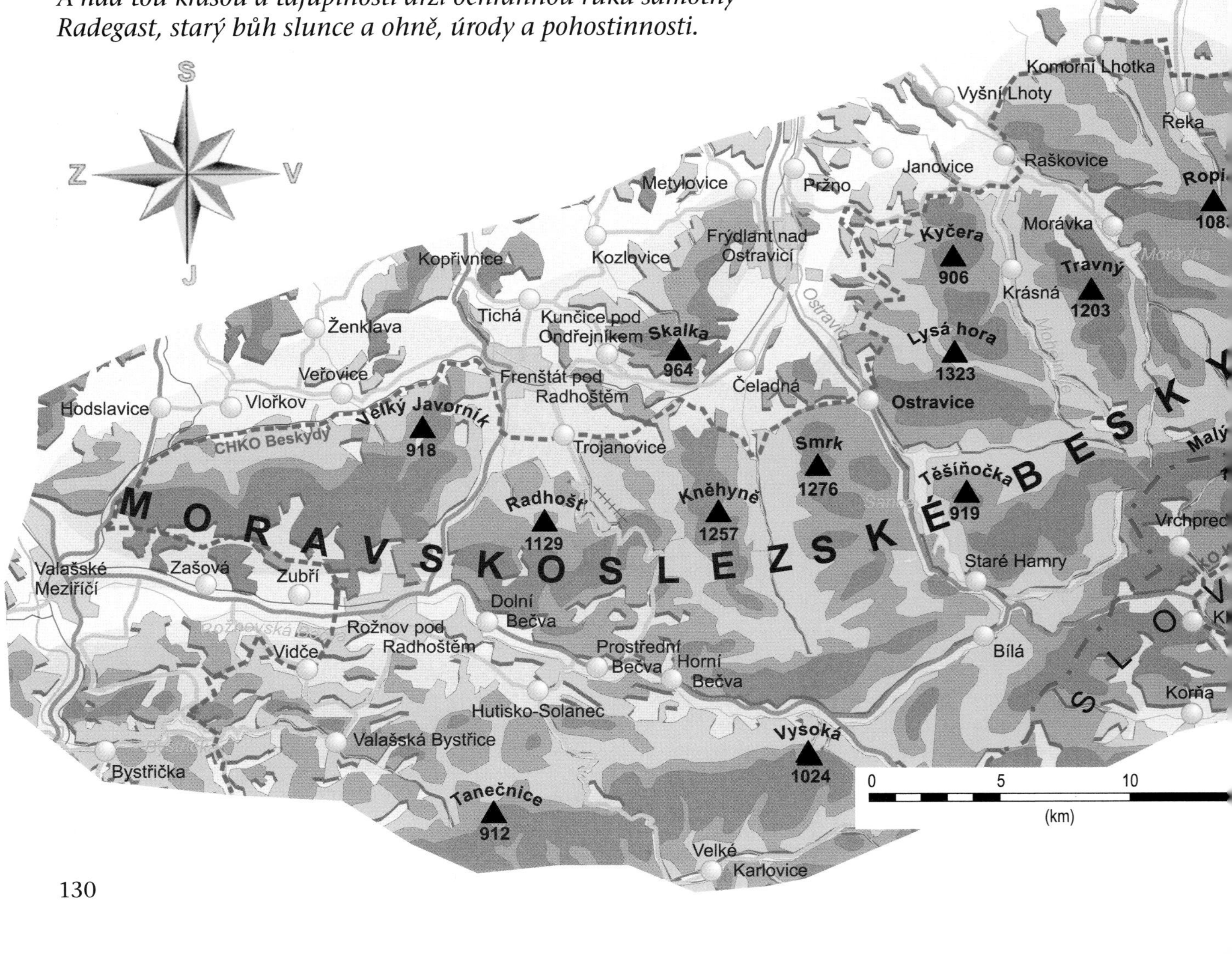

Komorní Lhotka
Vyšní Lhoty
Řeka
Janovice
Raškovice
Metylovice
Pržno
Ropi...
108...
Frýdlant nad Ostravicí
Kyčera
906
Morávka
Kopřivnice
Kozlovice
Travný
1203
Krásná
Ženklava
Tichá
Kunčice pod Ondřejníkem
Skalka
964
Lysá hora
1323
Čeladná
Veřovice
Frenštát pod Radhoštěm
Ostravice
Hodslavice
Vlořkov
Velký Javorník
918
CHKO Beskydy
Trojanovice
Smrk
1276
Těšíňočka
919
BESKY...
Malý
Radhošť
1129
Kněhyně
1257
Vrchpred...
Valašské Meziříčí
Zašová
Zubří
Staré Hamry
Dolní Bečva
Rožnov pod Radhoštěm
Vidče
Prostřední Bečva
Horní Bečva
Bílá
Korňa
Hutisko-Solanec
Valašská Bystřice
Vysoká
1024
Bystřička
Tanečnice
912
Velké Karlovice

0   5   10
(km)

POLOHA

Moravskoslezské Beskydy najdeme v severovýchodním cípu Moravy, rovnou u slovenské hranice. Jsou nedílnou součástí Západních Beskyd a v širším smyslu vnějších Západních Karpat. Na severozápadě je lemují deprese Moravské brány a Ostravské pánve, přes Jablunkovský průsmyk sousedí s vývojově spřízněným celkem Slezských Beskyd. Jihovýchodním směrem přecházejí do Javorníků a na jihu a jihozápadě za Rožnovskou brázdou vyrůstají vrchy Vsetínské a Hostýnské.

Pohoří se rozkládá na ploše přes 620 km^2 a jeho průměrná výška činí okolo 700 m. Nejvyšším bodem Moravskoslezských Beskyd je Lysá hora vysoká 1323 m. Pokud bychom česká horstva poměřovali prostřednictvím nejvyšších vrcholů, připadla by právě na tento celek pátá pozice.

GEOLOGIE A GEOMORFOLOGIE

Hory byly vyvrásněny teprve

121. Velký Polom (1067 m).
Nejvyšší hora v hraničním hřebeni
Moravskoslezských Beskyd

relativně nedávno, zhruba uprostřed třetihor. Moravskoslezské Beskydy jsou samostatnou geologickou jednotkou oblouku tzv. Vnějších Karpat, budovaných vesměs snadno erodovatelnými flyši. Tvoří je zejména godulské pískovce, jílovce a slíny převážně druhohorního (křídového) stáří. Horstvo má vrásno-zlomovou stavbu s typickým uspořádáním jednotlivých hřbetů v rovnoběžném, jihozápado--severovýchodním směru. Při severním okraji jsou pásma příčně rozdělena hlubokými údolními zářezy, v nižší jihovýchodní a jižní části najdeme spíše mělčí sedla. Právě tam, kde se uplatňují odolné pískovce, stojí dnes nejmohutnější (tzv. přední) hory. Jejich příkladem jsou po řadě Kněhyně, Smrk, nejvyšší Lysá hora či Travný. Souhrou přírodních okolností najdeme právě tady nejvyšší relativní převýšení ve všech českých horách (přes 900 m). Koncentrují se tu také některé

131

122. Různorodé souvrství beskydského flyše

prochází hlavní zemské rozvodí mezi Černým a Baltským mořem. K evropskému jihovýchodu odvádí vody Rožnovská Bečva, severovýchodní výběžek pohoří na českém území odvodňují pramenné úseky přítoků Váhu. V severním směru sbírá pak drobnější potoky a říčky Ostravice, přítok Odry.

Zásluhou svérázného geologického podloží a dosti svažitého terénu dochází v pohoří k intenzivní erozi a v předpolí hor k častým a náhlým vzedmutím hladiny toků. Byly to hlavní důvody, proč byla v Moravskoslezských Beskydech vybudována důmyslná protierozní a protipovodňová zařízení. Patří

pseudokrasové jevy (například jeskyně Cyrilka nebo Kněhyňská).

V pohoří se zachovaly četné pozůstatky po periglaciální činnosti. Připomeňme aspoň příkré mrazové stupně (tzv. sruby), kamenné a balvanité proudy, deprese pod Lysou horou nebo pod Smrkem. Dřívější domněnka o jejich ledovcovém původu nebyla pozdějšími výzkumy potvrzena. Flyšová pohoří jsou často náchylná k vodní erozi, bývají tu na běžném pořádku plošné i proudové sesuvy.

Mezi půdami Moravskoslezských Beskyd je třeba upozornit na zvláštní typ stupňovitě uložených rašelinných substrátů, tzv. sihly. Najdeme je většinou na podmáčených a pramenišťních lokalitách a v českých zemích jsou málo obvyklé.

VODSTVO

Vodohospodářský význam pohoří je značný. Po nižších jižních a jihovýchodních hřebenech

123. Údolní nádrž Šance na řece Ostravici

k nim jak místní hrazenářské úpravy, tak přehradní tělesa vodárenských nádrží (Šance a Morávka).

PODNEBÍ

Klima Moravskoslezských Beskyd určuje především reliéf a expozice vůči převládajícímu severozápadnímu a severnímu proudění. Podhůří má podnebí vcelku mírné, vyšší polohy jsou již chladnější, hřebeny a vrcholy velice chladné. Průměrná roční teplota vzduchu dosahuje ve Frenštátu například 7,4 °C, v lokalitě Salajka 5,4 °C a na vrcholku Lysé hory jen 2,5 °C.

Nejbohatší na srážky jsou

124. Ocún jesenní (Colchicum autumnale). Polanám zvěstují podzim světle fialové květy. Podlouhlé listy se z podzemní hlízy vytáhnou až na jaře

vysoké a návětrné polohy severního hřebene. Rekord ročních úhrnů srážek zde vykazuje stanice na Lysé hoře s 1532 mm. Poněkud nižší jižní hřeben leží již přece jen v závětří. Vliv nadmořské výšky a expozice je samozřejmě patrný také v podhůří. Například ve Frenštátu pod Radhoštěm v průměru za rok naprší a nasněží asi 950 mm, v Horní Bečvě je to analogicky okolo 1100 mm.

Podobně jako na Šumavě nebo v Hrubém Jeseníku, také v Moravskoslezských Beskydech je poměrně častý tzv. vrcholový efekt. Uplatňuje se především na izolovanějších vrcholech a hřebenech od nadmořské úrovně 1100 či 1200 metrů.

ROSTLINSTVO

Pohoří leží v Karpatech, na dohled je Český masiv a přímo pod jeho úbočím prochází veledůležitá „dálnice" teplomilné přírody, Moravská brána. To jsou zeměpisná fakta, která se na rostlinstvu Moravskoslezských Beskyd musela nutně odrazit.

Horstvo pokrývají z velké části (60 – 70 %) lesy. Jejich druhové

složení je dnes často poměrně fádní, plošně převládají rozlehlé smrkové monokultury. Kdybychom začali pátrat po původních přírodních a přírodě blízkých společenstvech, museli bychom do těch nejméně dostupných a dnes již zpravidla přísně chráněných území.

Původně se v nižších polohách hojně rozprostíraly květnaté bučiny. V jejich zbytcích a v jejich pestrém bylinném patře najdeme například hvězdnatec čemeřicovitý, kyčelnici žláznatou, mařinku vonnou nebo zapalici žluťuchovitou. Zhruba od 900 m se začínají uplatňovat bučiny bikové, jejichž podrost býval o poznání chudší. Kyselé bučiny s přimíšenými smrky nebo jedlemi porůstaly zejména nižší hřebenové partie. Nejvyšší beskydské polohy patřily obvykle klimatickým smrčinám s typickými bylinnými druhy jako jednokvítek velkokvětý nebo nenápadná orchidej bradáček srdčitý. Svérázným společenstvem

125. Okáč rudopásý (Erebia euryale).
Typický opylovač horských
a podhorských luk

ZVÍŘENA

Také beskydskou zvířenu ovlivnila nadmořská výška pohoří a jeho provázanost s karpatským řetězcem. Faunu klasifikujeme sice jako „západokarpatskou horskou lesní", jsou v ní však stále silně patrny četné prvky západní – hercynské. Sousedství obou zoogeografických jednotek je zřejmé ve světě bezobratlých i obratlovců.

Mezi zástupce beskydských měkkýšů patří například skelnička karpatská, slimáčník horský nebo endemický poddruh vřetenatky druhu *Vestia ranojevici*. Také hmyz reprezentují v Čechách a na Moravě jinak málokdy vídaní horští rovnokřídlí, motýli či brouci. Mezi nižšími obratlovci nechybějí čolci karpatští nebo černožlutí mloci. Opeřence v Moravskoslezských Beskydech zastupují například tetřev, jeřábek a tetřívek, na druhé straně třeba také kos horský nebo kulíšek. I rodina savců je zde velice různorodá a široká. Lze tu občas potkat vzácného tarbíkovitého hlodavce myšivku horskou, rejska horského a vydru říční, vedle jelenů při troše štěstí zastihneme rysa, medvěda a čím dál tím častěji také vlka. Posledně uvedené šelmy v pohoří zatím nežijí trvale, přecházejí sem nicméně pravidelně z Javorníků a ze slovenské Kysuce.

ČLOVĚK A PŘÍRODA

Podbeskydskou oblast obýval člověk od pravěku. Nadevše výmluvné jsou archeologické nálezy po lovcích mamutů a dalších pleistocénních zvířat. Také vrcholek Radhoště, kultovní místo staroslovanského boha Radegasta, může vypovídat za mnohé. O trvalých sídlech v podhůří a v nižších horských

126. Štírovník růžkatý (Lotus corniculatus), kvete od května do října. Bobovité rostliny mívají na kořenech hlízky, v nichž žijí bakterie schopné vázat vzdušný dusík

beskydské přírody byly a jsou suťové lesy. V silně svažitém terénu v nich převažuje javor a lípa. Údolní nivy potůčků a říček doprovázejí zase nejspíše olšové jaseniny či horské olšiny (zejména olše šedá).

Nedílnou součást zdejší krajiny představuje bezlesí. Jeho enklávy bývají téměř s jistotou druhotné, omezují se na horské a hřebenové louky nebo na holiny po kalamitních těžbách. První z nich vznikaly většinou před staletími jako valašské pastviny nebo senné louky, dodnes na nich můžeme sledovat kolonizaci karpatských horských a případně i velehorských druhů (mléčivec alpský, kýchavice zelenokvětá, starček horský apod.). Druhá ilustruje spíše ekologickou zátěž v druhé polovině 20. století.

polohách existují záznamy již z 12. století. Vyšší polohy zasáhla významněji teprve tzv. valašská kolonizace od 15. do 17. století. Nikoli náhodou se dnes zdejšímu kraji říkává Valašsko.

Valaši bývali původně převážně pastevci a zemědělci (tzv kopaničáři). Přicházeli po karpatských hřebenech a podél nich původně až z oblasti dnešního Rumunska. Náhorní pastvě přizpůsobovali horské hřbety. Kácením a žďářením (vypalováním) snižovali nebo uměle vytvářeli horní hranici lesa. Noví obyvatelé postupně splývali s původním obyvatelstvem, vznikala tak svérázná a dodnes jasně rozpoznatelná kultura a folklór. Milovníci lidové architektury, obyčejů a zvyklostí si dnes přijdou na své nejspíš v Rožnově pod Radhoštěm, ve Vsetíně nebo ve Valašském Meziříčí.

Zásadní a velkoplošné zásahy do původních beskydských ekosystémů nastaly až v polovině 19. století. Pod pohořím se rychle rozvíjel průmysl a potřeba dřeva byla bez konce. Někdejší svěží pralesy se během několika desetiletí změnily v již shora popisované „plantáže" smrku. Neblahé sousedství průmyslových a důlních aglomerací, kyselé deště a přenos toxických zplodin (Třinecko a Ostravsko) dokončovaly zhoubné dílo v druhé polovině 20. století.

A ještě jeden ekologický aspekt zdejšího života bude třeba připomenout. Obyvatelé v podhůří i v horských sídlech velmi brzy pochopili souvislosti mezi vodními přívaly, záplavami a náhlými sesuvy a přírodními podmínkami pohoří. Zejména s jeho zvláštním geologickým prostředím. Z Beskyd se v minulosti stala dokonce jakási přírodní laboratoř hrazenářských úprav, vyrostla tu nebývalá paleta důmyslných protipovodňových zábran a staveb. Otázkou zůstává, zda byla všechna ochranná díla realizována optimálním způsobem a na ideálním místě.

Navzdory všem úskalím nepřestaly Moravskoslezské Beskydy nikdy přitahovat příznivce hor a horské přírody. Rekreace, turistika, lyžování i méně tradiční sporty v přírodě zažívají dnes nebývalý rozkvět. Na jedné straně představují žádaný a užitečný zdroj peněz, na straně druhé nesmějí výjimečnou krajinu poškozovat.

OCHRANA PŘÍRODY

Nejstarší chráněná území v Moravskoslezských Beskydech Mionší u Jablunkova a Mazák na úbočí Lysé hory byla vyhlášena již v roce 1933. Obě chránila a chrání zbytky původních pralesů. V současné době najdeme v pohoří více než třicet maloplošných zvláště chráněných území s úhrnnou rozlohou přesahující 10 km². Jejich převážná část soustřeďuje opět fragmenty různých typů lesa, vzácně také luční ekosystémy (např. Přírodní rezervace Galovské louky nebo Přírodní památka Zubří).

Základem skutečně koncepční ochrany přírody a krajiny bylo zřízení Chráněné krajinné oblasti Beskydy v roce 1973. CHKO s plochou 1160 km² představuje dnes největší velkoplošně chráněné území v České republice a vedle Moravskoslezských Beskyd do ní spadá i velká část Vsetínských vrchů a moravská část Javorníků. Na komplex navazuje hned za slovenskou hranicí další velká chráněná krajinná oblast – CHKO Kysuce. O celé oblasti Západních Beskyd tak můžeme právem hovořit jako o zcela unikátním biosférickém centru na mapě Evropy.

127. Vlk obecný (Canis lupus). *Zákonem přísně chráněná psovitá šelma. Většinou bývá zaměňován se zdivočelými psy. Do Beskyd se vlci zatoulají jen vzácně ze slovenských Karpat*

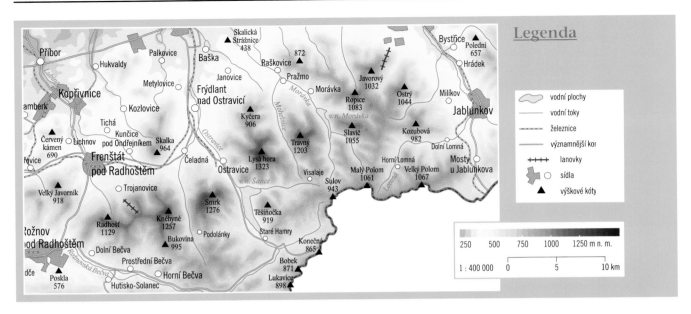

TURISTICKÉ CÍLE A ZAJÍMAVOSTI

Bílý Kříž

Důležité turistické rozcestí a rekreační středisko na hranici se Slovenskem. Nachází se v sedle mezi vrcholy Sulov (943 m) a Súľov (903 m). Pojmenováno bylo podle bílého kříže, stojícího vpravo od místní silnice, odbočující z komunikace č. 485. Větší část bezlesé enklávy leží na slovenské straně (Biely Kríž). Hotýlky na české straně nabízejí možnost ubytování. V zimě lze v sedle využít kratší lyžařské vleky a rozbíhají se odtud většinou upravované lyžařské stopy.

Bumbálka, Salajka

Hraniční sedlo se silničním hraničním přechodem mezi Českou republikou a Slovenskem (Makov). Význam turistického uzlu zastínil v posledních letech 20. století provoz celnice a stanice pohraniční policie. V blízkosti sedla se nachází menší turistické středisko s horskými chatami

128. Bílý kříž dal jméno oblíbenému rekreačnímu středisku

a stanice horské služby. Prochází tudy červeně značená hřebenovka, v zimě se nabízejí dobré možnosti lyžování.

Pár set metrů na sever od sedla (žlutá turistická značka) nalezneme historické chráněné území Salajka (vyhlášeno již roku 1937). Dnes má statut národní přírodní rezervace a patří k nejzachovalejším a přírodovědecky neobyčejně hodnotným ukázkám beskydského bukojedlového pralesa.

Kněhyně – Čertův mlýn

Zachovalý komplex klimaxových smrčin v prostoru vrcholů Kněhyně (1257 m) a Čertův mlýn (1206 m). Stejnojmennou národní přírodní rezervaci najdeme asi 2,5 km východně od sedla Pustevny (severní hřeben). V okolí Kněhyně lze dále sledovat ukázku pseudokrasových jevů i pozůstatky po partyzánském odboji během druhé světové války. Patří k nim například zbytky bunkru nebo pomníček, k němuž lze ze sedla odbočit úzkým chodníkem.

U zalesněného vrcholu Čertova mlýna najdeme zajímavou ukázku rozsedání a tektonického rozjíždění bloků godulského pískovce. Projevuje se desítky metrů dlouhým žlabem, kterým podle pověsti napájel svůj mlýn čert.

Kozubová

Jedná se o 982 m vysoký vrch v jablunkovské části Moravskoslezských Beskyd. Severně od vrcholu stojí horská chata, nedaleko ní veřejně nepřístupná rozhledna, dříve součást kaple svaté Anny. Na severních a východních svazích jsou v zimě v provozu kratší sjezdové tratě s vleky (střediska Na Liščí a Pod Kozubovou).

129. Tajuplný terénní žlab pod vrcholem Čertova mlýna (1206 m)

Lysá hora

Nejvyšší horu a hlavní dominantu pohoří (1323 m) budují odolné pískovce. Vrchol je součástí členitého severního hřebene a je bezlesý. Poblíž něj stávala horská chata, která vyhořela, dnes její služby nahrazuje bufet. Najdeme tu též telekomunikační věž, meteorologickou stanici a služebnu horské služby. Při výstupu od severozápadu míjíme asi dva kilometry pod vrcholem Přírodní památku Ondrášovy díry (pseudokrasové podzemní útvary). Jihozápadní expozice Lysé hory porůstá pralesovitá bukojedlina NPR Mazák (viz dále).

Mazák, Mazácký grúnik

Dvě významná pralesní území v prostoru Lysé hory (viz výše), Kobylanky (1054 m) a Čupelu (943 m). První z nich je rozlehlejší a má statut národní přírodní rezervace. Na více než šedesáti hektarech s výškovým rozpětím 740 – 1020 m tady najdeme pozoruhodně strukturovanou ukázku přírodního beskydského pralesa (jedlobučina s přimíseným javorem a smrkem). Mazácký grúnik je přírodní rezervace. Jeho svahy padají příkře do údolí Mazáckého potoka, porůstá je původní jedlobučina. Kromě smrku a klenu ji ve spodní části obohacují také jasany.

Maxova nádrž, Lišková

Malá nádrž se nachází ve sběrné oblasti Smradlavého potoka, asi 3 km severovýchodně od Bumbálky. Potok se jmenuje podle sirovodíkem obohacené vody, která vyvěrá ve spodní části údolí. Na východních svazích v horní části téhož údolí leží pro veřejnost uzavřená Přírodní památka Lišková. Motivem ochrany je zde vzácná květena.

Podolánky

Podhorská rekreační osada v horním povodí Čeladenky. Správně patří k obci Čeladná. Blízká přírodní rezervace hostí v Moravskoslezských Beskydech ojedinělá společenstva podmáčených smrčin. Vázána jsou na pozvolná severní úbočí vrchu Ráztočky (716 m).

Pustevny

Turistické středisko mezi vrcholy Radhošť a Čertův mlýn. Údajně se jmenuje podle poustevníků, kteří tu v minulosti přebývali. Dnes na Pustevnách najdeme kromě několika hotelů a stylových dřevěných objektů (památková ochrana) také velké parkoviště pro osobní automobily. Z Prostřední Bečvy jezdí do střediska pravidelně autobus, z Trojanovic sem směřuje sedačková lanovka. Celoročně dostupná je odtud obrovitá socha staroslovanského boha Radegasta (1931, dílo A. Poláška) i vzdálenější vrcholek Radhoště (viz dále). V blízkém okolí Pusteven najdeme pseudokrasový systém Cyrilka, sportovní příznivce potěší skokanský můstek a několik sjezdařských tratí s vleky.

Radhošť

Krajinná dominanta (1129 m) západní části Moravskoslezských Beskyd. Vrcholek Radhoště byl v dávných dobách spjat s uctíváním staroslovanského boha slunce, ohně, úrody a pohostinnosti Radegasta. Pohanský kult připomíná veliká socha, stojící asi

2 km odtud (viz výše). V časech národního obrození sehrál Radhošť úlohu důležitého poutního místa. V šedesátých letech 19. století byl z něho do Prahy dopraven jeden ze základních kamenů Národního divadla. Vrcholová kaple svatého Cyrila a Metoděje byla postavena v období 1896 – 1898, její oltář zdobí kopie obrazu tzv. Valašské madony. Přímo pod vrcholem stojí horský hotel Radegast.

Z přírodních zajímavostí hory je třeba připomenout národní přírodní rezervaci s vynikající ukázkou původního horského

pralesa na severních expozicích. Západně od vrcholu zeje ústí menší pseudokrasové jeskyně Volařka.

130. K vrcholu Radhoště již patří kaple a sousoší Cyrila a Metoděje

131. Lysá hora (1323 m) a Travný (1203 m), pohled od Bumbálky. V popředí napravo prales Salajka

Ropice

Výrazná hora (1083 m) ve východní části „předního" pískovcového hřebene. Pod vrcholem je z východní strany malá studánka. Na severu hora padá příkrými svahy k osadě Řeka.

132. Smrk (1276 m), Kněhyně (1257) a Radhošt (1129 m) od Butoranky. Velikáni „předního" beskydského hřebene

V blízké oblasti Příslopu (946 m) bývá v zimě provozována sjezdová trať s lyžařským vlekem.

Smrk

Osamocená dominanta severního pískovcového hřebene, s 1276 m druhý nejvyšší vrchol v Moravskoslezských Beskydech. Souvislé lesní porosty Smrku poškodily v posledních desetiletích průmyslové imise. Z takto

vzniklých světlin jsou daleké výhledy do okolí. Asi půl druhého kilometru na východ od vrcholu leží jeho nižší sourozenec – Malý Smrk (1174 m).

Staré Hamry

Obec rozložená v nitru hor, nedaleko pod soutokem Bílé a Černé Ostravice. Skládá se z několika místních částí, např. z Porubaného, Mizerova, Jankuly

nebo z Lojkašanky. Obec byla prvně zmiňována v první polovině 17. století, největšího rozmachu dosáhla v 19. století díky hamrům, zpracovávajícím místní železnou rudu. Část historického jádra Starých Hamrů zatopila vodárenská nádrž Šance (viz dále). Kulturní zajímavostí dnešní obce je pomník Maryčky Magdonové, hrdinky známé básně Petra Bezruče. Vytvořil jej v roce 1933 A. Handzel.

Staré Hamry poskytují dobré

133. Pomník Maryčky Magdonové ve Starých Hamrech

podmínky pro pobytovou i krátkodobou rekreaci. Jsou východištěm do centrální části hraničního hřebene od Bílého Kříže po Bumbálku. V zimě lze v nejbližším okolí využívat výborné terény pro běh na lyžích.

Šance

Známá údolní nádrž zásobuje pitnou vodou Ostravsko. Vystavena byla na Ostravici pod soutokem Bílé Ostravice a Černé Ostravice. Byla zatopena v roce 1970 a její výměra dosahuje 335 ha. Pod hladinou zůstala velká část horské obce Staré Hamry (viz Vybraná turistická střediska). Po levém břehu nádrže a po její kamenné hrázi prochází silnice č. 484 mezi hraničním přechodem na Slovensko a Frýdlantem nad Ostravicí.

Travný

Zalesněný vrchol (1203 m) nad obcí Morávka. Z přírodovědného hlediska je velmi zajímavá Přírodní rezervace Travný potok na východních svazích. V okolí prameniště se tu nachází ukázka přirozených beskydských porostů s dominantním bukem. V oblasti jsou zastoupeny také památky po partyzánských bojích.

Trojačka

Listnatý porost v západní části chráněné krajinné oblasti jižně od obce Mořkov. Smíšený les na flyšovém podkladu tvoří kleny, lípy, buky a jedle a porůstá severní svahy hřebenového komplexu Trojačka (710 m), jemuž se v nejvyšší části někdy říká Mořkovský les. Ve svazích se pod hřebenovou cestou nachází menší přírodní rezervace, ochraňující vzácnou lesní flóru a kapraďorosty.

134. Kaplička pod Muřínkovým vrchem pochází z počátku 20. století

Velký Polom, Muřínkový vrch, Malý Polom

Tři vrchy východní části hraničního hřebene. Velký Polom (1067 m) leží nejvýchodněji. V okolí jeho vrcholu jsou patrné stopy periglaciální činnosti (tzv. mrazový srub), česká i slovenská úbočí ochraňují zvláště chráněná území. Na západ od Velkého Polomu stojí Muřínkový vrch (976 m) s historickou kapličkou pod vrcholem a dále za Borkovým vrchem ještě Malý Polom (1061 m). Na něm najdeme důležitý turistický rozcestník pěti značených směrů. Slovenská úbočí Malého Polomu chrání opět přírodní rezervace.

Visalaje

Rekreační středisko a turistické východiště na Lysou horu a Travný. V okolí se nachází menší přírodní památka se společenstvy beskydských podmáčených luk. Visalaje jsou dostupné údolím Mohelnice autobusem nebo automobilem (parkoviště) z Pražma. Nabízejí možnosti ubytování v hotelu nebo v soukromí.

135. Valašský skanzen
v Rožnově pod Radhoštěm

VYBRANÁ TURISTICKÁ STŘEDISKA

Rožnov pod Radhoštěm

Valašské město a rekreační středisko na řece Rožnovská Bečva. Nachází se na jihozápadě pohoří ve sníženině tzv. Rožnovské brázdy, přímo nad ním se zvedá Radhošť (viz Turistické cíle a zajímavosti).

Nejstarší zmínka o Rožnově pochází z roku 1267. V první polovině 15. století se z osady stal městys, jmenování městem se dočkal roku 1880.

Od 17. století se tu dařilo lázeňství (klimatické lázně, vodoléčba), léčebné ústavy zanikly až v polovině století dvacátého. K místním stavebním památkám patří farní kostel Všech svatých z let 1745 až 1749. Na náměstí stojí

136. U sochy staroslovanského boha
Radegasta lze příjemně posedět

barokní sochy sv. Floriana a sv. Jana Nepomuckého, z roku 1879 pochází pomník Františka Palackého. Milovníci lidové architektury a folklórních obyčejů nemohou vynechat prohlídku Valašského muzea v přírodě nebo věhlasného skanzenu v městském parku. Prvně zmíněná expozice byla otevřena v roce 1925 a dnes skýtá již téměř devadesát unikátních objektů (tématické celky Dřevěné městečko, Valašská dědina a Mlýnská dolina).

Z místních průmyslových odvětví je třeba připomenout vlnářství, lnářství a textilnictví, v posledních desetiletích také papírenství a elektrotechnickou výrobu. Rožnov celoročně nabízí také množství rekreačních a turistických příležitostí. Vedle nejtradičnějších forem jmenujme koupaliště, kryté kluziště, skokanské můstky (umělý povrch), sálové sporty atd. V městě sídlí Správa CHKO Beskydy.

Dopravní dostupnost

Rožnovem pod Radhoštěm prochází silniční tah E 442 mezi Slovenskem (Makov), Valašským Meziříčím a dále až Olomoucí. Od Ostravy nebo z Frenštátu pod Radhoštěm sem vede silnice č. 58, z jihozápadu směřuje do města komunikace od Vsetína. Využívat lze četné autobusové linky i osobní automobil.

Z Valašského Meziříčí vede do Rožnova terminální železniční trať.

DOPORUČENÝ VÝLET
Kategorie: celodenní

Z Rožnovského náměstí vykročíme po červené značce k Bečvě. Proti jejímu proudu postupujeme po hlavní a pak po vedlejší komunikaci k místní části Na Kolerově. Tady opustíme asfalt a stále po červené značce míříme vlevo kolem vrcholu Černé hory (885 m). Dostáváme

se postupně na hřeben, po němž souběžně s modrou značkou vystoupáme okolo jeskyně Velká Volařka až na vrcholek památného Radhoště (viz Turistické cíle a zajímavosti).

Z vrcholu pokračujeme po modré značce na východ. Po kilometrovém pochodu míjíme křižovatku se zelenou, po ní lze v případě potřeby ustoupit k jihu do Dolní Bečvy a do Rožnova. Jinak ovšem ze zmíněného rozcestí pokračujeme po hřebeni až k velké soše Radegasta, u níž uhneme po žlutém hřebínku vpravo dolů na Skalníkovu Louku. U tamní chaty je třeba vyhledat zelenou značku a ta nás jižním směrem dovede do Bácova. Úsek je dlouhý asi 2 km a do Prostřední Bečvy (stále po zelené) zbývá přibližně ještě stejná vzdálenost.

Do Dolní Bečvy nebo do Rožnova můžeme z Prostřední Bečvy využít některý z autobusů. Kdybychom vystoupili v Dolní Bečvě, můžeme úsek do Rožnova překonat asi tříkilometrovou procházkou po zelené značce.

Frenštát pod Radhoštěm, Trojanovice

Město Frenštát leží severně od Radhoště. Bylo založeno na strategickém místě Frenštátské brázdy na sklonku 13. století. Během třicetileté války bylo poničeno, poté opět vystavěno a znovu vypáleno uherskými povstalci – kuruci (1680).

Architektonickou dominantou města jsou kostely sv. Jana Křtitele z roku 1840 a sv. Martina z roku 1688. Pozornosti všímavých návštěvníků neuniknou staré církevní plastiky, sochy, novorománská radnice ani řada měšťanských domků s podloubím.

Tradiční průmysl zastupovalo soukenictví, dnes se daří například frenštátskému strojírenství nebo nábytkářství.

Město bylo kolébkou nejen

beskydské, ale i české turistiky. Už v roce 1884 zde vznikl spolek Podhorská jednota Radhošť, zasazující se mj. o výstavbu několika beskydských chat. Současnou nabídku kulturních a sportovních příležitostí doplňují koupaliště, jízdárna nebo sjezdařský a skokanský areál (Horečky).

Trojanovice leží nedaleko od Frenštátu, již na území CHKO. Jako valašská osada byly prvně připomínány v roce 1754. Z kulturního hlediska stojí za pozornost zdejší lidová

architektura, z Trojanovic pochází „umělecká dynastie" Strnadelů. K místním geologickým zajímavostem patří černouhelné sloje hluboko pod povrchem. Obec je důležitým východištěm na Radhošť a na Pustevny (sedačková lanovka z místa Ráztoky).

Dopravní dostupnost

Ve směru od jihu nebo od severu využijeme k cestě do Frenštátu silnici č. 58, spojující Rožnov pod Radhoštěm a Příbor (Ostravu). Od západu na východ prochází městem komunikace č. 483 mezi Hodslavicemi a Frýdlantem nad Ostravicí. Přes Pustevny sem směřuje rovněž

„transbeskydská" komunikace z Prostřední Bečvy. Asi čtyři kilometry od Frenštátu na ní leží také Trojanovice.

Přes Frenštát vede železnice Valašské Meziříčí – Frýdlant nad Ostravicí. Svému účelu slouží již od druhé poloviny 19. století.

DOPORUČENÝ VÝLET
Trasa číslo 1
Kategorie: celodenní nebo půldenní (zkrácená verze)

Z Frenštátu se dopravíme po silnici nebo pěšky (červené značení) do Trojanovic. Odtud se necháme vyvézt sedačkovou lanovkou na Pustevny. Alternativně lze využít silnici nebo modré

značení údolím Lomné.

Z Pusteven se vydáme po červené značce na severovýchod. Přes vrcholek Tanečnice (1084 m) směřujeme do prostoru národní přírodní rezervace a přes Čertův mlýn se necháme dovést až k odbočce na jednu z nejvyšších kót severního pískovcového hřebene – Kněhyni (1257 m; viz Turistické cíle a zajímavosti). Ať již vystoupíme na vrchol nebo ne, od slepé odbočky k němu klesáme ještě asi 2 km k dalšímu rozcestí, tentokrát vlevo odbočující žluté.

137. Panoráma od pavilonu Cyrilka. Za střediskem Pustevny zleva Zmrzlý vrch (1043 m), Tanečnice (1084 m) a Kněhyně (1257 m)

138. Vrcholek Kněhyně, třetí nejvyšší hory v Moravskoslezských Beskydech

Hlubokým údolím potoka Stolová po ní postupujeme k rozptýlené zástavbě Pod Stolovou a dále k železniční a autobusové zastávce Kunčice. K návratu do Frenštátu lze odtud využít vlak nebo autobus. Zvolíme-li však pěší přesun, půjdeme nejdříve po zelené do osady Na Bystrém a dále pak do Trojanovic po žluté značce (z Kunčic do cíle je to asi 5 km).

Trasa číslo 2
Kategorie: celodenní nebo půldenní (zkrácená verze)

Z Frenštátu (respektive z Trojanovic) se stejně jako v případě trasy č. 1 dostaneme na Pustevny. V další části využijeme část výletu, popisovaného protisměrně z Rožnova (úsek mezi Pustevnami a pravostrannou odbočkou modré značky asi dva kilometry za vrcholem Radhoště).

139. Sekáči od Papežova

Uvedená modře značená odbočka nás dovede do lokality Pindula. Z ní se už můžeme po silnici vracet pěšky nebo autobusem do Frenštátu. Pokud ale zůstaneme modrému značení věrni, vystoupáme po bezlesé enklávě až na úpatí Kyčery (875 m). Vcelku nápadný vrchol obejdeme postupně zprava. Pro změnu zleva míjíme Malý Javorník a souběžně se zelenou značkou přicházíme do sedla pod Velkým Javorníkem (918 m). Zvolíme si snazší již ústupovou variantu vpravo po modré? Do Frenštátu je to z kopce asi 5–6 km. Chceme pokračovat po červené značce ještě asi půl druhého kilometru na samotný vrchol? Potom počítejme, že nás za ním čeká sestup zalesněným úbočím. Do Frenštátu je to z vrcholu asi čtyři pět kilometrů.

Dolní Bečva, Prostřední Bečva, Horní Bečva

Tři rázovité obce v údolí Rožnovské Bečvy. Střediska celoroční rekreace s četnými ubytovacími zařízeními a různorodými možnostmi sportovního vyžití.

Všechny tři osady byly založeny v 17. století. Těžil se zde kámen a k jejich historii pařila od 18. století také výroba sklářských výrobků. V Dolní Bečvě (dřívější název Velká Bečva) později vznikla pletárna, současný závod Loana. Prostřední Bečva proslula tradiční výrobou valašských houní, Horní Bečva zase dřevozpracovatelskými dovednostmi svých obyvatel. Široce známé byly například tamní šindele, loukotě nebo dřevěné uhlí, připravované v místních milířích. V poslední fázi druhé světové války byly všechny tři Bečvy středisky partyzánského odboje (pomníky v Dolní Bečvě).

K rekreačním a turistickým lákadlům patří hustá síť značených cest, výborné běžkařské terény i několik kratších sjezdových svahů

s vleky. Ke koupání i rybářsky je využíváno menší přehradní jezero v Horní Bečvě.

Dopravní dostupnost

Všechna tři střediska jsou dostupná hromadnou i individuální dopravou po komunikaci E 442 (mezi Rožnovem a hraničním přechodem Makov). Do Prostřední Bečvy se od severu dostaneme od Pusteven i z Frenštátu pod Radhoštěm (Trojanovic) výše zmiňovanou horskou silnicí. Do téže obce vede od jihu silnice č. 481 z Velkých Karlovic.

DOPORUČENÝ VÝLET
Kategorie: celodenní

Z Prostřední Bečvy po modré a z Horní Bečvy po zelené značce vystoupáme asi čtyřkilometrový úsek k rozcestníku u chaty Martiňák. U chaty jsou pamětní desky partyzánskému odboji a pomníček padlým ve druhé světové válce. Dále se vydáme na sever. Můžeme si vybrat buď zeleně, nebo červeně značenou cestu. První možnost vede po hřebeni a přes Bukovinu (995 m) vystoupá na Čertův Mlýn (viz Turistické cíle a zajímavosti), kde je třeba odbočit vlevo po červené. Druhá varianta odbočuje asi kilometr nad Martiňákem vlevo. Od začátku je značena červeně a traverzuje pod právě popisovanou

hřebenovou cestou, dokud nás nedovede na Pustevny, společného mezicíle obou eventualit. Z Pusteven využijeme dále část popisu trasy z Rožnova pod Radhoštěm. Pokud se již budeme chtít vracet, přidržíme se druhé části popisovaného výletu. Pokud se ovšem rozhodneme pokračovat po hlavní hřebenovce, budeme postupovat protisměrně ve smyslu první části „rožnovské túry". Z Rožnova do cílové Bečvy využijeme nejspíš autobusového spoje a silnici E 442.

Frýdlant nad Ostravicí, Ostravice

Město Frýdlant nad Ostravicí leží již poměrně daleko od vlastního pohoří. I odtud lze však pěšky nebo s pomocí dopravního prostředku podnikat plnohodnotné výlety do nejvyšších beskydských partií.

První záznamy o sídle pocházejí z přelomu 13. a 14. století. V 18. století získalo statut městečka a městem se stalo po druhé světové válce (1948). Ke zdejším význačnějším památkám patří původně barokní kostel sv. Bartoloměje (1665), ze stejného období pochází také mariánský sloup na náměstí a několik soch svatých, např. Josefa nebo Jana z Nepomuku.

V minulosti Frýdlant proslul

jako železářské město. Stávaly tu hamry, dokonce i vysoká pec. Dnes se zde vyrábí známé nádobí Sfinx, smaltované kuchyně nebo důlní technika (firma Ostroj). Kromě vycházek do beskydské i podbeskydské přírody město návštěvníkům poskytuje řadu kulturních i sportovních zařízení.

Jen několik kilometrů od Frýdlantu leží proti proudu Ostravice stejnojmenná obec, jedno z nejfrekventovanějších rekreačních středisek v Moravskoslezských Beskydech. Tvoří ji tři původně samostatné části, Hamrovice, Beskyd a vlastní Ostravice. V minulosti se v okolí dobývala železná ruda (pelosiderity), zpracovávaná od

19. století do dvacátých let století dvacátého v několika hamrech. Rovněž v 19. století byla v obci založena velká pila.

Obec je nerozlučně svázána se jménem Petra Bezruče. Původní básníkův srub v Hamrovicích slouží dnes jako muzeum. Ostravice je ideální východiště k vrcholům Smrku a Lysé hory, nebo k vodárenské nádrži Šance (zákaz koupání). V horní části obce (Skalka) v zimě provozují kratší sjezdovou trať s lyžařským vlekem.

Dopravní dostupnost

Přes Frýdlant i Ostravici prochází hlavní silniční tah č. 484 mezi Frýdkem-Místkem a Starými Hamry (z nich se lze vydat k hraničnímu přechodu Konečná, nebo k jeho jižnějšímu sousedovi – Makovu). Úsek mezi Starými

Hamry a silnicí E 442 má číslo 485. Frýdlantem nad Ostravicí prochází dále méně významná komunikace č. 483 z Frýdku-Místku do Frenštátu. Od západu přes Kozlovice sem směřuje další možná silniční spojka.

Město Frýdlant bylo roku 1871 napojeno na železnici (trať z Frýdku-Místku do Valašského Meziříčí), místní železniční přípojka vede také z Frýdlantu do Ostravice.

DOPORUČENÝ VÝLET
Trasa číslo 1

Kategorie: celodenní

Z Frýdlantu se vypravíme ranním autobusem nebo vlakem do Ostravice. Nejlépe bude vystoupit až u hráze údolní nádrže Šance (autobusová zastávka je přímo u hráze), od vlaku z Ostravice můžeme dojít. Dále se vydáme po koruně přehrady a nebudeme z očí spouštět žlutou značku. Pěšina směřuje vlevo do svahu a rychle nabírá výšku. Brzy se stáčí vpravo, aby obešla 943 metrů vysoký vršek Čupel. Vlevo se propadá sráz Přírodní rezervace Mazácký grúnik, žlutá však po hřebínku stoupá až na vrchol Kobylanka (1054 m). Nyní už srázy nalevo patří k NPR Mazák a my zdoláváme jižním hřebenem poslední strmý úsek k vrcholu Lysé hory. Pozor, od hráze přehrady na nejvyšší vrchol Moravskoslezských Beskyd musíme na asi šesti kilometrech překonat převýšení okolo 800 metrů!

Z vrcholu vede na severozápad červená značka. Stezka klesá po příkřejším hřebínku, v jeho střední části vytáčí několik serpentin. Když se lomí ostřeji doleva, podržíme původní směr a přejdeme na souběžné žluté a zelené značení.

141. Karpatský horský prales v Národní přírodní rezervaci Mazák

142. Ondrášovy díry. Chráněné pseudokrasové útvary pod Lysou horou

Již po několika desítkách metrů budeme obcházet tzv. Ondrášovy díry. Podzemní prostory stejnojmenné přírodní památky vznikly postupným rozjížděním pískovcových bloků.

U vrcholu Lukšince (899 m) budeme vybírat optimální směr návratu. Máme-li namířeno do Frýdlantu, můžeme pokračovat po žluté vpravo. V Malenovicích pak uhneme vlevo do frýdlantského centra (od Ondrášových děr je to sem ještě asi sedm nebo osm kilometrů). Pokud máme namířeno do horní části Frýdlantu nebo do Ostravice, budeme zpod Lukšince

143. Javorový (1032 m), Ropice (1083 m), Příslop (946 m) a Ropička (918 m). Lysohorská hornatina od severu

postupovat po zelené. V prvním případě jí zůstaneme věrní i v enklávě Za Ostrou, do Ostravice bude v tomto místě výhodnější odbočit doleva po modré značce. Ostrou horu (783 m) pak obejdeme traverzem zleva.

Trasa číslo 2
Kategorie: celodenní nebo půldenní (varianta přes Malý Smrk)

Z rozcestí u ostravického parkoviště zamíříme na jih a hned poté na jihozápad. K vrcholu jedné z nejcharakterističtějších beskydských hor Smrku (viz Turistické cíle a zajímavosti) nás povede červená značka. Nejprve jdeme proti toku Bučací, později cesta vytváří rozmáchlé serpentiny. Přes vrchol Malého Smrku (1174 m)

se dostaneme na hřebínek, uhýbající přímo k hlavnímu vrcholu (z Ostravice až sem překonáme převýšení přes 800 m).

Vracet se můžeme přes Malý Smrk nejdříve po červené a následně po žluté s modrou a nakonec po žluté k hrázi přehrady Šance (autobusová zastávka). Můžeme také ze Smrku pokračovat ještě asi 3 km na jihozápad. Červeně značená pěšina se zde ohýbá v hodně ostrém úhlu doprava (nesmíme pokračovat dále po modré!). Čeká nás po ní asi čtyřkilometrový traverz lesem, teprve na úrovni Malého Smrčku (712 m) odbočíme po modré vpravo, abychom po severním úbočí pohoří a zároveň po hranici CHKO Beskydy pokračovali další zhruba čtyřkilometrovou etapou k výchozímu rozcestníku v Ostravici.

Morávka, Pražmo

Sousedící obce na řece Morávka pod vodárenskou nádrží téhož jména (stavba byla dokončena v roce 1964). V obou případech se jedná o významná střediska celoroční rekreace a turistická východiště pro severozápadní část Moravskoslezských Beskyd (oblast Travného, Ropice).

Tkalcovská obec Pražmo byla založena v roce 1777. Místní kulturní památkou je především kostel sv. Jana Nepomuckého, na zdejším hřbitově odpočívá skutečná Maryčka Magdonová, hrdinka slavné Bezručovy básně. Blízko kostela stojí památník obětem druhé světové války.

Kouzlo obce Morávka násobí zachovalá lidová stavení. V 18. století zde zpracovávalo železnou rudu několik hamrů.

144. Rozruch na vrcholu nejvyšší beskydské hory. Vedle turistů a cyklistů jej rádi využívají také rogalisté

Později se stala obec jedním z center beskydské partyzánské činnosti. Pomník na toto období najdeme například při cestě k přehradnímu tělesu.

Dopravní dostupnost

Morávka i Pražmo leží na pravostranné odbočce ze silnice E 462 mezi Frýdkem-Místkem a Českým Těšínem. Obě střediska jsou dostupná pravidelnou autobusovou linkou a individuální automobilovou dopravou.

DOPORUČENÝ VÝLET

Trasa číslo 1
Kategorie: celodenní

Přes Krásnou se necháme vyvézt autobusem proti proudu Mohelnice. Vystoupíme ve Visalajích (viz Turistické cíle a zajímavosti), odkud se vydáme západním až západoseverozápadním směrem po červeně značené cestě. Za Vyšší Mohelnicí pěšina stále z mírného povzdálí sleduje zásobovací silničkou na Lysou horu. K nejvyššímu bodu Moravskoslezských Beskyd dojdeme po 4 km s převýšením okolo 600 m.

Pro zpáteční cestu si vybereme severní směr a souběžné žluté a modré značení. Hleďme si žluté, která necelý kilometr pod vrcholem uhýbá doprava. Přes kótu

Šebestýna (1057 m) scházíme postupně do Krásné, z níž už můžeme do Pražma pokračovat autobusem. Pokud se rozhodneme dojít do cíle pěšky, pokračujeme přes silnici po žluté do protějšího svahu. Na hřebínku nás čeká enkláva, z které nás doleva a dolů vyvede modrá značka.

Trasa číslo 2
Kategorie: celodenní

Z Morávky se vydáme autobusem okolo vodárenské nádrže a pak proti toku Nytrová až na konečnou. Dále už musíme vzhůru proti potoku postupovat pěšky. Překrásným údolíčkem nás povede zelené značení. Ještě před vrchem Polka (886 m) se cesta stočí doprava k chatě Slavíč. Od chaty pokračujeme stále po zelené, všimněme si však červené hřebenovky, která se k nám před chvílí připojila. Za Babím vrchem (952 m) musíme totiž zelenou opustit a právě jen po červené vycházíme přes Smrčinu (1015 m) k severozápadu. Držíme se hřebene do bodu, kdy červeně značená pěšina uhýbá vlevo, a přes vrchol Ropice (viz Turistické cíle

145. Protipovodňová a protierozní
ochrana u Horní Lomné

a zajímavosti) sestupujeme na rozcestí s napříč procházející žlutou. Budeme-li unaveni, můžeme po ní vlevo sestoupit do Morávky (asi 4 km klesání). Máme-li ještě síly, pokračujeme po červené. Následujícím zhruba čtyřkilometrovým úsekem po ní zdoláme Příslop (946 m), Ropičku (918 m; před kótou opět možnost zkratky dolů po zelené) a Lipí (902 m). U chaty Na Kotaři za poslednĕ jmenovaným vrchem bude třeba odbočit do Morávky po modré značce.

Jablunkov, Horní Lomná, Dolní Lomná

Město Jablunkov leží v Jablunkovské brázdě mezi Moravskoslezskými a Slezskými Beskydy. Blízko strategicky významného průsmyku jím protéká řeka Olše. Zdejší staré obchodní stezce mezi Těšínskem a Kysucí se říkávalo „Měděná".

Sídlo bylo prvně zmiňováno již v první polovině 15. století, jeho historie sahá však nepochybně dále do minulosti. Vykopávky starověkých mincí v nedalekém Návsí jsou dostatečně výmluvné. Kromě obchodu žil Jablunkov především z pivovarnictví, později také z těžby ledku-sanytru a z drobné řemeslnické výroby

(hrnčířství, plátenictví). Architektonicky zajímavé je zdejší pravidelné náměstí s mariánským sloupem a kašnou. Z roku 1671 pochází kostel Božího Těla, který byl naposledy přestavěn v novogotickém stylu. Každé léto se v Jablunkově konají tradiční Goralské slavnosti.

Za Jablunkovem při říčce Lomná narazíme na objekt plicního sanatoria s velkým parkem. Zdobí jej desítky soch od Vincence Makovského. Ve stejném směru vede silnice až do Dolní Lomné, známého rekreačního a lyžařského střediska. Lze tudy romantickým údolím pokračovat dokonce až do střediska Horní Lomná (lyžařský areál Přelač). Právě Horní Lomná je ideální turistické východiště na východní část hraničního hřebene (viz dále). V okolí sedla se těžívala železná ruda, v roce 1833 tu vztyčili velký kříž, k němuž pravidelně směřovala poutní procesí z Jablunkova. Hornolomský kostel sv. Kříže pochází z konce 19. století. Kaple Matky Boží Lurdské byla nad památným pramenem vystavěna teprve v roce 1969.

Dopravní dostupnost

Jablunkovem prochází silnice č. 11 mezi Českým Těšínem a Jablunkovským průsmykem (hraniční přechod se Slovenskem).

Šest kilometrů od centra města na východ leží hraniční přechod Jasnovice s Polskem. Přes město a průsmyk vede mezinárodní železnice mezi Ostravou, Českým Těšínem a Žilinou.

Dolní a Horní Lomnou s Jablunkovem spojuje místní horská komunikace. Obě střediska jsou dostupná autobusem i osobním vozidlem.

DOPORUČENÝ VÝLET
Kategorie: celodenní nebo půldenní (zkrácená verze)

Výlet začneme v Dolní Lomné. Od zdejší autobusové zastávky vyrazíme přímo k jihu po modré značce. Povede nás vzhůru po hřebínku mezi údolími Skřinovského a Jestřebího potoka. Vlevo ponecháme lyžařský areál Kostelky a na rozcestí s červenou značkou využijeme její pravostranné větve. Dovede nás asi po kilometru k chatě Tetřev a po dalším kilometru na hranici se Slovenskem. Hraničním chodníkem zdoláme místní dominantu Velký Polom (viz Turistické cíle a zajímavosti). Stále po pomezním hřebeni míříme na západ. Přes Muřínkový vrch (976 m; je odtud možnost pohodlného sestupu do Horní Lomné) a Burkov vrch (1032 m) z jihu obcházíme pramennou oblast Lomné. Asi dva kilometry před Malým Polomem (viz Turistické cíle a zajímavosti) se hřebenová linie a současně důležité rozvodí stáčí na sever. Z Malého Polomu lze opět sejít po modré značce do Horní Lomné. Náročnější turisté z hory však určitě zamíří ještě dál k severu. Opustí konečně státní hranici a vydají se po červené. Do cílového údolí mohou seběhnout po žluté u Lačnova, nebo přes Kamenitý (odbočka za Babím vrchem) postupně po zelené, žluté a nakonec po modré značce. Na každém z rozcestí bude třeba odbočit doprava.

DOPORUČENÁ TRASA PŘECHODU POHOŘÍ

První den (osa: Rožnov pod Radhoštěm – Pustevny – Kněhyně – Hamry)

V úvodní části etapy využijeme popis prvního úseku výletu z Rožnova pod Radhoštěm. Od Pusteven po rozcestí červené a žluté značky za vrcholem Kněhyně postupujeme podle dispozic střední části trasy č. 1 okolo Frenštátu. Na tomto rozcestí však nebudeme sestupovat vlevo po žluté, nýbrž po červené do údolí Čeladenky.

Druhý den (osa: Hamry – Smrk – Ostravice)

Kratší, na převýšení náročná etapa. Řídíme se při ní protisměrně popisem části výletu č. 2 z Frýdlantu a Ostravice.

146. Chata Sulov leží mezi moravským Sulovem (943 m) a o 40 m nižším slovenským Súľovem. V pozadí obrysy Lysé hory

Třetí den (osa: Ostravice – Lysá hora – Visalaje)

Na převýšení obdobně náročná etapa. Pro výstup na Lysou horu můžeme využít popis trasy č. 1 z Frýdlantu a z Ostravice, nebo poněkud namáhavější pěší variantu po červené značce. Sestup z vrcholu do Visalají je protisměrně popsán v okruhu č. 1 z Pražma a Morávky.

Čtvrtý den (osa: Visalaje – Sulov – Malý Polom – Velký Polom – Dolní Lomná)

Z Visalají se vydáme k jihozápadu po červené a za Bílým Křížem (viz Turistické cíle a zajímavosti) uhneme vlevo po modré značce. Cesta vede přes Sulov a po hraničním hřebeni na Malý Polom. Zde vyměníme modrou za červenou. Následné putování popisujeme protisměrně v první části výletu z Jablunkova a z Dolní Lomné.

Vybrané mapy a průvodce

Beskydy – východ. Průvodce po Čechách a Moravě č. 21, S & D, Praha, 1999.

Beskydy – západ. Průvodce po Čechách a Moravě č. 18, S & D, Praha, 1998.

Beskydy, Javorníky. Turistická mapa č. 71, SHOCART, Zlín, 1:50 000, 2000.

Moravskoslezské Beskydy. Cykloturistická mapa č. 154, SHOCART, Zlín, 1:75 000, 1999.

Moravskoslezské Beskydy. Turistická mapa č. 69, SHOCART, Zlín, 1:50 000, 1999.

Moravskoslezské Beskydy. Turistická mapa č. 96, Edice Klubu českých turistů, Praha, 1:50 000, 2. vydání 1998.

Slezské Beskydy a Jablunkovsko. Turistická mapa č. 97, Edice Klubu českých turistů, Praha, 1: 50 000, 1994, aktuální dotisk 1998.

KRUŠNÉ HORY (České Rudohoří)

Od jihovýchodu a jihu vyrůstají pořádně zpříkra.
Pokud se však na svahy už jednou vyšplháme, budeme překvapeni.
Jako bychom náhle ani v horách nebyli. Nad plochý terén tu
vyčnívají pouze jednotlivé a na první pohled téměř
mírumilovné vršky a homole. V důsledku exhalací a kyselých
dešťů jsou obvykle odlesněné a vedou mezi nimi silnice i železnice.
Vedle samot zde nalezneme také velká a staletí
obývaná sídla. Kdo by řekl, že právě tento kraj sehrál úlohu
nerostné a horninové pokladnice? A kdo si už vzpomene,
že jistý druh místní rudy ovlivnil jeden z největších
a současně nejproklínanějších objevů novověku...?

147. Nad plochou božídarskou rašelinu vystupuje kužel Božídarského Špičáku (1115 m)

POLOHA

Krušné hory mají ráz jednostranně ukloněné kerné hornatiny. Leží na severozápadním okraji Českého masivu a horopisně spadají do širšího celku takzvané Krušnohorské hornatiny. Vytvářejí přirozenou hraniční linii mezi severními a západními Čechami a Saskem. Na severovýchodě jejich hřeben vymezuje Nakléřovské sedlo u Tisé, od Smrčin na jihozápadě je odděluje sedlo Lubské. České svahy jsou příkré a padají do tektonické deprese podkrušnohorských pánví. Německá úbočí jsou daleko pozvolnější.

Celková délka pohoří činí asi 130 km, šířka nepřekonává nikdy 20 km. Rozkládá se asi na 1600 km^2 a jeho střední výška přesahuje pouze nepatrně sedmisetmetrovou hranici. Východní část hor je relativně nižší a ani nejsmělejšími vrcholky nedosáhne k hladině 1000 m n. m. Na západě sahá nejvýše tzv. Klínovecká (úžeji Jáchymovská) hornatina s dominantním Klínovcem (1244 m).

GEOLOGIE A GEOMORFOLOGIE

Krušné hory paří ke takzvanému krušnohorskému krystaliniku, součásti starého jádra Českého masivu. V jejich komplikované stavbě převládají krystalické břidlice. Masivní rulové jádro doplňují na západě svory a fylity, často prostoupené žulovými nebo porfyrovými průniky variského stáří. Na takové průniky byla vázána nejbohatší rudní ložiska. Zásluhou saxonského tektonického neklidu v třetihorách došlo podél výrazných zlomových linií k vzájemnému vyzdvižení krušnohorské kry a poklesu jejího jihovýchodního předpolí (Sokolovská a Mostecká páncev).

Přibližně ve stejné době vyrostly na náhorní planině některé osamocené čedičové kupy (např. Božídarský Špičák nebo Plešivec). Na podkrušnohorskou zlomovou oblast jsou dodnes vázána mimořádně cenná zřídla a vývěry minerálních vod.

V období starších čtvrtohor panovaly na plochém krušnohorském plató periglaciální podmínky. Docházelo tu k půdotoku zvětralin (soliflukci), místy vznikala menší suťová a kamenitá pole. V oblasti Klínovce se zachovala dokonce nepatrná karoidní sníženina. K typickým tvarům krušnohorské plošiny patří ploché kotlinovité sníženiny, které namnoze vyplňují horská postglaciální rašeliniště. Zajímavou ukázku zvětrávání hornin poskytují některá denudovaná skaliska (Sfingy u Měděnce, Holubí skály).

VODSTVO

Příkrý a poměrně krátký jihovýchodní svah nedovolí žádné z krušnohorských vodotečí vyrůst ve významnější tok. Svatava, Rolava, Bystřice, Chomutovka i další bystřiny napájejí jako levostranné přítoky řeku Ohře, hlavní podhorskou artérii. Vodu z východně položené Mostecké pánve odvádí přímo do Labe Bílina. Krušnohorské rozvodí zabíhá na mnoha místech na území Čech, kde se tak rodí pramenné úseky několika saských toků (povodí řek Saale a Mulde). Ať už ale plynou krušnohorské potoky a říčky na kteroukoli stranu, nakonec skončí v Labi a s ním v Severním moři.

Krušné hory i jejich podhůří patřily a patří k zalidněným a průmyslově rozvinutým oblastem. Zvýšenou spotřebu vody bylo proto potřeba pokrýt výstavbou údolních nádrží, na české straně jmenujme například díla Přísečnice, Jirkov nebo Fláje, v Německu pak Cranzahl nebo Rauschenbach.

148. Bříza zakrslá (Betula nana). Živoucí střípek ledových období uprostřed krušnohorských rašelin

PODNEBÍ

Krušné hory vytvářejí díky své poloze a orientaci významné klimatické rozhraní. Způsobují výrazný fénový efekt, kdy převládající severozápadní proudění přepadává do podkrušnohorských pánví, jeho původní relativní vlhkost prudce klesá a vzduch se rychle adiabaticky ohřívá. Přechod mezi drsným klimatem náhorní plošiny a teplou a suchou oblastí jihovýchodního předpolí je až zarážející. Pro ilustraci jen několik údajů. Průměrné roční úhrny srážek dosahují na Božím Daru 1149 mm, v Abertamech 1034 mm a na Hoře Sv. Šebestiána 913 mm, průměrná roční teplota vzduchu se ve vyšších polohách pohybuje mezi 2,7 °C (Klínovec) a 5,5 °C (Vejprty). Na hřebenech leží až 200 dní v roce sníh a jeho nadílka dosahuje i několika metrů. Naproti tomu na Mostecku jsou roční úhrny srážek již jen zhruba 500 mm a průměrná roční teplota tu sahá až k 9 °C.

ROSTLINSTVO

K rostlinstvu Krušných hor se nejlépe hodí přívlastek „středoevropské lesní". Je vcelku uniformní a typické jsou tu například třtina chloupkatá, věsenka nachová nebo zimolez černý. Snad bychom zde mohli zaznamenat poněkud zvýšený výskyt subatlantských druhů, vzhledem k zeměpisné poloze horstva by nás to však nemělo příliš překvapit.

Pokud se přidržíme výskytu potenciálních porostů, zaznamenali bychom v pohoří jeden středoevropský přírodní rekord. Díky již zmíněným geomorfologickým a klimatickým poměrům bychom zde na velmi krátké vzdálenosti potkali nebývalých šest vertikálních vegetačních stupňů, od acidofilních doubrav přes ojedinělé dubohabřiny, ještě výše pak květnaté, kyselé až horské bučiny, vzácné bukojedliny, až po klimaxové smrčiny v nejvyšších polohách. Svažitý krušnohorský terén často porůstají suťové lesy a podél většiny horských toků bychom obvykle rozpoznali olšiny.

Realita však není zdaleka tolik růžová. Dlouhodobé pěstební postupy změnily přirozené lesní porosty zpravidla na smrkové monokultury, kterým pozdější exhalace z průmyslového českého i německého podhůří nedaly nejmenší šanci. Snad v žádných jiných evropských horách nejsou tak rozlehlé a bezútěšné holiny. Proto se tu místo typických lesních organismů objevují druhy obvyklé v podhorském nebo horském bezlesí.

Zaměřme pozornost ještě na jeden význačný typ primárního krušnohorského bezlesí. Jsou jím horská rašeliniska s výskytem mnohých specializovaných druhů včetně borovice bažinné a takzvaných glaciálních reliktů (například bříza zakrslá).

ZVÍŘENA

Jako se v důsledku lidské činnosti a zvláště pak imisních vlivů proměňují krušnohorské ekosystémy, mění se pozvolna také původní hercynská fauna. Původní lesní organismy střídají druhy obvyklé spíše v bezlesí nebo v krajině s parkovitě rozptýlenou zelení.

Z pozoruhodnějších zástupců místního hmyzu připomeňme šídlo rašelinné nebo obyvatele horských rašelinišť střevlíka Menetriesova. Měkkýše zastupují například slimáček horský, vřetenec horský nebo vrásenka pomezní. Přeneseme-li se pak do světa obratlovců, téměř po celém území hor se můžeme setkat se skokanem hnědým, ještěrkou živorodou nebo se zmijí obecnou. Ptačí říši reprezentují mimo jiné čečetka zimní, kos horský, sýc rousný nebo tetřívek.

ČLOVĚK A PŘÍRODA

Krušnohorské podhůří bylo osídleno poměrně brzy, hory samotné byly však po dlouhá staletí považovány za neprostupný a nebezpečný terén. Hluboké lesy, val skal a strží, hraniční území... Migrace a obchod přes hřeben probíhaly výjimečně, snad pouze okrajová sedla byla rušnější. Zásadní změna v kolonizaci území nastala ve vrcholném středověku, zvláště pak s počátkem novověku. Objevovány byly postupně zdejší bohaté zásoby surovin, především rudy stříbra, cínu, olova, zinku, mědi a později také niklu, kobaltu, wolframu nebo bizmutu.

Většina nerostných zásob byla rychle vytěžena, hornictví ustupovalo zpravidla do pánví, kde se orientovalo především na hnědé uhlí nebo na kaolin. Se stopami někdejší těžební činnosti se setkáme v horách téměř všude: rýžovnické kopečky, haldy, opuštěné štoly nebo průvaly podzemních chodeb (úpatí Blatenského vrchu)... Dnes jsou už obyčejně zarostlé a některé z nich jakoby ke zdejší krajině patřily odjakživa. Dosud poslední renesanci krušnohorského hornictví vyvolal objev radioaktivity a těžba jáchymovského smolince.

Pozornost člověka přitahovaly odjakživa vývěry minerálních vod podél hlavního krušnohorského zlomu. Pomineme-li přece jen již poněkud odlehlé Karlovy Vary, byly to zejména teplé prameny v nejstarších českých lázních Teplicích nebo léčivé radioaktivní vody v okolí lázeňského komplexu Jáchymov.

V kapitole o rostlinstvu a v předešlých odstavcích jsme si již ukázali, jak se z krásné a prakticky neporušené přírody pohoří stala během několika staletí téměř učebnicová ukázka ekologicky rozvrácených systémů. Jenom záchrana a obnova krušnohorských lesů bude stát nepředstavitelné množství prostředků a trvat bude dlouho, předlouho. Tady nestačí jenom vysazovat stromky či odsiřovat tepelné elektrárny. Na mnoha místech byly zpřetrhány základní biotické vazby a například půdní prostředí mohlo být již nevratně destruováno.

OCHRANA PŘÍRODY

V oblasti Krušných hor dnes nalezneme asi tři desítky maloplošných zvláště chráněných území. Soustřeďují především mimořádně cenná horská rašeliniště (např. NPR Novodomské rašeliniště, již několikrát zmiňovaná NPR Božídarské rašeliniště nebo NPR Velké jeřábí jezero, chráněné již od roku 1938). Ohromnou přírodovědeckou hodnotu mají zbytky původních

149. Přirozené porosty jsou v nejvyšších polohách Krušných hor vzácné. Ostrůvek v oblasti Rýžovny

lesních porostů (např. NPR Jezerka u Chomutova). Řada chráněných výtvorů je geologického typu (např. Národní přírodní památka – – NPP Doupňák, NPP Ciboušov). Některé z nich mají ráz přírodních památek (PP), při jejichž vzniku a formování se zapojil nebo spolupodílel člověk (PP Vlčí jámy).

Velkoplošná forma ochrany byla v různých částech českých Krušných hor několikrát zvažována, v dohledné době však žádná z možností nepřichází v úvahu. Z německé strany hranice se severně od Nejdku nachází chráněná krajinná oblast (LSG) Oberes Westerzgebirge. Stejným způsobem je chráněn také masiv Fichtelbergu, nejvyššího saského vrcholu v Krušných horách.

150. Knotovka lesní pravá (Melandrium sylvestre subsp. sylvestre). Dvoudomá rostlina z horských lesů nebo z vlhčích světlin. Kvete většinou od května do srpna

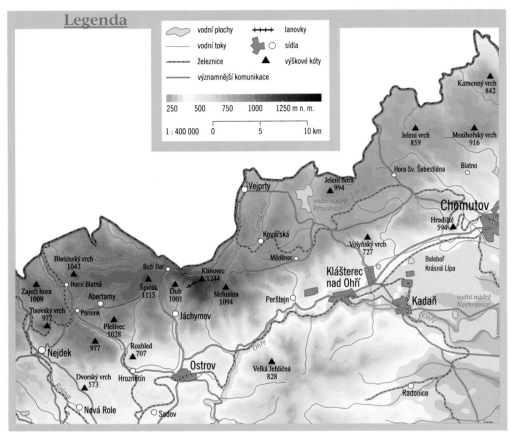

Legenda

vodní plochy — lanovky
vodní toky — sídla
železnice — výškové kóty
významnější komunikace

250 500 750 1000 1250 m n. m.

1 : 400 000   0   5   10 km

(mapové popisky) Kamenný vrch 842 · Jelení vrch 859 · Mezihořský vrch 916 · Hora Sv. Šebestiána · Blatno · Vejprty · Jelení hora 994 · vodní nádrž Přísečnice · Chomutov · Kovářská · Hradiště 594 · Volyňský vrch 727 · Bolebor Krásná Lípa · Blatenský vrch 1043 · Boží Dar · Klínovec 1244 · Měděnec · Klášterec nad Ohří · Kadaň · vodní nádrž Nechranice · Zaječí hora 1009 · Horní Blatná · Špičák 1115 · Dub 1001 · Meluzína 1094 · Perštejn · Abertamy · Tisovský vrch 977 · Pernink · Plešivec 1028 · Jáchymov · Ohře · 977 · Rozhled 707 · Ostrov · Velká Jehličná 828 · Nejdek · Dvorský vrch 573 · Hroznětín · Rolava · Radonice · Nová Role · Sadov

TURISTICKÉ CÍLE A ZAJÍMAVOSTI

Blatenský kanál

Dvanáctikilometrový kanál vybudovali v polovině 16. století těžaři z Horní Blatné. Přiváděli jím vodu z říčky Černé okolo zaniklé obce Myslivny (dnes vodárenská nádrž na Černé) a rekreačního střediska Rýžovna až do Horní Blatné. Voda byla potřeba při těžbě a zpracování cínové rudy. Stavba přestala plnit svoji funkci v 19. století, dnes je chráněna jako významná technická památka.

Blatenský vrch

Výrazná hora (1043 m) nad obcí Horní Blatná. Odtud na vrchol vede kolem Přírodní památky Vlčí jámy naučná stezka. Temeno hory pokrývají kulturní porosty, na severovýchodním úbočí spočívá

pokusná lesnická školka (testování odolnosti různých druhů dřevin vůči atmosférickým škodlivinám). Na vrcholu stojí anténní stožáry a historická kamenná rozhledna z r. 1913. Její celková výška je 21 m.

151. Turistická rozhledna na vrcholu Blatenského vrchu (1043 m)

Božídarské rašeliniště

S rozlohou bezmála 10 km² největší krušnohorská národní přírodní rezervace. Zahrnuje komplex rozvodnicového a svahového rašeliniště včetně okolních luk a podmáčených lesních porostů. Žije tu mnoho vzácných druhů rostlin a živočichů. Jádro biotopu porůstá keřovitá forma borovice blatky, prochází jím naučná povalová stezka, dlouhá přes 3 kilometry.

Božídarský Špičák

Třetihorní čedičová kupa se stopami lávového příkrovu, nejvyšší bazaltový vrch ve střední Evropě (1115 m). Zdvíhá se nad Božídarským rašeliništěm a je z velké části zalesněn. Jižním úbočím vede okolo menšího opuštěného kamenolomu Krušnohorská lyžařská magistrála.

České Hamry

Příhraniční obec západně od střediska Kovářská (viz Vybraná turistická střediska). Na druhém břehu Hraničního potoka leží německý Hammerunterwiesenthal. Dříve kvetla v oblasti tradiční řemesla, jedno z nich dalo sídlu dokonce jméno.

Horní Blatná

Bývalé hornické město, v současné době rekreační středisko v západní části Klínovecké hornatiny. V roce 1532 je založil saský kurfiřt, od roku 1537 patřilo pod českou korunu. V Horní Blatné se dodnes zachovaly četné renesanční stavební a architektonické prvky (například městská památková zóna s centrálním náměstím a pravoúhlou sítí ulic). Původně novogotický kostel na náměstí (16. století) byl v 18. století barokně upravován. Zasvěcen byl

sv. Vavřinci. V jednom z památkově chráněných měšťanských domů najdeme muzeum těžby cínu.

Hřebečná, lom Hřebečná

Rekreační středisko Hřebečná leží severně od střediska Abertamy. Založeno bylo jako hornická osada v první polovině 16. století, v okolních dolech (např. důl Mauritius) se těžilo ještě počátkem devatenáctého století. Severně od Hřebečné najdeme teprve nedávno opuštěný stejnojmenný lom. Lze se v něm seznámit s typickou sloupcovitou odlučností čediče.

152. Blatenský kanál (příkop) u Rýžoviště, důležitá technická památka

153. Čedičový lom u obce Hřebečná je zvláště chráněné území

154. Na Klínovci bylo postaveno několik budov, mimo jiné kamenná vyhlídková rozhledna nebo telekomunikační věž

Klínovec

Nejvyšší a nejznámější hora v Krušných horách (1244 m). Na severních svazích leží rušné lyžařské centrum s upravovanými sjezdovkami a lyžařskými vleky. Vrchol je dostupný pěšky, po silnici nebo sedačkovou lanovkou od parkoviště v údolí Klínoveckého potoka. Najdeme tu osmdesátimetrovou telekomunikační věž, zděnou rozhlednu z roku 1884 a komplex budov s horskou chatou a výstavní halou (objekt byl vystavěn v roce 1908 a sloužit měl původně k prezentaci krušnohorských výrobků).

Loučná

Příhraniční rekreační středisko. Založeno bylo jako hornické městečko ve 14. století (tzv. Český Wiesenthal), největšího rozkvětu zaznamenalo zhruba o dvě století později s vrcholící těžbou místních zásob stříbra a cínu. Barokní kostel Obrácení sv. Pavla se do dnešních dnů nedochoval. Od známého saského střediska Kurort Oberwiesenthal odděluje Loučnou koryto Hraničního potoka.

155. Z průseků klínoveckých sjezdovek přehlédneme saský Oberwiesenthal i s lyžařským střediskem na Fichtelbergu (1215 m)

Pernink

Dříve hornické městečko (těžba cínu) založené v první polovině 16. století. Historický svatostánek Nejsvětější Trojice získal svoji kamennou podobu v 18. století. Dnes se v Perninku soustřeďuje letní a především pak zimní rekreace (sjezdovka s vlekem, běžecké stopy). Pernink je dobře dostupný po silnici i po železnici na trati Karlovy Vary – – Schwarzenberg. Je to druhá nejvýše položená železniční zastávka v ČR (902 m).

156. Měděnecký vršek neboli Měděnec (903 m) s okrouhlou kaplí Panny Marie

157. Hornické městečko Měděnec a jeho okolí od východu

Měděnec

Měděnec byl jako hornická obec založen v první polovině 16. století (těžba mědi). Statut hornického města získal v roce 1588. Sídlo má charakteristický šachovnicový půdorys s obdélníkovým náměstím a dominantním kostelem Narození Panny Marie. V okolí se hojně zachovala četná lidová stavení. Na blízkém vrchu Měděnec stojí rotundovitá kaple z roku 1674. Jsou od ní výjimečné rozhledy.

Meluzina

Vynikající rozhledové místo východně od Klínovce (1094 m). Masiv býval porostlý hustým lesem, dnes zde převažuje holina. Vrcholová skaliska tvoří velmi odolná hornina eklogit.

158. Rozpadlé lesní ekosystémy v oblasti Meluziny (1094 m)

159. Nejvyšší hora v Krušných horách – Klínovec, německy Sonnenwirbel

160. *Skalní Sfingy u Měděnce*

161. *Úzká štěrbina jedné z Vlčích jam, kde se celoročně udrží led*

Dračí skála, Oceán

Dračí skála je dominantní žulové skalisko (953 m) nad údolím horního toku Bílé Bystřice. Na jih od něho se rozkládá Přírodní rezervace Oceán. Jádro zdejšího rozvodnicového rašeliniště porůstá keřovitá borovice blatka, v podrostu se vyskytují typické druhy rašelinných bylin.

Plešivec

Výrazná čedičová kupa (1028 m) u Abertam. Na jejím temeni stojí historická osmiboká rozhledna a horský hotel. Na severozápadním úbočí hory byla v alpském stylu vystavěna Švýcarská bouda.

Rýžovna

Rekreační obec na Blatenském kanálu mezi Božím Darem a Horní Blatnou. Dříve se tu rýžovala cínová ruda. Stopy po těžbě jsou dodnes v okolí dobře patrné.

Sfingy u Měděnce

Odnosem méně odolných hornin vypreparované rulové suky jsou chráněny jako přírodní památka. Najdeme je u silničky z Měděnce na Klášereckou Jeseň.

Vlčí jámy

U dávno vytěžených cínových dolů Jiří a Wolfgang došlo k propadu stropů, vznikly tak dvě morfologicky atraktivní deprese. U jedné z jam vede zvláštní cirkulace vzduchu k vytváření tzv. jeskynního ledu. V historicky nedávné době se zde led dokonce příležitostně dobýval. Okolo dnešní Přírodní památky Vlčí jámy vede naučná stezka z Horní Blatné.

VYBRANÁ TURISTICKÁ STŘEDISKA

Abertamy

Obec vznikla ve dvacátých letech 16. století, roku 1579 byla povýšena na horní městečko. V blízkém okolí se dolovalo stříbro, cín, kobalt i uranová ruda, zřetelnější pozůstatky po těžbě najdeme např. jižně pod obcí. Hornictví vystřídala v 19. století místní specifická řemesla. Některá z nich zůstala živá dodnes (rukavičkářství a výroba nádobí), jiná postupně odumřela (krajkářství, výroba dřevěných hraček).

Uprostřed sídla stojí barokní kostel z 18. století.

Abertamy jsou nyní jedno z nejznámějších krušnohorských středisek (letní i zimní rekreace, sport a turistika).

Dopravní dostupnost

Střediskem prochází silnice č. 219 spojující tzv. Abertamskou křižovatku (silnice č. 25 mezi Ostrovem a Božím Darem) s Nejdkem. V blízkém Perninku se lze na komunikaci č. 219 napojit rovněž z tahu č. 221 mezi Ostrovem nad Ohří a hraničním přechodem v Potůčkách. Středisko je dostupné individuální i hromadnou dopravou. K příjezdu do Abertam lze využít také železnici, konkrétně trať mezi Karlovými Vary a saským Johanngeorgenstadtem. Vystupuje se obvykle v Perninku, odkud do Abertam dojedeme autobusem nebo dojdeme pěšky (asi 2,5 km).

DOPORUČENÝ VÝLET
Kategorie: celodenní

Z Abertam vyjdeme po silnici č. 219 směrem na východ. Sledujeme zelenou značku, která se brzy odklání doprava a vede nás na vrcholek Plešivce (viz Turistické cíle a zajímavosti). Z vrcholu postupujeme asi dva kilometry

po souběžné modré a žluté značce, potom se po žluté odkloníme vlevo. Překročíme silnici (opět č. 219) a pokračujeme šikmo svahem a později nevýrazným hřebenem na křižovatku s červenou. Můžeme po ní odbočit vpravo a podívat se až k zajímavé čedičové homoli Božídarského Špičáku (další zhruba 2 km; viz Turistické cíle a zajímavosti). Vraťme se však na rozcestí červené a žluté. Vykročíme z něj přímo po červené do Hřebečné, nejdříve okolo Mrtvého rybníka, dále přes Slatiny a kolem historického dolu Mauritius. Z Hřebečné se již

můžeme vrátit po asfaltce k jihu do Abertam, výlet si lze ovšem také prodloužit po červené značce k silnici č. 112. Chvíli po ní a pak vpravo nás povede zpevněnou lesní cestou na Blatenský vrch (viz Turistické cíle a zajímavosti). Od rozhledny doporučujeme sestupovat kolem Vlčích jam do Horní Blatné. Do Abertam se dostaneme přes Pernink buď vlakem, či autobusem, popřípadě po žluté a pak po silnici č. 219 od západu.

162. Z naučné stezky Božídarským rašeliništěm

*163. Podzimní romance
pod Klínovcem (1244 m)*

DOPORUČENÝ VÝLET

Trasa č. 1

**Kategorie: celodenní nebo
půldenní (zkrácená varianta
s využitím lanovky nebo autobusu)**

Z dolního Jáchymova vybíhá
proti toku Klínoveckého potoka
asfaltka ke stanici sedačkové
lanovky na Klínovec. Rozhodneme-
-li se stoupat na nejvyšší horu
pohoří pěšky, musíme ze silničky
poměrně brzy uhnout doprava,
šikmo vzhůru nás povede zeleně
značená pěšina. Asi po dvou
kilometrech a asi stotřicetimetrovém
převýšení překonáme malý hřbet
a zleva obejdeme středisko Suchá.
Nad Suchou se napojíme na žlutou

Jáchymov

Lázeňské a rekreační středisko
v závětří nejvyšší krušnohorské
hory Klínovce. Město vyrostlo ve
20. letech 16. století na základech
staré podhorské obce Konradsgrün
jako Údolí sv. Jáchyma, později
Jáchymov. Jeho další rozvoj
souvisel s těžbou místních zásob
stříbra. Razily se tu mimochodem
tzv. jáchymovské tolary, podle
kterých byla pojmenována národní
měna Spojených států, Kanady
nebo např. Austrálie – dolar. Ve
třicátých letech 16. století byl už
Jáchymov s 18 tisíci obyvateli po
Praze nejlidnatější sídlo Čech. Poté
byly zdroje stříbra vydolovány,
nastala éra jáchymovského uranu.
Vrcholu dostoupila v druhé
polovině 20. století, ještě před tím
přispěla zdejší ruda k objevu
radioaktivity H. Bequerelem
a manželi Courieovými.

Lázeňství v Jáchymově stojí na
vývěrech radioaktivních pramenů.
Léčba v improvizovaných
podmínkách zde probíhala už na
sklonku 19. století, první velké
sanatorium spatřilo světlo světa
v roce 1911. Dnes se tu léčí
nejrůznější nemoci pohybového
ústrojí, dále pak choroby nervové,
cévní nebo metabolické.

K nejznámějším kulturním
památkám okolí města patří hrádek
velmože Šlika, postavený v roce
1517 na tzv. Zámeckém vrchu.
V centru města stojí gotický kostel
sv. Jáchyma z 30. let 16. století,
téměř stejně stará renesanční
radnice nebo blízká bývalá
mincovna, současné muzeum.

Jáchymov nabízí lázeňským
hostům i rekreantům velkou řadu
ubytovacích možností, různorodé
kulturní i sportovní vyžití. Je tu
mimo jiné několik sjezdovek
s vleky, sedačková lanovka na
Klínovec, běžecké tratě, kurty atd.

Dopravní dostupnost

Město je snadno dostupné
autobusovou linkou i osobním
automobilem. Leží na silnici
č. 25 mezi Ostrovem nad Ohří
a Božím Darem (hraniční
přechod se SRN). Pro příjezd od
západu nebo od severovýchodu
(Vejprty) lze využít trasu č. 219.
Kombinovat lze rovněž spojení po
železnici do Ostrova (rychlíková
stanice) a dále autobusem či
taxíkem (z Ostrova je to jen 6 km).

značku mířící k severu, s její pomocí absolvujeme 2 km stoupání na vrchol. Pro sestup zvolíme červeně značenou pěšinu, která nás dovede do Božího Daru (viz dále). K návratu do Jáchymova můžeme využít buď autobusovou linku, nebo se silnicí paralelní zeleně značenou cestu. Je dlouhá asi 5,5 km a prakticky neustále klesá.

Trasa č. 2
Kategorie: celodenní

Jedná se o totožnou trasu jako u výletu č. 1 z Božího Daru (viz dále). Vycházíme z Božího Daru, kam se lze dopravit autobusovou linkou. Cíl trasy je v Jáchymově.

Boží Dar

Díky své poloze v 1020 m je to nejvýše situované městečko v Čechách. Vyrostlo u bohatého naleziště stříbra v roce 1533, třináct let nato již bylo jmenováno hornickým městem. Podobně jako mnohá sídla v Krušných horách rozvíjelo se hlavně v době před třicetiletou válkou. Poté byly zdroje již značně vytěžené, většina protestantsky orientovaných horníků odešla do Saska.

V roce 1808 postihl město ničivý požár. Neštěstí přečkalo jen několik původních staveb, mezi nimi například barokní kostel vystavěný na základech starší sakrální stavby v 18. století.

Architektonicky zajímavá je také empírová radnice na náměstí z roku 1808 (později přestavovaná).

Po úpadku hornictví bylo hlavním zdrojem obživy místních obyvatel krajkářství, řezbářství, těžba rašeliny a horské zemědělství, v současnosti je to především cestovní ruch a rekreace. Začínají tu i končí turistické výletní trasy (mj. naučná stezka Božídarským rašeliništěm), několik cyklotras, běžeckých tratí, oblíbený je blízký sjezdařský komplex Neklid.

164. Proslulá náhorní krušnohorská obec Boží Dar

165. Průmyslová oblast Kovářské z temene Měděnce. Vpředu jsou patrné stopy po těžbě rudy

Dopravní dostupnost

Automobilem či autobusem se do Božího Daru dostaneme buď z jihu po silnici č. 25, nebo od severovýchodu komunikací č. 219. Z německé strany se k božídarskému hraničnímu přechodu dopravíme komunikací č. 19 z Bärensteinu a Kurortu Ober Wiesenthalu nebo od severozápadu z Rittersgrünu.

DOPORUČENÝ VÝLET

Trasa č. 1
Kategorie: celodenní

Z Božího Daru se necháváme vyvést na západ červenou značku. Ta zprvu sleduje silnici č. 112 a severní okraj Božídarského rašeliniště (viz Turistické cíle a zajímavosti). U můstku přes potok Černá uhýbá doleva do lesa, zprava pak postupně obchází kužel Božídarského Špičáku. Ještě asi kilometr pokračujeme po červené, poté se odkloníme vlevo po žluté. Přes silnici č. 219 a okolo enklávy Jelení dorazíme na rozcestí s modrou značkou. Odtud lze vpravo vystoupit na Plešivec, vrátit bychom se však měli znovu na rozcestí žluté a modré.

Dále budeme postupovat k východu (modré značení) a přes tzv. Zálesí docházíme až k Hornickému domu v Jáchymově. Pro návrat do Božího Daru využijeme autobusové spojení nebo zeleně značenou pěšinu. Míří z Jáchymova vzhůru, na východ u kynologického cvičiště zabočí ke kótě Šance (927 m). Dále se vine k severu až na silnici č. 219, po které se dostaneme zpět do cíle.

Trasa č. 2
Kategorie: celodenní nebo půldenní (zkrácená varianta s využitím lanovky nebo autobusu)

Trasa je totožná s trasou č. 1 z Jáchymova. Namísto Jáchymova však začínáme i končíme v Božím Daru.

Kovářská

Sídlo se rozkládá v plochém údolí Černé vody. Založeno bylo ve 14. století, kdy se v okolí dobývala a zpracovávala železná ruda. V období po třicetileté válce se v Kovářské těžila rašelina, rozvíjelo se krajkářství, přádelnictví, vyráběly se nejrozmanitější dřevěné předměty (např. zápalky a šindele). Městem se stala v osmdesátých letech 19. století.

K místním význačným pamětihodnostem patří mariánský

sloup a barokní kostel sv. Michaela Archanděla z roku 1710. Blízko u železniční stanice najdeme veliký balvan s pamětní deskou (tzv. Palouk mrtvých). Připomíná tragédii švédských těžkooděnců, kteří se roku 1641 při přechodu zdejšího rašeliniště utopili.

Kovářská je oblíbené letovisko, vyhledávána je i jako středisko zimních sportů (běžecké stopy, sáňkařská dráha).

Dopravní dostupnost

Od jihu se do městečka dostaneme místní odbočkou ze silničního tahu č. 223. Z východu a severu sem směřuje silnice č. 224, od západu pak č. 219. Kromě silničního spojení můžeme k cestě do Kovářské použít železniční trať mezi Chomutovem a Vejprty, která pokračuje do saského Cranzahlu.

DOPORUČENÝ VÝLET

Kategorie: celodenní

Z centra Kovářské se kolem železniční stanice a Palouku mrtvých (viz Turistické cíle a zajímavosti – památník leží v našem směru napravo od trati) vydáme po zeleně značené silničce. Pokračujeme až k tzv. Vápence a do střediska Háj. Tady trasa uhýbá vlevo do vrchu, aby se na silnici č. 223 připojila k červené značce. Stoupáme pod vrchol Meluzina (viz. Turistické cíle a zajímavosti), kde definitivně opustíme zelenou a již pouze po červené dorazíme na asfaltovou komunikaci (tzv měděneckou silnici). Čeká nás zde asi sedmikilometrový přesun přes Horní Halži do střediska Měděnec (viz Turistické cíle a zajímavosti). Ještě před zdaleka viditelným vrcholem s kapličkou odbočuje k severozápadu modře značená silnička. Dojdeme po ní za železniční zastávku Měděnec, odkud modrá uhýbá a přes pramennou oblast Přísečnice nás dovádí až na náměstí v Kovářské.

Vybrané mapy a průvodce

Krušné hory, Karlovarsko, Porolaví, Jáchymovsko, Klínovec. Turistická mapa č. 4, Edice Klubu českých turistů, Praha, 1:50 000, 2. vydání 1998.

166. Palouk mrtvých u Kovářské působí dnes spíše poklidně. V pozadí Kamenný vrch (963 m)

RYCHLEBSKÉ HORY
(Kde léčí i voda)

*Hory nesou jméno středověkého hradu. Ten střežíval starou
solnou stezku a najdeme jej zhruba v centru podhůří, nedaleko
města Javorník. Rychlebské hory prosluly hlubokými lesy,
světoznámými lázněmi i bohatými ložisky nerostných surovin.
Nebýt však několika vrcholů v jihozápadní části,
z našeho výběru českých tisícimetrových „velikánů"
by dočista vypadly...*

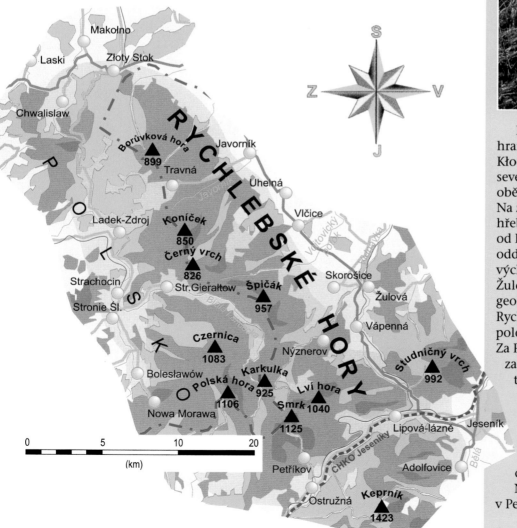

Hlavní hřeben pohoří tvoří
hranici severní Moravy a polského
Kłodzka. Vine se přibližně od
severozápadu k jihovýchodu a na
obě boční strany stupňovitě klesá.
Na západě s ním sousedí paralelní
hřeben Zlotych Gór a Góry Bialskie,
od Hrubého Jeseníku na jihu je
odděluje Ramzovské sedlo a na
východě přechází do vrchovin
Žulohorské a Zlatohorské. Jako
geologická jednotka jsou
Rychlebské hory nejvýchodněji
položeným výběžkem Sudet.
Za Ramzovským sedlem již
začíná zóna moravskoslezská,
tzv. Moravikum. O mezní poloze
Rychlebských hor
mimochodem svědčí
následující skutečnost.
Botanikové je společně
s Jeseníky zahrnují ještě
do oblasti východosudetské.
Nejsmělejší horou je tu
v Petříkovické hornatině se svými

168. Sasanka hajní
(Anemonoides nemorosa).
Vyslanec horského jara.
Vyskytuje se jednotlivě, v menších
skupinkách nebo ve velkých koloniích,
tzv. polykormonech

1125 metry Smrk (stejnojmenné vysoké hory nalezneme v Moravskoslezských Beskydech a v Jizerských horách). Česká část pohoří zabírá plochu 276 km^2 a její střední nadmořská výška činí 645 m.

Hlavní horninou, budující masiv Rychlebských hor, jsou krystalické břidlice (tzv. migmatity). Vytvořily se zpravidla tak, že do starších mořských usazenin proniklo z hlubin žhavotekuté magma. Proto dnes v okolí žulového plutonu můžeme najít ruly, svory, ale také buližníky, grafitické břidlice nebo mramory. Oproti Králickému Sněžníku byly horniny v Rychlebských horách přeměněny o poznání intenzivněji a na větší ploše.

Hřebenové partie horstva nesou stopy po staročtvrtohorních mrazových pochodech (izolované skály, kamenná moře, kryogenní terasy). Ačkoli vlastní ledovce

167. Rychlebské hory
z protějšího svahu Králického Sněžníku

v horách nikdy nevznikly, nekonečná masa severského pevninského ledovce dosáhla bezmála k jejich severnímu úpatí.

Z hydrologického hlediska patří téměř celé Rychlebské hory do povodí Odry (např. Javorník, Stříbrný potok či Vidnávka jsou pravostrannými přítoky Nysy Kłodzke). Pouze z malé části jihozápadního cípu stéká voda do povodí Moravy (Černý potok).

Podnebí v Rychlebských horách je chladné, vůči sousedním Jeseníkům nebo Králickému Sněžníku přece jen poněkud mírnější, sušší a teplejší. Tento rozdíl určuje především nižší nadmořská výška.

Zdejší rostlinstvo a živočišstvo nezapře příslušnost k takzvanému

169. Muchomůrka červená (Amanita muscaria). *Oblíbená, avšak jedovatá ozdoba jehličnatých lesů a lesních okrajů. Často vystupuje i do horských poloh*

171

170. Krkavec velký (Corvus corax).
Poznávacími znaky jsou velikost těla
a kýlovitý ocas, patrný za letu. Krkavci
se živí hlavně mršinami nebo drobnými
bezobratlými živočichy
a hnízdí jednou ročně

171. Priessnitzovo sanatorium. Známý
lázeňský pavilon v Lázních Jeseník

172. Lví hora (1040 m). Napravo
v pozadí Studniční vrch (992 m)

Jesenickému bioregionu, v kterém se snoubí a proplétají prvky východosudetské, polonské (severovýchodní úbočí) a okrajově i karpatské. Velkou část pohoří dnes kryjí smrkové monokultury. V nižších partiích můžeme však ještě stále obdivovat ostrůvky přírodních nebo přírodě blízkých smíšených porostů a bučin (např. Ztracené údolí – viz dále).

Na území Rychlebských hor dosud existují pouze dvě významnější maloplošná zvláště chráněná území. Nespornou geomorfologickou hodnotu má soutěska Stříbrného potoka s peřejemi a vodopády (Nýznerovské vodopády), pozornosti milovníka krasu určitě neunikne ani jeskynní systém Národní přírodní památky Na Pomezí. Hned za polskou hranicí se rozprostírá rozlehlý Śnieznicki park krajobrazowy.

Nižší a úrodnější polohy Rychlebskohoří využívá tradiční horské a podhorské zemědělství. V oblasti zůstalo mnoho stop po v minulosti ukončené hornické a důlní činnosti (např. lignit, grafit, stříbro, polodrahokamy), stále tu však existuje řada činných lomů (těží se zejména stavební kámen a vápenec). Zcela zvláštní kapitolu představuje rychlebskohorské lázeňství. Světoznámá léčebná střediska v Jeseníku a v Lipové jsme již vzpomínali v kapitole o Hrubém Jeseníku.

173. Brusinka obecná (Rhodococcus
vitis-idaea). Druh sušších luk,
světlejších lesů nebo rašelinišť. Kvete na
přelomu jara a léta, na lesklých plodech
si rádi pochutnají lidé i zvířata

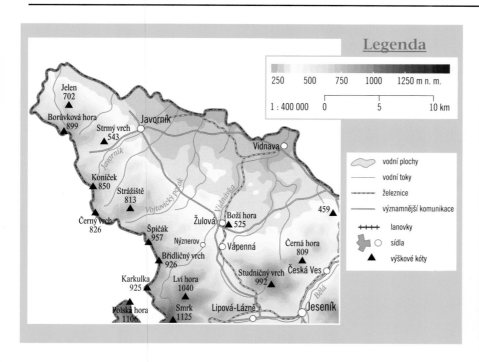

Legenda

250 500 750 1000 1250 m n. m.

1 : 400 000   0   5   10 km

vodní plochy
vodní toky
železnice
významnější komunikace
lanovky
sídla
výškové kóty

174. Masiv Smrku (1125 m) působí od jihu rozmáchle. Nejvyšší hora v Rychlebských horách

TURISTICKÉ CÍLE A ZAJÍMAVOSTI

Lví hora

Dominantní vrch (1040 m) severozápadně od Horní Lipové, místní části střediska Lipová-lázně (viz kapitola o Hrubém Jeseníku). Podstatu hory tvoří zejména amfibolity, svory a křemence. Vrcholek porůstá řídký les, jihozápadní úbočí hostí zachovalé bučiny. Výborné rozhledové místo.

Na Pomezí

Pozoruhodný komplex jeskyní a povrchových krasových jevů je chráněn jako národní přírodní památka. Jeskyně byly objeveny v roce 1936 a mají bohatou krápníkovou výzdobu. Místo je přístupné ze silnice Lipová-lázně (viz Hrubý Jeseník) – Vápenná. V blízkém sedle leží provozovna na výrobu a zpracování vápencových drtí, prochází tudy také železniční trať.

Smrk

Nejvyšší rychlebskohorskou dominantu (1125 m) najdeme v jižní části pohoří, v takzvané Petříkovské hornatině. Budují ji ruly a kvarcity. Její vrchol je plochý, zalesněný, v minulosti důkladně přemodelovaný periglaciální činností. V bezprostředním okolí se nachází podmáčená smrčina s navazujícím vrchovištěm (Malení). U turistického rozcestí severozápadně od kóty stojí historický hraniční kámen mezi Moravou, Slezskem a Kladskem.

Vodopády Stříbrného potoka

Zajímavý geomorfologický a hydrologický jev při soutoku Stříbrného a Bučinského potoka. Přes hranu odolnější vyvřelé horniny se tu přelévá voda, vzniklo tak několik kaskád a vodopádů s celkovou výškou okolo 14 m.

175. Za Ramzovským sedlem se rýsuje keprnická část Hrubého Jeseníku. Pohled ze Smrku přes nevýraznou vyvýšeninu Klínu (983 m)

Celek je chráněn jako přírodní památka a podle nedaleké obce se mu někdy též říkává Nýznerovské vodopády.

Ztracené údolí

Malebné údolí Suchého potoka mezi Horní Lipovou a Vápennou. Prochází jím tzv. Slepá cesta (zelená značka), z které lze sledovat zajímavé krasové jevy, například ponory, vyvěračky, nebo suché údolní úseky. Okolní svahy porůstají zachovalé porosty buku.

176. Pod Travnou horou (1120 m). Horské smrčiny v Petříkovské hornatině

177. Mezi Rychlebskými horami a Hrubým Jeseníkem leží středisko Lipová-lázně

VYBRANÁ TURISTICKÁ STŘEDISKA

Petříkov

Stará horská ves s lineární zástavbou podél říčky Branná. Založena byla jako dřevařská obec na počátku 17. století.

Dnes společně s nedalekou Ramzovou (viz Hrubý Jeseník) patří mezi nejvýznamnější rekreační, turistická a lyžařská střediska na severní Moravě.

Právě v zimě zde bývají ideální sněhové podmínky a jenom v oblasti Petříkova najdeme hned několik středně dlouhých i kratších lyžařských svahů s vleky. Milovníci běžek ocení velké množství různě náročných terénů. Středisko slouží celoročně jako základna pro výstup na nejvyšší rychlebskohorský vrchol – Smrk. Lze odtud vycházet také do přilehlých východních partií Králického Sněžníku.

Dopravní dostupnost

Do Petříkova vede krátká silniční odbočka z tahu č. 369 mezi Hanušovicemi a Jeseníkem. Odbočit je třeba v obci Ostružná ještě před Ramzovským sedlem. Pokud do Petříkova pojedeme vlakem, vystoupíme ve stanici Ostružná a dále budeme pokračovat autobusem nebo pěšky (po modré značce je to asi 2 km severním směrem).

DOPORUČENÝ VÝLET

Kategorie: celodenní

Petříkov – rozcestí u Císařské chaty (po červené, z rozcestí vpravo vzhůru po zelené) – rozcestí s modrou – rozcestí u státní hranice (stále po zelené, z rozcestí na vrchol Smrku po červené) – vrchol Smrku; vrchol Smrku – rozcestí u státní hranice (zpět po červené a dále vpravo po žluté) – rozcestí Tři studánky – Lví hora – Oblý vrch – rozcestí Pod Kopřivným (stále po žluté, odtud prudce dolů po zelené) – Horní Lipová (do Ramzové či Ostružné se vrátíme vlakem) – Petříkov (ze stanice Ramzová po červené, z Ostružné po modré značce).

Pozn.: Před výletem doporučujeme zjistit odjezdy vlaků v úseku Horní Lipová – – Ostružná).

Nýznerov, Žulová

Nýznerov je horská obec,
patřící správně pod Skorošice. Byla
založena podél Stříbrného potoka
patrně na přelomu 16. a 17. století.
Kdysi se tu dobývalo stříbro a tuha,
v současnosti sem spíše přijíždějí
turisté a rekreanti. Celoročně
oblíbené jsou odtud výlety do
masivu Smrku nebo k nedalekým
Nýznerovským vodopádům.

Žulová leží jen asi 2 km
severovýchodně od Nýznerova.
Jméno získala podle několika
žulových lomů v blízkém okolí.
Obec byla založena koncem
13. století, za městečko (Frýberk)
byla prohlášena na sklonku století
sedmnáctého. V Žulové stávával
středověký hrad. Z dochovaných
stavebních památek je třeba
připomenout starobylý most, sloup
se sochou Jana Nepomuckého nebo
kostel sv. Josefa z 19. století. Zdejší
kraj a život popsal ve svých knihách
prozaik Oldřich Šuleř.

Dopravní dostupnost

Žulovou probíhá silnice č. 453
mezi Lipovou-lázněmi
a Javorníkem. Od východu lze
přijet také silnicí č. 456, která mezi

*178. Dlouhou dolinu vymodelovala
bystřina Staříč*

Mikulovicemi a Javorníkem
navazuje na tah č. 457. Žulovské
nádraží leží na železniční trati
spojující Lipovou-lázně a Javorník.
Pokud máme namířeno
do Nýznerova, využijeme nejspíše
místní silniční odbočku z Žulové
(jihozápadní směr).

DOPORUČENÝ VÝLET

Kategorie: celodenní

Žulová – Nýznerov – Vodopády
Stříbrného potoka – sedlo
Tři studánky (po modré,
od rozcestníku v sedle doprava
po žluté) – rozcestí u státní hranice
(žlutá, dále vpravo po červené
vrchol Smrku) – Smrk; Smrk
– rozcestí u státní hranice (červená
značka, dále pokračujeme po státní
hranici po žluté) – Karkulka -
Kovadlina – rozcestí žluté a modré
(opouštíme žlutou a odbočujeme
dolů se svahu vpravo po modré
značce) – rozcestí u Stříbrného
potoka (zde doleva po zelené)
– vodopády Stříbrného potoka
(uzavíráme okruh, dále po modré)
– Nýznerov – Žulová

Vybrané mapy a průvodce

Jeseníky, Rychlebské hory.
Turistická mapa č. 57, SHOCART,
Zlín, 1:50 000, 1999.

Králický Sněžník. Turistická
mapa č. 53, Edice Klubu českých
turistů, Praha, 1:50 000, 1994.

**Rychlebské hory a Lázně
Jeseník.** Turistická mapa č. 54,
Edice Klubu českých turistů,
Praha, 1:50 000, 1994,
aktualizovaný dotisk 1999.

179. *Hraniční hřeben směrem k severu
zvolna klesá. Panoráma zpod Smrku*

180. *Jižní výběžek pohoří sahá až k obci
Branná. Opačná strana údolí patří již
k Hrubému Jeseníku*

JIZERSKÉ HORY
(Pevnost na severu)

Dále na sever bychom ve střední Evropě hledali srovnatelné hory marně. V minulosti se nebojácně postavily obrovskému skandinávskému ledovci a v době velmi nedávné signalizovaly v Západních Sudetách jako první nástup průmyslových škodlivin a kyselých dešťů. Podobny předsunuté tvrzi rozrážejí nadále severní a severozápadní větry a mračna, samy se tak staly jedním z nejdeštivějších a nejchladnějších míst široko daleko.

POLOHA

Jizerské hory najdeme v severních Čechách při hranici s Polskem, zčásti zasahují do Frýdlantského výběžku. Pohoří má charakter ploché hornatiny se střední nadmořskou výškou okolo 700 m a rozlohou asi 420 km². Nejvyšším vrcholem české části je Smrk (1124 m) v severním hřebeni. Na polské straně pohoří kulminuje Wysokou Kopou (1126 m).

Hlavní jizerskohorská plošina se mírně svažuje k jihu, od severu ji vymezují skalnaté a příkré srázy. Nad náhorní plató vystupují jednotlivé vrcholky (např. Jizera, Černá hora), do stran se z něj rozbíhají nižší hřbety a pásma.

Horstvo sousedí přes Novosvětské sedlo s Krkonošemi. Na severu od něj se vlní nižší Frýdlantská pahorkatina. Na jihu a jihozápadě se za městy Liberec a Jablonec nad Nisou zvedá Ještědsko-kozákovský hřbet.

GEOLOGIE A GEOMORFOLOGIE

Pohoří je součástí západních Sudet. Jeho základ buduje Západní část hercynského krkonošsko-jizerského plutonu. V třetihorách byl masiv vyzdvižen tzv. saxonskou tektonikou. Převládající horninou jsou tu hrubozrnné dvojslídné

181. Čedičová hora Bukovec (1005 m). Lesnicky a botanicky cenná naleziště na jižních svazích

žuly, pouze severní hřeben s nejvyšší horou tvoří ortoruly, dvojslídné ruly nebo svory. Geologickou zajímavostí jsou vulkanická tělesa, vzniklá výlevem třetihorního magmatu. Patrně nejznámější je kuželovitý Bukovec (1005 m), jedna z nejvyšších bazaltových hor v Evropě. Na několika místech se v Jizerských horách nacházely také polodrahokamy (např. niva Safírového potoka).

Během pleistocénu se tu nikdy nevytvořily samostatné horské ledovce, důkazů o tehdejší periglaciální činnosti je ovšem víc než dost. Oblé horské hřbety zdobí působivá torová skaliska (Jizera, Ptačí kupy), v některých partiích hor najdeme mrazové sruby, kryoplanační terasy nebo mrazové sutě. Řada výjimečných geomorfologických jevů je vázána na severní zlomové svahy (Frýdlantské cimbuří, Štolpichy, Poledník). S touto tektonickou linií je spojen i vývěr léčivých minerálních pramenů a existence léčebného střediska Libverda.

VODSTVO

Jizerské hory zosobňují důležitou vodohospodářskou oblast. Po jejich pláních a horských svazích probíhá rozvodí Odry (Lužická Nisa, Smědá) a Labe (Jizera). Nádrže Souš, Josefův Důl nebo Bedřichov zásobují pitnou vodou severočeské aglomerace,

182. Národní přírodní rezervace Rašeliniště Jizery. Jedno z nejkrásnějších sudetských zákoutí

183. *Blatouch bahenní horský* (Caltha palustris *subsp.* laeta). *Kolem pramenišť, bažin a horských potoků rozkvétá časně zjara. Květy produkují velké množství pylu a nektaru*

184. *Kýchavice zelenokvětá* (Veratrum lobelianum). *Statná liliovitá rostlina s velikými a podélně žilnatými listy vytváří latovitá květenství zelených květů. Obsahuje jedovatý alkaloid*

PODNEBÍ

Podnebí pohoří určuje zejména jeho zeměpisná poloha a nadmořská výška. Návětrné severní a severozápadní svahy stejně jako náhorní plató patří k srážkově nejbohatším a velmi chladným částem střední Evropy. Například meteorologická stanice Jizerka udává v průměru 1480 mm srážek za rok (roční maxima se blíží až na 1600 mm), středisko Bedřichov naměří ještě okolo 1370 mm a na jižním okraji hor spadne za rok průměrně asi 1000 mm srážek. Průměrné roční teploty vzduchu dosahují ve vyšších partiích hor zhruba 4 až 6 °C. V zimě tu bývají ideální sněhové podmínky. Vyhlášené běžecké tratě a sjezdařské terény nemívají v nejmenším nouzi o vyznavače bílého sportu.

ROSTLINSTVO

Jizerské hory patřily vždy k nejlesnatějším oblastem Čech. Lesní půda tu zabírá přes 70 % plochy.

185. *Mechové polštáře v lesním vrchovišti*

186. *Rosnatka okrouhlolistá* (Drosera rotundifolia). *Křehká bylina podmáčených luk a vrchovišť. Hmyzožravý, léčivý a silně ohrožený druh*

prostřednictvím řeky Jizery se tu dokonce rodí jeden z nejvýznamnějších vodních zdrojů hlavního města.

Ze zdejších hydrologických zajímavostí je třeba připomenout náhorní rašeliniska (například Rašeliniště Jizerky, Klečové louky, Vlčí louka), překrásně meandrující toky (Rašeliniště Jizery) nebo peřeje a vodopády, vázané především na prudké severní srázy (Velký Sloupský potok, Černý potok).

187. Zvonek okrouhlolistý (Campanula rotundifolia). V českých horách stoupá až k hřebenům nebo k vrcholům. Kvete od června do září na loukách, pastvinách a v lesních lemech

188. Horští okáči na květech starčeku

189. Larvy chrostíků si v průzračné vodě stavějí charakteristické válcovité příbytky

Prapůvodní lesy Jizerských hor tvořily především bukové pralesy a jedliny. Ve vyšších polohách vzrůstal podíl klenu a smrku, který ve vrcholových polohách získával převahu. Svažité plochy území kryly typické suťové porosty s bukem, jilmem, klenem či jasanem, nejzápadnější okraj pohoří porůstaly chudé bory. Podrost těchto lesních společenstev obvykle zastupovala druhově chudá hercynská flóra. K jejím typickým reprezentantům patřila kupříkladu kyčelnice devítilistá, bažanka vytrvalá, mléčivec alpský, kýchavice zelenokvětá nebo pryskyřník platanolistý. Bohatší druhové spektrum najdeme na minerálně úživnějším podloží bazaltových hornin. Vedle uvedených rostlin tu rozkvétají například hořepník tolitovitý, žluťucha orlíčkolistá, lilie zlatohlávek nebo vstavačovitý kruštík širolistý.

Člověk začal místní pralesy zvolna přeměňovat již ve středověku. Další velká vlna jejich destrukce souvisela s průmyslovým rozvojem podhorských měst a vysokou spotřebou dřeva. Dnešní neveselou podobu vtiskly horským lesům zejména exhalace a následné kalamitní těžby v druhé polovině 20. století. Jenom v osmdesátých letech bylo na jizerskohorské plošině nuceně vytěženo na 60 km^2 porostů! Na většině zasaženého území probíhá v současnosti velkorysý zalesňovací program. Důraz je při něm kladen na kvalitní a geneticky původní sadby a osivo.

Jizerské hory nejsou natolik vysoké, aby se tu vyvinul přirozený holní stupeň. Zachoval se tu však fenomén přirozeně bezlesých rašelinišť, nazývaných pomístně louky. Při okrajích takových ekosystémů se daří bříze pýřité karpatské, původní jizerskohorské kleči a vzácnému jalovci obecnému nízkému. Jádra podobných rašelinných ekosystémů bývají pořád živá a kromě typického rašeliníku hostí i takové botanické klenoty jako kyhanku sivolistou, rosnatku okrouhlolistou nebo blatnici bahenní.

ZVÍŘENA

Rozsáhlé odlesňování v posledních desetiletích poznamenalo také jizerskohorskou faunu. Původní hercynská zvířena prospívá zpravidla ve zbytcích souvislejších lesních porostů, mimo ně ji postupně nahrazují představitelé bezlesí.

Typickými zástupci místních bezobratlých jsou například měkkýši slimáček horský, vřetenatky šedavá a mnohozubá nebo vrásenka pomezní. Hmyz na rašeliništích může reprezentovat šídlo Aeschna subarctica.

Mezi nižšími obratlovci jsou rozšířeny zmije obecná, ještěrka

190. *Zmije obecná* (Vipera berus).
Černá neboli melanická forma žije nejčastěji právě ve vysokých horských polohách. Jediný český jedovatý plaz je podle zákona přísně chráněný

živorodá nebo čolek horský, z ptačí říše nechybějí kos horský, ořešník kropenatý, čečetka zimní ani tetřívek. Drobné savce zastupují například rejsek horský nebo myšice temnopásá, mezi myslivci se těší výborné pověsti místní trofejní jeleni.

ČLOVĚK A PŘÍRODA

Hornaté a hustě zalesněné Jizerské hory byly poprvé silněji kolonizovány až ve vrcholném středověku. Neúrodná půda na žulovém podkladu a drsné klimatické podmínky do hor nikdy nevábily ani zemědělce, ani pastevce. Přicházeli naopak dřevorubci, uhlíři, lesníci a později také skláři – zakladatelé bižuterní tradice.

Na přístupnějších místech byly původní hluboké hvozdy rychle přeměňovány na kulturní smrčiny. Další mohutný impulz dalo intenzivnímu lesnímu hospodaření 19. století s rozvojem severočeských průmyslových center. Otopu, dřevěného uhlí a kvalitního přírodního materiálu nebylo nikdy dost. Tehdejší lesníci pramálo dbali na původ vysazovaných stromků. Nejžádanější bylo smrkové dřevo,

a tak nebylo divu, že takové monokultury brzy převážily nejen v obvodových partiích, ale také na celém náhorním plató. Když potom v druhé polovině dvacátého století zaútočily exhalace z Čech, bývalé NDR a z Polska a po nich se ještě přidali škůdci, smrkové plantáže podléhaly rychle a prakticky bez varování.

Původní porosty se dochovaly jen ostrůvkovitě, ponejvíce na příkrých severních a severovýchodních srázech. Obvykle se dnes těší zvláštnímu ochrannému režimu a odborníci k nim dnes shlížejí s nadějemi. Jsou drahocennou genobankou původních druhů, forem a ekotypů při rekonstrukci místních ekosystémů. Obnova lesů současně posílí vodohospodářský a rekreační potenciál jizerskohorské krajiny.

OCHRANA PŘÍRODY

První zvláště chráněné území bylo v Jizerských horách vyhlášeno v roce 1960. Jednalo se o vrcholovou smrčinu Pralesu Jizera, která má rozlohu 92 ha a stávající statut přírodní rezervace. Významná vlna zřizování maloplošných zvláště chráněných území nastala v roce 1965. Oficiální ochrany ze strany státu se tehdy dočkaly mimo jiné lokality Černá hora, Frýdlantské cimbuří, Klečové louky, Štolpichy nebo Rašeliniště Jizerky.

191. *Skaliska Hajního kostela ve Frýdlantském cimbuří*

Snahy ochránců a milovníků jizerskohorské přírody vyvrcholily v roce 1967, kdy byla vyhlášena výnosem Ministerstva kultury a informací Chráněná krajinná oblast Jizerské hory. V současné době se rozkládá na ploše 350 km^2 a je rozdělena do čtyř zón odstupňované ochrany. Zahrnuje většinu maloplošných zvláště chráněných území, včetně největší Národní přírodní rezervace Jizerskohorské bučiny, jejíž jádro leží na severních expozicích horstva. Nejnižší ochranný stupeň platí ve čtvrté zóně. Ta se blíží plošným podílem k 7 % rozlohy CHKO a spadají do ní především sídla a intenzivněji obhospodařované zemědělské plochy.

TURISTICKÉ CÍLE A ZAJÍMAVOSTI

Bramberk

Důležité turistické rozcestí poblíž Jablonce a Smržovky. Hned v sousedství stojí turistická chata z 19. století a rozhledna z r. 1912.

Černá hora

Výrazný vrchol v centrální části pohoří (1085 m). Sklony porůstají původní porosty svahových a rašelinných smrčin, které přecházejí do menších rašelinišť. Jako všechna podobně exponovaná společenstva v pohoří byly narušeny imisemi a jejich geneticky nejcennější partie chrání přírodní rezervace. V lokalitě najdeme také několik izolovaných skalisek (např. Sněhové věžičky).

Dračí vrch, Fojtka

Dračí vrch je výletní místo severně od Liberce (676 m). Ze zdejší vrcholové skalky se otevírají výhledy na město a na protilehlý Ještědský hřeben stejně jako po jihozápadní části Jizerských hor. Na severních svazích se nachází oplocená Přírodní památka Pod Dračím vrchem, naleziště státem chráněné dřeviny tisu. Údolím Fojteckého potoka sem vede z osady Fojtka krátká naučná stezka. V okolí obce leží dnes již opuštěné doly s tmavou amfibolitickou žulou.

Frýdlantské cimbuří

Mimořádně hodnotný přírodní komplex a stejnojmenná národní přírodní rezervace v severní části pohoří. Oblast zahrnuje romantické údolí Černého potoka se skalními stupni a vodopády. Okolní svahy porůstají pralesovité lesy s dominancí buku. Ve vyšších partiích u hrany plató najdeme imisemi zasažené smrčiny s vtroušenými jeřáby. Nacházejí se tu také četná geomorfologicky zajímavá skaliska a skalní skupiny, včetně horolezeckých terénů (např. Hajní kostel, Frýdlantské cimbuří, Polední kameny).

Jizerka, Bukovec, Rašeliniště Jizerky

Jizerka je nejvýše položená osada v celém pohoří. Protéká jí stejnojmenná horská bystřina. Náplavy jejího pravostranného přítoku (Safírový potok) prosluly jako naleziště vzácných minerálů. V 19. století byly na Jizerce postaveny dvě sklářské hutě, jedna z nich zanikla, druhá byla opravena. Krajinnou dominantu jihovýchodně od obce tvoří čedičový kužel hory Bukovec

(1005 m). Jeho smíšený lesní porost a bylinná vegetace jsou chráněny formou přírodní rezervace, lze si je prohlédnout z naučné stezky. Národní přírodní rezervace Rašeliniště Jizery leží od osady v protilehlém směru. Zahrnuje mimořádně cenný vrchovištní ekosystém, zdobí ji husté klečové porosty a překrásná rašelinná jezírka. Také toto místo je dostupné po povalové naučné stezce.

Klikvová louka

Částečně odtěžené rašeliniště, přírodní rezervace. V proláklině po odtěžené rašelině tu dříve sloužila vodní nádrž, jejíž voda poháněla zařízení brusíren skla v nedalekém

Bedřichově. Místo se jmenuje podle rostlinky klikvy, která se v podrostu rašeliniště hojně vyskytuje.

Královka

Dominanta tzv. Maxovského hřebene (859 m). Zvedá se severovýchodně od Bedřichova (viz Vybraná turistická střediska) a je odtud dobře dostupná po modré značce. V blízkosti vrcholu stojí chata a funkční rozhledna z roku 1907. Starší český název hory zněl „Nekraš".

Kristiánov

Rozcestí nad nádrží Josefův Důl a památné místo jizerskohorského sklářství. V 18. a 19. století zde stávala sklárna, v blízkosti najdeme malý lesní hřbitov. Někdejší hostinec (tzv. Liščí bouda) slouží o víkendech a během sezóny jako sklářské muzeum.

192. V Národní přírodní rezervaci Rašeliniště Jizerky. Přírodovědně hodnotný biotop. Malé Jizerské louky

193. Temeno Smědavské hory (1084 m) je v současnosti téměř bezlesé. Následek dlouhodobé imisní zátěže

Měděnec, Rapická hora

Dvě místní vyvýšeniny v masivu Smrku. V jejich okolí se na přelomu 16. a 17. století těžila cínová ruda (kasiterit). Pozůstatky po důlní činnosti jsou stále dobře patrné (např. štoly Erasmus, Nebeské vojsko, Beránek Boží, Kateřina).

Nová louka

Jizerskohorská samota s důležitým turistickým rozcestím. V 18. a 19. století zde stávala sklářská huť, z které se zachoval panský dům zrekonstruovaný roku 1844 jako lovecký zámeček. Opodál se nachází Přírodní rezervace Nová louka. Zahrnuje rozmanitá stádia vývoje rašeliništního ekosystému, mocnost tamní rašeliny je údajně největší v celém pohoří.

Poledník

Pestré a dobře zmlazující pralesní porosty v severozápadní části pohoří. V závislosti na místních podmínkách jsou tu zastoupeny čisté bučiny a smrčiny stejně jako lesy s příměsí klenů, javorů a dalších druhů původních dřevin. Příkré svahy prostupují izolovaná skaliska a skalní skupiny (viz heslo Srázy). Součást významné Národní přírodní rezervace Jizerskohorské bučiny z roku 1999.

Prales Jizera

Je nejstarší přírodní rezervací v pohoří. Vyhlášena byla v roce 1960 v oblasti Jizery (1122 m), druhé nejvyšší hory na české straně. Chráněn je především zbytek původní horské smrčiny na balvanitém a podmáčeném podkladě, v nejvyšších partiích také kosodřevina. V minulých desetiletích prales silně narušily

exhalace. Na jižním svahu hory leží velké suťovisko a z poměrně vyso1ké a členité vrcholové skály je vynikající rozhled.

Ptačí kupy

Nápadné skalní útvary (1013 m) severozápadně od hory Holubník (1071 m). V jejich okolí se rozkládá přírodní rezervace s imisemi poškozenými hřebenovými porosty smrku, jeřábu a buku.

Rašeliniště Jizery

Nejcennější rašeliništní komplex pohoří, naleziště vzácných druhů rostlin a živočichů. Lokalita je rozmístěna po obou březích horního toku Jizery, pramenící asi kilometr na jihovýchod od vrcholu Smrku. Říčka tu tvoří státní hranici, protéká mělkým údolím a meandruje ve vlastních písčitých nánosech. Centrum národní přírodní rezervace není veřejnosti přístupné.

Smědava, Smědavská hora

Výletní místo a známé turistické rozcestí na soutoku Černé a Bílé Smědé. Leží u tzv. Smědavské silnice, spojující severní a jižní části pohoří. Od počátku 19. století zde stávala turistická útulna, později turistická chata. Její současná podoba se zrodila v roce 1935, kdy byl objekt zrekonstruován po ničivém požáru. Do roku 1969 stával naproti chatě lovecký zámeček. Oblý vrchol Smědavské hory (1084 m) se zvedá odtud přibližně západním směrem.

Smrk

Nejvyšší horu české části Jizerských hor (1124 m) nebuduje žula, nýbrž přeměněné horniny (ruly). V historické době se na vrcholu setkávaly hranice Lužice, Čech a Slezska. Do konce druhé

194. Z hladiny Šolcova rybníka
se vynořují tzv. Srázy

světové války tu stávala rozhledna a turistická chata. Podle hraničních tabulí se hoře říkávalo také „Tabulový smrk".

Souš

Rekreační osada v jihozápadní části Jizerských hor. Prvně byla připomínána v polovině 18. století, ve dvacátých letech 20. století překryla severní polovinu hladina údolní nádrže Souš. Ta vznikla přehrazením Černé Desné a zásobuje pitnou vodou velkou část jizerskohorského podhůří.

Srázy

Exponovaný hřeben v západní části NPR Jizerskohorské bučiny (dříve Poledník – viz výše). Lokalita se alternativně nazývá Ostrá stráň a z jejího poměrně zachovaného porostu vyčnívá několik výrazných skalisek (např. Ostrá stěna, Zvon nebo Homole cukru). Oblíbené terény zde nacházejí horolezci.

186

Špičák, Stržový vrch, Skalní hrad

Špičák (724 m) a Stržový vrch (704 m) jsou dvě kóty v severozápadní části pohoří. Na vrcholku Špičáku je přístupná vyhlídka, v oblasti Stržového vrchu vystupují z balvanitého svahu četná žulová skaliska. Z nich nejznámější jsou asi Lysé skály a Skalní hrad, pojmenovaný podle zaniklého středověkého hrádku. Pomáhal střežit místní obchodní stezku do Lužice. V blízkosti obou vrchů rostou nádherné jizerskohorské lesy, nejzápadnější výběžek NPR Jizerskohorské bučiny.

Vlčí louka, Klečové louky

Dvě menší rašeliniště a stejnojmenná maloplošná zvláště chráněná území (přírodní památka a přírodní rezervace). Najdeme je na jihozápadních expozicích Smědavské hory (viz výše). Vyskytují se na nich význačné rostlinné a živočišné pozůstatky z ledových dob, tzv. glaciální relikty.

VYBRANÁ TURISTICKÁ STŘEDISKA

Hejnice, Lázně Libverda

Historické městečko Hejnice leží na severním předpolí Jizerských hor. Má protáhlý půdorys s osou v korytě říčky Smědá. Je to jedno z nejvýznamnějších poutních míst ve střední Evropě. Cílem letních poutí je původně gotický, v letech 1722 – 1729 T. Haffenheckerem

196. Plischkeho studánka. Nezaměnitelný kamínek jizerskohorské mozaiky

195. Skalní hřib nad Hejnicemi

barokně přestavovaný chrám Navštívení Panny Marie. U dvouvěžového chrámu stojí čtyřdílný františkánský klášter ze 17. století (dílna M. A. Canevalla). Z pozoruhodných stavebních památek připomeňme ještě kamenné plastiky v okolí obou církevních staveb a také hrázděná obydlí. Hejnice jsou ideální nástupní středisko do severní části Jizerských hor.

Severně od Hejnic spočívají historické Lázně Libverda. Připomínány byly již ve druhé polovině 14. století a díky místním vývěrům slabě alkalicko-zemitých a železitých kyselek (nejstarší je tzv. Boží pramen) se tu dodnes léčí například choroby cévní, nervové nebo poruchy pohybového ústrojí. V lázních je celá řada památkově chráněných objektů a dostatek ubytovacích zařízení.

Dopravní dostupnost

Hejnicemi prochází „transjizerská" silnice č. 290, spojující Frýdlant s Desnou a Tanvaldem. Ve směru od

Frýdlantu z ní asi 4 kilometry za Raspenavou odbočuje místní komunikace k Lázním Libverda. Do obou středisek jezdí pravidelná autobusová linka, využít lze samozřejmě také individuální automobilovou dopravu. Pro zimní cestu přes Jizerské hory (od jihovýchodu) je třeba doporučit plnou výbavu, i tak je však jistější volit spoj z opačné strany. Do Hejnice vede rovněž železnice, navazující na trať Frýdlant – Liberec (přestupovat lze v Raspenavě nebo ve Frýdlantu).

DOPORUČENÉ VÝLETY

Trasa číslo 1
Kategorie: celodenní

Od hejnického kostela vykročíme po žluté značce. Přejdeme přes Smědou a proti jejímu toku postupujeme šikmo svahem k lesnímu okraji. Zakrátko se napojíme zprava na zeleně značenou pěšinu stoupající proti vodě Černého potoka ke slepé odbočce k blízkému vodopádu. I nadále budeme postupovat po zelené, nyní již v Národní přírodní rezervaci Jizerskohorské bučiny, dříve NPR Frýdlantské cimbuří. Cesta se zvedá poměrně zprudka a u tzv. Kauschkovy památky odbočuje do lesa méně výrazná, žlutě značená pěšina. Po chvíli nás zavede do krásného jedlobukového pralesa a pak se již vyhoupneme na samotnou hranu vrcholového plató. Nyní nezalitujme krátké odbočky vlevo! Míří na kouzelné rozhledové místo Frýdlantského cimbuří.

Po hraně plató se pak budeme pohybovat v opačném směru. Žlutě značená pěšina nás protáhne prořídlým porostem, borůvčím a mezi dalšími skalními útvary (např. Drbny, Dvojitý viklan) až na jižní expozice Smědavské hory. Jsou odtud široké výhledy na imisemi zasažené plató.

Na tzv. Pavlině louce uhneme po široké lesní cestě doprava (modře značená evropská dálková trasa E 3), abychom se brzy vydali opět po žluté vlevo na asi kilometrový výstup na vrchol Jizery (viz Turistické cíle a zajímavosti).

Když se vrátíme na modrou, budeme po ní kolem tzv. kiosku pokračovat až na Čihadla a na Rozmezí. Přímo před námi se rýsuje další významná dominanta – – Černá hora. V pravém úhlu uhneme vpravo žlutě značenou pěšinou, která po chvíli zamíří doleva k vrcholu (naproti se nabízí krátký slepý výstup ke Sněžným věžičkám). Přes černohorský vrchol přejdeme až do Sedla Holubníku, odkud lze po zelené sejít ke Kauschkově památce a dále se vrátit stejnou cestou jako ráno do Hejnice. Máme-li však ještě síly, zdoláme po červené vrchol Holubníku (1071 m) a přes Ptačí kupy (viz Turistické cíle a zajímavosti) pokračujeme přímo a potom doprava nad skalními útvary Štolpichy (NPR Jizerskohorské bučiny). Po dalších možná dvou kilometrech uhneme za můstkem ostře vlevo a souběžně se žlutou sestoupíme údolím Velkého Štolpichu. Pod nepřehlédnutelným vodopádem lze po žluté a potom po zelené pokračovat až do hejnické části Ferdinandov. Ve stejném místě lze ovšem ostře uhnout do svahu po červené a okolo pozoruhodných skalních útvarů dojít až na Ořešník, další rozhledové místo. Z Ořešníku budeme pokračovat po červené až do Hejnice.

Trasa číslo 2
Kategorie: celodenní

Výlet začíná v Lázních Libverda a dosáhneme při něm nejvyššího bodu v českých Jizerských horách. Jedná se o prostorově posunutou variantu doporučovaného výletu z Nového Města pod Smrkem (viz dále).

197. Reliktní bukojedlina pod severní hranou pohoří. Oblast Frýdlantského cimbuří

198. Stinné vodopády na Černém potoce

199. Smrk (1124 m). Za údolím Smědé
vyrůstá nejvyšší hora v české části pohoří

Nové Město pod Smrkem

Sídlo bylo založeno jako hornická obec roku 1584, na město bylo povýšeno v roce 1592. V blízkém okolí se těžila cínová, železná a měděná ruda (viz hesla Měděnec a Rapická hora – – Turistické cíle a zajímavosti). V centru Nového Města stojí kostel svaté Kateřiny. Jeho loď pochází z počátku 17. století, kostelní věž byla přistavena později. Počínaje 19. stoletím se v městečku rozvíjel dřevařský, strojnický a textilní průmysl (pozdější závod Textilana).

Nové Město je oblíbeným turistickým východištěm k vrcholu Smrku, nejvyšší hory českých Jizerských hor. Přímo ve městě lze využívat přírodní koupaliště, nedaleko vyvěrají minerální prameny. Blízký hraniční přechod skýtá možnost navštívit polská lázeňská střediska nebo tamní stranu pohoří.

Dopravní dostupnost

Do Nového Města pod Smrkem směřuje silniční spojení č. 291 z Frýdlantu, odkud je městečko dostupné autobusovou linkou i individuálně. Přes Ludvíkov se sem lze dopravit také místní silnicí z Lázní Libverda, a kdo má do Nového Města namířeno z nedalekých polských lázní, může využít hraniční přechod zhruba 3 km východně od Nového Města. Do střediska můžeme přijet také po železnici. Stanice Nové Město leží na trati mezi Frýdlantem a Jindřichovicemi pod Smrkem.

DOPORUČENÝ VÝLET
Kategorie: celodenní

Od hotelu Měděnec postupujeme po silnici a později po modře značené odbočce vpravo. Mezi opuštěnými důlními prostorami (viz Měděnec a Rapická hora – Turistické cíle a zajímavosti) potom absolvujeme asi tříkilometrové stoupání na Smrk, nejvyšší horu v české části hor (viz Turistické cíle a zajímavosti). Neuškodí dopředu vědět, že převýšení z Nového Města na vrcholek činí více než 650 m!

Postupovat budeme stále ve stejném směru. Tři sta metrů pod vrcholem musíme však po červené značce ostře odbočit doprava. Červenou neopustíme ke kótě Tišina (873 m; nalevo se nachází stejnojmenná pralesní NPR), k rozcestí tzv. Křížového buku a ještě dále do Lázní Libverda (viz výše). Odtud do Nového Města

200. „Žulová pevnost"
na příkrých severních svazích

můžeme pokračovat
buď po silnici přes Ludvíkov pod
Smrkem, nebo po modře značené
cestě, která obchází zleva
dominantu Sviňského vrchu
(757 m). K hotelu Měděnec
v novoměstském centru
je to z lázní ještě asi 6 km.

Bedřichov, Severák

Bedřichov je významná
rekreační obec v zázemí Liberce
a Jablonce nad Jizerou. Zdejší
sklářská huť byla známá již na
přelomu 16. a 17. století. Obecní
kostel je poměrně mladšího data
(1930) a byl zasvěcen svatému
Antonínovi. V okolí Bedřichova
se nacházejí údolní nádrže
Bedřichov a Josefův Důl

*201. Počínaje močálem Izerskie Bagno
vytváří Jizera státní hranici*

(vodárenský zdroj pro Liberecko).
Středisko nabízí velké množství
ubytovacích možností a celoroční
rekreační využití. Je dobrým
východištěm do centrální části
náhorního plató, téměř na dosah
láká k návštěvě rozhledna Královka
(viz Turistické cíle a zajímavosti).
Oblíbený je zdejší běžecký areál
a v západní části (Vysoký hřeben)
bývá v provozu několik sjezdovek
s vleky. Jihovýchodním směrem
navazuje na Bedřichov Janov nad
Nisou a Maxovský hřeben
s frekventovaným střediskem
Severák (běžecké a sjezdové tratě).

202. Viklan

Dopravní dostupnost

Bedřichov i Severák leží v poměrně hustě osídlené jižní části Jizerských hor. Z Liberce sem odbočuje horská silnice v místní části Starý Harcov, z Jablonce je třeba vyjet k severu směrem na Loučnou nad Nisou. Z obou měst sem směřuje pravidelné autobusové spojení. Problémy nejsou s osobní automobilovou dopravou ani s parkovacími místy (v zimě musíme počítat s odpovídajícím vybavením).

DOPORUČENÝ VÝLET
Kategorie: celodenní

Ze silnice v Bedřichovském sedle odbočuje vpravo zeleně značená cesta. Vydáme se po ní a kolem Viklanu, tzv. Klogertova

kamene a Lichteneckerova kříže (napravo se nachází chráněné území Klikvová louka – viz Turistické cíle a zajímavosti) dojdeme po asi 2,5 km k přehradní hrázi vodní nádrže Bedřichov. Zde vyměníme zelené značení za modré. Podél přilehlého břehu a pak ještě několik desítek metrů proti toku Černé Nisy popojdeme až na turistickou křižovatku s Uhlířskou cestou. Nyní opustíme i modrou a vykročíme vlevo po žluté, abychom se po pár metrech vydali opět severním směrem, znovu po modré vpravo.

Široká cesta slouží v zimě jako lyžařská magistrála. S její pomocí překročíme elevaci Olivetské hory (886 m) a sejdeme až do prostoru Bílé kuchyně. Pozor, u turistického přístřešku je tu třeba odbočit po Oldřichovské silničce vpravo (žlutá), sestup k severu by nás dovedl dolů do Hejnice.

Velkým obloukem budeme obcházet pramennou oblast Malého Štolpichu. Nad severními srázy Štolpichů (viz Turistické cíle a zajímavosti) se necháme dovést až k doprava směřující odbočce na Ptačí kupy (1013 m). Odtud půjdeme po červené přes vrchol Holubníku do Sedla Holubníku a přes vrchol Černé hory potom přejdeme po žluté značce (poslední asi pětikilometrová část výletu je protisměrně popsána v okruhu z Hejnice). Na „odvrácené straně" Černé hory nás čeká rozcestí s modrou značkou. Jedná se o Kristiánovu cestu, jinak opět součást Jizerské lyžařské magistrály.

Právě modrou značku budeme sledovat dalších pět nebo šest kilometrů. Přes Kristiánov a kolem Blatného rybníku nás přivede na Novou Louku (viz. Turistické cíle a zajímavosti). Pro poslední asi dvaapůlkilometrový úsek do Bedřichova můžeme využít buď silnici směřující k jihu, nebo s ní souběžnou žlutě značenou turistickou variantu (na konci se obě možnosti spojují).

Josefův Důl, Horní Maxov

Dvě rekreační střediska v centru jižní části Jizerských hor.

Josefův důl leží na říčce Kamenice. Je to typická podhorská obec založená již v roce 1701. Místní kostel Proměnění Páně pochází z druhé poloviny 19. století. Zdejší obyvatele živila hlavně tradiční výroba skla a podhorské a horské zemědělství. První huť tady stávala již v 17. století, v rekonstruované podobě udržuje tradici místního sklářství dodnes. Mimoto se v roce 1763 začaly v Josefově Dolu tisknout kartouny. Asi dva kilometry od obce je známá stejnojmenná vodárenská nádrž (1982). Opačným směrem leží dobře dostupná střediska Jiřetín a Albrechtice (lyžařský areál Tanvaldský Špičák).

Středisko Horní Maxov je nejlépe dosažitelné z místní josefskodolské části Dolní Maxov. Rozkládá se na jihovýchodním kraji Maxovského hřebene. Tamní kostel Nejsvětějšího srdce Páně pochází z počátku 20. století, význačnou sakrální stavbou je také Brachschmiedova kaplička u příjezdové silnice z Josefova Dolu.

Dopravní dostupnost

Josefův Důl i Horní Maxov dosáhneme nejlépe některou z místních komunikací, protkávajících jižní část Jizerské hornatiny. Zpravidla odbočují vpravo z „podjizerskohorské magistrály" č. 14 mezi Desnou, Tanvaldem, Jabloncem a Libercem. K cestě do Josefova Dolu je nejvýhodnější spojení přes Jiřetín, do Horního Maxova lze od jihu zvolit kratší variantu z Lučan. Až do Dolního Maxova (správně součásti Josefova Dolu) směřuje horská železnice ze Smržovky (odbočka na trati Jablonec – Tanvald).

203. Nad jizerskohorské plató vystupují skalnatá vrcholová torza (Jizera)

DOPORUČENÝ VÝLET
Kategorie: celodenní

Z Josefodolského centra vyjdeme po žluté značce proti proudu Kamenice. Za obcí pokračujeme přímo k východnímu břehu vodní nádrže Josefův Důl a obejdeme ji zprava do rozcestí Kristiánov (viz Turistické cíle a zajímavosti). Od tamního rozcestníku budeme pokračovat dále po červené zhruba v severním směru. Míříme mezi výrazné elevace Holubníku (vlevo) a Černé hory (vpravo), ze Sedla Holubníku vyrazíme v ostrém úhlu doprava. Přes vrcholek Černé hory (viz Turistické cíle a zajímavosti) a dále po žluté a po modré dojdeme

k rozcestí Čihadla, u něhož stojí turistický přístřešek. Odbočíme-li zde po červené krátce doleva, lze si prohlédnout z malé rozhledny Přírodní rezervaci Na Čihadle. Jakmile se pak vrátíme na rozcestí, pokračujeme po modré značce do místa, kde se modrá značka rozděluje. Budeme-li unaveni, můžeme okruh uzavřít asi šestikilometrovou variantou vpravo (tzv. Mořská cesta vede v dolním úseku přes Jedlový důl).

Kompletní trasa ale pokračuje po levostranné odbočce modré cesty (Jizerskohorská lyžařská magistrála). Nejdříve můžeme zhruba půl druhého kilometru dlouhým, žlutě značeným úsekem zdolat vrcholek Jizery (viz Turistické cíle a zajímavosti). Ať již s vědomím dosaženého vrcholu nebo bez něj pokračujeme stále po modrém značení magistrály přes Pavlinu louku na Smědavu. Je možnost si tu odpočinout a občerstvit se v horské chatě (viz Turistické cíle a zajímavosti).

Do Josefova Dolu se budeme vracet po horské silnici č. 290 směrem na Souš. Zelená značka nás povede do místa U studánky a pak se poněkud stáčí vpravo. Obejdeme po ní nejprve zprava Zelený vrch (966 m), za můstkem přes Bílou Desnou potom zleva další elevaci - Milíř (999 m). Pokračujeme zpevněnou lesní svážnicí (Kyselá voda). Na rozcestí u Mariánskohorských bud odbočíme po žluté vpravo do Josefova Dolu. Ze Smědavy je to do cíle asi 9 km.

Horní Polubný, Dolní Polubný, Desná

Horská střediska v jihovýchodní části pohoří, východiště do prostoru Jizerky. V Horním Polubném stojí historický kostel svatého Jana Křtitele z 18. století, významnou památkou je

i nedokončený větrný mlýn. Nedaleko v Dolním Kořenově vyvěrá léčivý sirný pramen.

Dolní Polubný náleží po správní stránce pod obec Desnou. Ta byla poprvé vzpomínána v roce 1691 a jmenuje se podle protékající říčky. Nad Desnou bylo na Černé Desné vybudováno vodní dílo Souš (viz Turistické cíle a zajímavosti). I na sesterské Bílé Desné stávala přehrada, v roce 1916 se ovšem protrhla a způsobila místní katastrofu. U zbytků staré hráze je pamětní deska.

Dopravní dostupnost

Horní Polubný i Dolní Polubný dosáhneme po silnici č. 290, odbočující mezi Dolním Tesařovem a Desnou z podjizerskohorské „magistrály" č. 14. Pokud míříme do Dolního Polubného, je třeba v posledním úseku zabočit vpravo. Ze směru od Tanvaldu doporučujeme před Desnou odbočit do Dolního Polubného vpravo. Obě střediska spojují s okolím autobusové linky a dobře se do nich dostaneme i osobním automobilem. Do všech tří uvedených středisek můžeme přijet také vlakem. Na trati Tanvald – Harrachov – Novosvětský průsmyk vystoupíme na zastávkách Desná nebo Kořenov (Polubný).

DOPORUČENÝ VÝLET
Kategorie: půldenní až celodenní

Z Horního Polubného vykročíme po zelené značce k severozápadu. Po kraji enklávy Nýčovy domky sejdeme až na turistické rozcestí v Souši. Z Dolního Polubného se do stejného místa dostaneme po červené proti proudu Černé Desné nebo po silnici přes Černou Říčku.

V Souši si můžeme zajít prohlédnout hráz vodárenské nádrže, pak se ale vrátíme na rozcestí a po modré značce

vyrazíme do svahu (tzv. Jizerská lyžařská magistrála). Vlevo ponecháme Hruškové skály a kótu Bílých kamenů (993 m), dokud se nepřipojíme k polubenské silnici. Brzy se ocitneme na turistickém rozcestí s červenou. Později se odtud budeme po červené vracet do Horního či do Dolního Polubného.

Před tím nahlédneme ale do jedné z nejpozoruhodnějších částí Jizerských hor i celých Sudet. Především tři blízké cíle bychom neměli vynechat: Bukovec, osadu Jizerka a Rašeliniště Jizerky (viz Turistické cíle a zajímavosti). Nikterak dlouhou, zato však zajímavou exkurzi zakončíme v údolí Jizery. Vracíme se zpět po již avizované červené značce, nezapomeňme jen v pravý moment odbočit po žluté podél železnice doprava. Z Horního Polubného do Dolního Polubného doporučujeme potom využít neznačenou zkratku.

Pro nejnáročnější chodce můžeme doporučit alternativu. Ještě na Jizerce uhýbá mezi tzv. Panským a Hnojovým domem z hlavní silnice č. 290 zeleně značená Lasičí cesta. Asi po dvou kilometrech po ní lze dosáhnout sedélko v tzv. Středním hřebeni jizerském, po němž postupujeme k severozápadu. Mineme několik skalisek a přes nejvyšší místní vrchol Pytlácké kameny (975 m; rozhledové místo) pokračujeme ještě zhruba čtyřkilometrovým chodníkem a nakonec asfaltkou k rozcestí Předěl. Z hřebene jsme téměř po celou dobu mohli po pravé ruce sledovat údolí s NPR Rašeliniště Jizery.

Z pětisměrného rozcestí Předěl zamíříme doleva po červené značce. Obejdeme Plochý vrch (939 m) a ze sedélka pod Zadním kopcem (905 m) seběhneme k Černé Smědé a podél ní až na Smědavu. Na Jizerku se vrátíme neveřejnou silnicí s červeným značením. Úsek Smědava – Jizerka měří asi 7 km a celý „okruh" 19 km.

DOPORUČENÉ TRASY PŘECHODU POHOŘÍ

Varianta 1 (severní)

První den (osa: Frýdlant – Oldřichov v Hájích nebo Albrechtice pod Frýdlantem – Hejnice)

Od motorestu v Albrechticích postupujeme na východ vzhůru, po zeleně značené (tzv. Lovecké) cestě. Výhodou „albrechtické trasy" je možnost zdolání Špičáku (viz Turistické cíle a zajímavosti) Nastoupíme-li z Frýdlantu, musíme k jihu po žluté, při cestě z Oldřichova volíme severní modrou eventualitu. Zmíněné tři cesty se setkávají na severozápadním úbočí Stržového vrchu (lokalita u Hřebenového vrchu). Dále po zeleně značené cestě postupujeme od Hraničního buku přes Skalní hrad a Lysé skály do Oldřichovského sedla. Odtud stoupáme stále po zelené na kótu Polednník (864 m), po levé ruce necháváme lokality Srázy a Polednník, napravo se mírněji sklání pramenná oblast Jeřice. Na rozcestí Bílá kuchyně uhneme modře značenou Libereckou cestou vlevo. Dovede nás postupně do Ferdinandova a do Hejnice.

Druhý den (osa: Hejnice – Smědava)

Z Hejnice se přesuneme asi o kilometr na sever do Lázní Libverda. Podnikneme odtud poměrně náročný výstup na nejvyšší horu české části Jizerských hor – Smrk (začínáme po červené a cesta je protisměrně popisována ve výletu z Nového Města pod Smrkem). Ze Smrku budeme sestupovat k jihu nejprve po modré a poté stále přímým směrem po souběžné modré a červené značce. Pěšina nyní prudce klesá, však se jí proto říká Nebeský žebřík. Přibližně po dvou kilometrech necháme modrou značku odbočit vpravo a věrni červené dojdeme k rozcestí Předěl. Odtud k chatě Smědava jsou je to ještě asi 2 kilometry.

Třetí den (osa: Smědava – Horní/Dolní Polubný)

Pro cestu ze Smědavy do Polubného si můžeme vybrat mezi pohodlnější západní verzí a přechodem po Středním hřebeni, přes Pytlácké kameny. Obě možnosti byly již protisměrně popsány v případě výletu z Horního (Dolního) Polubného (úsek Smědava – Jizerka).

Varianta 2 (jižní)

První den (osa: Oldřichov v Hájích – Bedřichov)

Z Oldřichova do místa zvaného Bílá kuchyně postupujeme podle předchozí varianty 1 (první den). Jakmile v Bílé kuchyni uhneme po modře značené magistrále vpravo, využijeme protisměrně popis navrhovaného výletu z Bedřichova.

Druhý den (osa: Bedřichov – Josefův Důl)

Až do lokality Rozmezí půjdeme podle instrukcí druhé poloviny „bedřichovské trasy" (protisměrně). Z Rozmezí pokračujeme dále po modré značce

na Čihadla. Do Josefova Dolu
dovede popis druhé části okružní
trasy z Josefova Dolu.

Třetí den (osa: Josefův Důl – Horní/Dolní Polubný)

Z centra Josefova Dolu
vyjdeme proti toku Jedlové,
severovýchodním směrem po
souběžné modré a žluté značce.
Žlutá se brzy odkloní vpravo na
Mariánskohorské boudy a přes
Bílou Desnou nás vede k Protržené
přehradě (viz Vybraná turistická
střediska – Horní Polubný, Dolní

Polubný, Desná). Následuje
přibližně sedmikilometrový úsek
po žluté značce. S její pomocí
překročíme silnici č. 290 a Vlašský
hřeben, z něhož sejdeme
po tzv. Jezdecké cestě na Jizerku
(viz Turistické cíle a zajímavosti).
Poslední úsek cesty popisujeme
v odpovídajícím turistickém
okruhu z Horního a Dolního
Polubného.

*205. Za plochým údolím horní Jizery
vybíhá polský Wysoki Grzbiet*

Vybrané mapy a průvodce

Jizerské hory. Cykloturistická
mapa č. 103, SHOCART, Zlín,
1:75 000, 1999.
Jizerské hory. Geodézie ČS,
Praha, 1:50 000, 1999.
Jizerské hory. Soubor
turistických map. Geodetický
a kartografický podnik Praha,
1:100 000, 1998.
Jizerské hory - jih.
Nakladatelství ROSY, Mělník,
1:25 000, 2000.
Jizerské hory a Frýdlantsko.
Turistická mapa č. 20 - 21, Edice
Klubu českých turistů, Praha,
1:50 000, 2. vydání 1998.
Jizerské hory, Frýdlantsko.
Turistická mapa č. 02, SHOCART,
Zlín, 1:50 000, 1999.

ORLICKÉ HORY
(Chvála harmonie)

Nedosahují mimořádných výšek, jsou však neobyčejně podmanivé, malebné a vyvážené. Střídají se tu rozsáhlé lesní porosty s holinami, svěží květnaté louky a hluboká údolí s hřebenovými rašeliništi a jiskřivými potoky. Na řadě míst se už nadobro zabydlely moderní rekreace, turistika a sportování, stále tu ale zůstává dost příležitostí pro hledače ticha, klidu a samoty. A když se pak hřebeny ponoří do hustého mlžného příkrovu, můžete znenadání potkat obrovského jelena nebo tajuplného a možná i trochu poťouchlého ducha Rampušáka.

POLOHA

Orlické hory mají ráz ploché hornatiny. Jsou součástí Sudetské soustavy a klenou se ve směru od severozápadu k jihovýchodu mezi tzv. Sudetským mezihořím a Štítskou brázdou. Směrem do východních Čech se jejich hřeben zvolna rozpouští v Podorlické pahorkatině, protější sklony do Orlického záhoří bývají krátké, o to však příkřejší. Za horním tokem Divoké Orlice probíhá potom paralelní hřeben polských Bystřických hor (Góry Bystrzyckie).

Na délku měří orlickohorský hřeben zhruba 50 km, jeho největší šířka je přibližně pětinová. Rozloha hor jenom mírně přesahuje 340 km^2, střední výška 710 m. Nejvyšší vrcholy najdeme na severovýchodě masivu, konkrétně v tzv. Deštenské hornatině. Absolutní primát zde patří Velké Deštné, dosahující vrcholem do nadmořské úrovně 1115 metrů.

GEOLOGIE A GEOMORFOLOGIE

Horopisně pohoří spadá do střední části Sudetské soustavy. Představuje starou parovinu, která byla během saxonských pochodů vysunuta k východu, kde ji ohraničil poměrně výrazný zlom. Právě tato kerná hrana dnes tvoří hlavní hřeben s morfologicky nepříliš výraznými

206. Za slušného počasí lze z Vrchmezí
přehlédnout velkou část Broumovska
a Gór Stołowych v Polsku

vrcholy Vrchmezí (1084 m), Velká
Deštná, Tetřevec (1043 m) atd. Po
morfologické stránce k horstvu
nerozlučně patří příčné průlomy
Divoké a Tiché Orlice v jihozápadní
části pohoří (tzv. Mladkovská
vrchovina). Naopak v okolí
nejvyšších vrcholů bychom mohli
narazit na některé pozůstatky
pleistocénního mrazového
zvětrávání, například na mrazové
sruby nebo na kamenná moře.

Z hornin najdeme v Orlických
horách převážně proterozoické ruly
nebo migmatity – typické horniny
jádra tzv. orlicko-kladské klenby.
Zejména v podhůří je někdy
doprovázejí pásma svorů,
amfibolitů či fylitů, v severní části
hor se uplatňují také vyvřeliny
(granodiority). Podloží Záhoří
a okolí Zemské brány není skoupé
na ostrůvky křídových sedimentů,
zvláště pískovců nebo slínovců.

207. Kajakáři na Divoké Orlici.
Peřeje v soutěsce Zemské brány

VODSTVO

Severozápadní část hraničního
hřebene tvoří Evropské rozvodí
mezi Severním mořem a Baltem.
Tato důležitá linie u Šerlichu
prudce uhýbá k severu na polské
území. Českou část Orlických hor
tak odvodňují výhradně

pravostranné přítoky Orlice a s ní
posléze Labe. Orlice má v horní
části dvě téměř rovnocenné
zdrojnice. Divoká Orlice pramení
v oblasti polského rašeliniště
Czarne Bagno, Tichá Orlice se rodí

208. Prvosenka vyšší (Primula elatior).
Sírově žluté květy zvěstují jaro v horách
téměř celé západní, střední a jižní
Evropy. Spolu s prvosenkou jarní bývají
nazývány „petrklíč"

nad Orlicí byla v 30. letech
20. století napuštěna dvojstupňová
přehradní nádrž Pastviny – Nekoř.
Plní především regulační,
energetickou a rekreační funkci.
Na hřebenech i na svazích
Orlických hor nalezneme některá
hydrologicky zajímavá rašeliniště
(Jelení lázeň, Velká louka).

PODNEBÍ

Hřebeny a vrcholové partie jsou
vystaveny převládajícímu
severozápadnímu a severnímu
proudění, nebývá zde proto nouze
o vydatné srážky. V nejvyšších
polohách nedosahují průměry
ročních teplot často ani 4 °C.

S klesající nadmořskou výškou
teplota stoupá, srážek ubývá.
V Deštném například
zaznamenávají za rok
průměrnou teplotu 5,4 °C
a úhrny srážek 1116 mm.
V nedalekém Náchodě
je to analogicky už 7,2 °C,
respektive 753 mm.

Při stabilním zvrstvení
atmosféry inklinují

blízko rozvodí Severního a Černého
moře v nejzápadnějším výběžku
Hanušovické vrchoviny.

Z jihozápadních svahů nejvyšší
části hor stékají drobnější toky
Olešanka, Bělá, Zdobnice, Říčka
a Hvězdná.

Na Tiché Orlici pod Kláštercem

209. Bledule jarní (Leucojum vernum).
Světliny hraničního hřebene okráslí
bledulky často ještě v objetí sněhu

210. Zima v hřebenových porostech

hlubší doliny k vytváření výrazných teplotních inverzí. Poblíž hlavního hřebene bývá jasně naznačen vrcholový jev. Souvislá sněhová pokrývka leží pak obvykle ve střediscích přinejmenším čtyři měsíce v roce.

ROSTLINSTVO

Škála vegetačních stupňů sahá v Orlických horách od podhorského po vyšší horský neboli supramontánní. Zdejší lesnatost se přibližuje k 70 %. Původní pestré lesy byly také v Orlických horách výrazně přeměňovány na kulturní smrčiny. Nejcennější pozůstatky přirozených porostů chrání zpravidla stát. A s jakými typy lesů bychom se měli v oblasti potenciálně setkávat?

Doma tu bývaly především květnaté bučiny, střídané horskými acidofilními bučinami s dominantní třtinou nebo bikou v podrostu. Přímo na hřebenech bychom mohli očekávat porosty klenových bučin nebo klimatické horské smrčiny. Příkré, zasutěné a skalnaté svahy by patřily suťovým lesům a javořinám s přimísenou lípou nebo habrem. Říční údolí náleží nejspíše olšinám.

Současná květena hor je poměrně pestrá a svědčí o jejich zajímavé a do značné míry hraniční biogeografické poloze. Z význačnějších druhů se tu vyskytují například kamzičník rakouský nebo koprníček bezobalný, oba sem zasahují až z karpatské oblasti. Další druhy zde našly naopak nejvýchodnější známé stanoviště (např. koprník štětinolistý). Z ostatních typických zástupců horské flóry uveďme aspoň vrbovku vysokohorskou, mléčivec alpský, pryskyřník platanolistý nebo modrokvětý oměj šalamounek. Na orlickohorských rašeliništích nescházejí kyhanka sivolistá, rosnatka okrouhlolistá, bradáček srdčitý ani tučnice obecná.

211. Babočka paví oko (Nymphalis io). Samičky se objevují brzy zjara, kdy po přezimování vylétají ze zimních úkrytů (např. sklepy, půdy nebo kůlny horských stavení). Krásný a hojně rozšířený motýl

ZVÍŘENA

Faunu Orlických hor můžeme charakterizovat jako hercynskou, převažují v ní typičtí zástupci podhorských a horských poloh.

212. Devětsil bílý (Petasites albus). Horský druh z čeledi hvězdnicovitých. Známý je ve všech českých pohořích, kde jsou jeho doménou břehy potoků, prameniště nebo kraje cest

213. Kohoutek luční (Lychnis flos-cuculi). Má typicky hluboce dělené korunní plátky. Na vlhčích až rašelinných loukách vystupuje do podhorského nebo horského stupně

Také ve světě zvířat se v posledních desetiletích projevuje vliv imisních holin a s nimi spojený nástup druhů upřednostňujících bezlesí na úkor zástupců typické lesní zvířeny.

Z představitelů původních bezobratlých živočichů můžeme pro ilustraci vybrat měkkýše slimáčníka horského, vrásenku pomezní, plže druhu *Iphigena badia*, známého jinak až z Alp,

214. Chalupaření na Bedřichovce.
V Orlickozáhorské brázdě

samostatným kulturním životem, k význačnější kolonizaci horských poloh došlo teprve během 16. století, převážně německým etnikem. Nepříliš úrodná oblast Orlických hor a zdejší podhorské a horské zemědělství nemohly místní obyvatele dostatečně živit. A jelikož se této části východních Čech vyhýbala i průmyslová výroba v 18. a 19. století, orientovalo se zdejší hospodářství převážně na tkalcovství a krajkářství. Vždyť „vamberecká krajka" – to je stále ještě pojem.

Hustota současného osídlení je v Orlických horách nižší, než bývala třeba počátkem 20. století. Podobně jako u některých dalších pohraničních hor ji ovlivnil odsun německého etnika po druhé světové válce. Velkou část horských a podhorských objektů využívají dnes k rekreaci rodiny nebo chalupáři.

Největším současným problémem přírody Orlických hor jsou jistě neutěšené imisní holiny v hřebenových partiích. Jsou svědkem mnohaletého přenosu škodlivin, zejména z velkých energetických zdrojů (východočeské elektrárny Chvaletice a Opatovice).

OCHRANA PŘÍRODY

V Orlických horách najdeme téměř dvacet maloplošných zvláště chráněných území s celkovou rozlohou asi 415 ha. Nejstarší z nich byla vyhlášena v roce 1954 (NPR Bukačka, PR Černý důl, PR Sedloňovský vrch) a zahrnují zbytky původních pralesních porostů. Cenné rašeliništní ekosystémy chrání PR Jelení lázeň nebo PP U Kunštátské kaple, unikátní geomorfologický celek představuje průlom Divoké Orlice v tzv. Zemské bráně (přírodní rezervace). V roce 1969 byly přírodovědně nejhodnotnější části pohoří prohlášeny chráněnou krajinnou oblastí. Nejpřísněji

nebo obyvatele vlhkých a rašelinných lokalit – šídlo rašelinné. Nižší obratlovce oblasti reprezentují například čolek horský, ještěrka živorodá nebo zmije obecná. Opeřencům kralují tetřívci, vyskytují se tu ovšem také kosi horští, čečetky zimní nebo ořešníci kropenatí. Trofejně velmi ceněná je zdejší vysoká zvěř.

ČLOVĚK A PŘÍRODA

Hluboké lesy Orlických hor začali lidé mýtit už na přelomu středověku a novověku. Hlavním odběratelem ceněné suroviny bylo hlavně místní sklářství, klády i polena odtud však směřovaly také po Orlici a dále po Labi, většinou pro potřebu kutnohorských dolů. A co se dělo s odlesněnou plochou? Dílem na ní byly vysazovány smrkové monokultury, dílem na ní začal být pasen dobytek.

Zatímco podhůří bylo osídleno odnepaměti a žilo svým

chráněná I. zóna zabírá téměř 5 % z celkové plochy, II. zóna je pak s odpovídajícími 85 % relativně nejrozlehlejší.

K naléhavým úkolům příštích let bude nepochybně patřit soustavné zalesňování novodobých imisních holin, obzvláště v hřebenových partiích pohoří. Postupně jsou napravovány narušené odtokové a retenční poměry, někdejší nevhodné meliorace střídají revitalizace toků. Pomalu, ale jistě se začínají uplatňovat udržitelné způsoby obhospodařování zemědělských ploch, zejména extenzivní pastvinářství a lukařství. Koncepčnímu rozvoji se nevyhnou ani místní rekreační a turistická střediska a zařízení (např. rozvoj cykloturistiky).

215. Předjaří v Národní přírodní rezervaci Bukačka

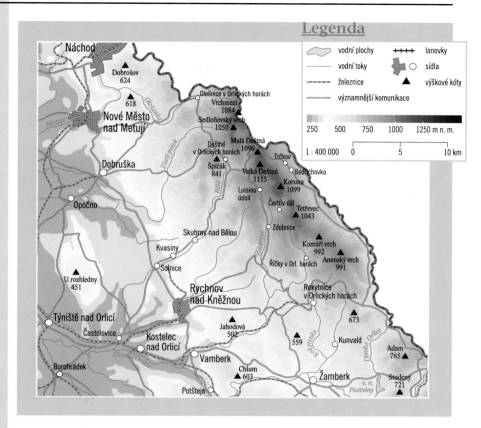

TURISTICKÉ CÍLE A ZAJÍMAVOSTI

Anenský vrch

Jedna z dominant hlavního orlickohorského hřebene (991 m). Leží jihovýchodně od sedla Mezivrší naproti Komářímu vrchu (viz dále). Při cestě ze sedla lze doporučit prohlídku pohraničního opevnění, budovaného ve 30. letech 20. století. Ve stejném období byla z vrcholu přemístěna historická kaple svaté Anny do nedaleké vísky Hadinec.

Bukačka

Prales na hlavním hřebeni nedaleko Šerlichu. Jedno z nejstarších chráněných území v pohoří – národní přírodní rezervace. Porost tvoří bizarní buky s příměsí smrku, klenu a jeřábu, velice bohatý je zdejší bylinný podrost (počet druhů cévnatých rostlin je odhadován na dvě stovky).

216. Masarykova chata. Patrně
nejznámější turistické zařízení
na orlickohorských hřebenech

a zajímavosti) a Orlickým Záhořím,
dochovaly se tady zbytky
vojenského opevnění z druhé
světové války.

Kunštátská kaple

Kaple s kruhovým půdorysem
byla postavena roku 1760.
Zasvěcena je Panně Marii a nachází
se v nadmořské výšce 1035 m
přímo na orlickohorském hřebeni.
U tzv. Pěticestí, asi kilometr na jih
od kaple, leží horské rašeliniště
a Přírodní památka U Kunštátské
kaple. Jiný význačný mokřad

Čertův důl

Původně dřevařská obec
založená v 18. století. Nachází
se v hlubokém údolí levostranného
přítoku Zdobnice mezi horami
Strážný (863 m) a Tetřevec (1043 m),
pod střední částí hlavního hřebene.

Jelení lázeň

Vrchoviště na hlavním hřebeni
jižně od vrcholu Malé Deštné.
Unikátní ekosystém je chráněn
jako přírodní rezervace. Mocnost
rašelinné vrstvy dosahuje nanejvýš
okolo jednoho metru.

Komáří vrch, Mezivrší

Komáří vrch (992 m) se zvedá
nad sedlem Mezivrší
v jihovýchodní části hřebene
Deštenské hornatiny. Porosty
v okolí vrcholu jsou chráněny
jako přírodní rezervace, z holin
na severovýchodě se odkrývají
pohledy na masiv Velké Deštné.
Sedlem prochází horská silnice
mezi Říčkami (viz Turistické cíle

217. Skupina Velké Deštné (1115 m)
od obce Ošerov

míjíme při cestě mezi Pěticestím a Zdobnicí (Přírodní památka Rašeliniště pod Pěticestím).

Luisino údolí

Rekreační osada Luisino údolí leží zhruba 4 km jihovýchodně od střediska Deštné. Jádrem někdejší dřevařské vsi bývala zaniklá sklářská huť. Od zdejšího důležitého rozcestníku několika turistických směrů se obvykle vychází na Velkou Deštnou (viz dále).

Sedloňovský vrch

Jedna z dominant v severozápadní části pohoří (1050 m). Západní příkré svahy porůstá smíšená jedlobučina s pestrým bylinným patrem. Nejzachovalejší partie chrání nejrozlehlejší přírodní rezervace v Orlických horách (bezmála 100 ha). Na jih pod vrcholem stával u rozcestí pamětní kříž (tzv. Sedloňovský černý kříž).

Šerlich

Celoročně oblíbená lokalita Orlických hor leží v oblasti hlavního hřebene v sedle mezi kótami Šerlich (1027 m) a Malá Deštná (1090 m). Blízko odtud prochází horská silnice spojující Orlické Záhoří s českým vnitrozemím. Kromě známé Masarykovy chaty z roku 1925, několika dalších samot a parkoviště tu najdeme také krásné loučky a v zimě ideální cvičné svahy. Nároční sjezdaři mohou využít nedaleké polské středisko (Zieleniec), milovníky běžek a turisty lákají spíše hřebenové výlety k Vrchmezí nebo naopak k Velké Deštné.

Šerlišský Mlýn

Výletní místo v údolí Bělé. Kdysi zde stával tzv. Postlerův mlýn s několika přiléhajícími staveními. Na počátku 20. století byl mlýn přestavěn jako výletní hostinec, ještě později jako hotel. Šerlišský Mlýn je přístupný po silničce z Deštného a slouží jako výborné východiště do severozápadní části orlickohorského hřebene.

Trčkov, Bedřichovka

Dvě sousedící samoty v Orlickozáhorské brázdě. Osady Trčkov i Bedřichovka byly vzpomínány již v 18. století a obě patrně vyrostly okolo starých sklářských hutí. V současnosti se v nich soustřeďují především rodinná a podniková rekreace. Poblíž se nachází několik důležitých maloplošných zvláště chráněných území. Jedná

218. Podmáčené Trčkovské louky. Od osmdesátých let 20. století přírodní rezervace

se například o Národní přírodní rezervaci Trčkov (zbytek přirozené bukojedliny na východních svazích Malé Deštné), Přírodní rezervaci Bedřichovka nebo Přírodní památku Velká louka (botanicky zajímavé rašeliništní louky).

Velká Deštná

Vrchol je s 1115 m nejvyšším bodem pohoří. Přístupný je po krátké odbočce z červeně značené hřebenové trasy (tzv. Jiráskova cesta). V současné době je díky imisní zátěži okolí vrcholu téměř bezlesé, nabízejí se odtud proto široké rozhledy. Dříve se Velké Deštné říkávalo Sedmihradská hora.

Vrchmezí

Hora na severozápadním okraji hlavního hřebene (1084 m). Vrchol leží na státní hranici a je turisticky dostupný. V Polsku se mu říká Orlica a tamní část pohoří zde kulminuje. Shora jsou za dobrého počasí daleké výhledy, před druhou světovou válkou tu stávala chata.

Při takzvané Jiráskově cestě na severozápadním úbočí roste dobře zmlazující pralesní jedlobučina (Přírodní rezervace Pod Vrchmezím).

Zdobnice

Typická horská obec v údolí stejnojmenné říčky, připomínána byla již v polovině 17. století. Klasicistní kostel Dobrého pastýře byl postaven v druhé půli století osmnáctého. V současnosti se jedná o jedno z nejoblíbenějších rekreačních středisek v Orlických horách.

Zemská brána

Pozoruhodný průlom Divoké Orlice skrz Mladkovskou vrchovinu, která na jihovýchodě sousedí s Deštenskou hornatinou. Soutěska v rulových skaliscích je chráněna jako přírodní rezervace. Oblíbené vodácké místo. V horním úseku se přes vodu klene starý kamenný most na silnici Bartošovice – Čihák.

221. Strategické opevnění v sedle
Mezivrší. V pozadí Komáří vrch (992 m)

219. Pod kótou Vrchmezí (1084 m).
Informační tabule na naučné stezce

220. Orlickohorské hřebeny zpod
Komářího vrchu. Za Pěticestím vystupují
vrchy Tetřevec (1043 m) a Velká Deštná

VYBRANÁ TURISTICKÁ STŘEDISKA

Deštné v Orlických horách

Nejznámější, největší a nejvíce navštěvované středisko v pohoří. Nachází se západně od Velké Deštné v údolí říčky Bělá.

Deštné bylo založeno jako dřevařská osada (Desztny), první zmínka o něm pochází z roku 1362. Během husitských válek význam vsi upadá, k následné kolonizaci došlo až v 16. a 17. století. Tehdy vyrostlo v okolí vedle tradičních drobných tkalcoven také několik skláren, specializujících se na výrobu tzv. kolovratského křišťálu a malovaných pohárů. Gotický kostel byl v 18. století přestavěn v barokním slohu. Zasvěcen je Maří Magdaléně a stojí před ním rokokové sousoší Panny Marie, sv. Josefa, sv. Jáchyma a sv. Anny.

Dnes se v obci rozvíjejí především rekreace a turistický ruch. Rozbíhají se odtud krásné a zajímavé trasy do Deštenské

222. Hraniční průsek na hlavním hřebeni. V pozadí silueta Polomského kopce (1050 m)

hornatiny, silničkou č. 311 lze vyjet až na hřeben (Šerlich – viz Turistické cíle a zajímavosti). V Deštném je k dispozici bazén. I náročnější milovníky lyží jistě uspokojí sjezdařské centrum v jihovýchodní části obce, v okolí obce jsou v zimě udržovány četné běžecké stopy.

Dopravní dostupnost

Deštné je dobře dostupné autobusem i individuální automobilovou dopravou. Od Dobrušky lze využít silnici č. 309, na kterou se u Plesnice napojuje silnice č. 310 z Olešnice, po níž lze dále pokračovat až do Rokytnice (železniční zastávka na trati Doudleby – Vamberk – Rokytnice). Pro příjezd od Kvasin, kam vede železniční odbočka z Častolovic, můžeme využít komunikaci č. 321. Máme-li do Deštného namířeno od východu, využijeme nejspíše silnici č. 311. Vede přes Orlické záhoří a přes Šerlich, v zimě však mohou být problémy se sjízdností.

DOPORUČENÝ VÝLET
Kategorie: celodenní

Z východního konce Deštného vystoupáme po modře značené cestě do Luisina Údolí (viz Turistické cíle a zajímavosti). Odtud se vydáme vlevo po zelené, zdoláme nejvyšší horu Orlických hor Velkou Deštnou. Pokračujeme ve směru a na příštím rozcestí odbočíme vlevo po červeně značené hřebenovce, abychom okolo Jelení lázně a vrcholu Malé Deštné sestoupili do sedla Šerlich. Červená míjí Masarykovu chatu a dovede nás přes romantické porosty Národní přírodní rezervace Bukačka až k odbočce široké lesní cesty uhýbající doleva (zelená). Od této křižovatky můžeme buď po červené pokračovat na vrchol Vrchmezí, nebo po zmíněné zelené začneme okruh výletu uzavírat. Nejprve sejdeme pod Sedloňovským vrchem a dále po horním okraji stejnojmenného chráněného území ke Sedloňovskému černému kříži (rozcestí). Odtud až do cíle budeme držet směr a sledovat modrou značku.

223. Jaro v Říčkách. V pozadí Zakletý (991 m) s jizvami sjezdovek

Říčky

Horská vesnice pod jihovýchodní částí Deštenské hornatiny. Rozkládá se na svazích v okolí soutoku Říčky a Hlubokého potoka.

Ve starých kronikách byly prvně připomínány v roce 1654. V centru obce byla v 18. století postavena kaple, která se později rozrostla na barokní kostel Nejsvětější Trojice. Místní ráz umocňuje řada lidových, převážně roubených chalup a stavení. Na jihovýchodních svazích blízké hory Zakletý (991 m) leží zimní středisko s třemi udržovanými sjezdovkami a lyžařskými vleky.

Dopravní dostupnost

Automobilem nebo autobusem lze do Říček přijet některou z místních odboček. Ze směru od Rokytnice do Bartošovic odbočíme například vlevo ze silnice č. 319, nebo ve směru Rokytnice – Deštné zahneme ze spoje č. 310 vpravo.

224. Nejvyšší část hřebene z Orlického Záhoří

DOPORUČENÝ VÝLET

Kategorie: celodenní (v maximální variantě)

Od turistického rozcestí u pramene Zlatý crk postupujeme severovýchodním směrem. Po modře značené pěšině dosáhneme až hlavního hřebene pod Anenským vrchem (viz Turistické cíle a zajímavosti). K jeho vrcholu zbývá dojít po kilometru souběžné červené a modré. Prohlédneme si tamní vojenské opevnění a vydáme se nejprve krátce nazpět stejnou cestou, pak se však již budeme důsledně držet červeně značené Jiráskovy cesty. Překročíme asfaltovou silnici v sedle Mezivrší a budeme opět mírně stoupat kolem Komářího vrchu (Turistické cíle a zajímavosti). Stále po hlavním hřebeni dojdeme do lokality Pěticestí. Odtud můžeme krátkou zacházkou navštívit Kunštátskou kapli (asi 1 km), pro konečný návrat do Říček se ale raději vrátíme do Pěticestí. Po žlutě značené jižní trase se nejprve přehoupneme přes vrcholek Zakletého, poté pokračujeme souběžně se sjezdovou tratí a nakonec vpravo od ní přes Strašidelný mlýn do Říček.

DOPORUČENÁ TRASA PŘECHODU POHOŘÍ

První den [osa: Olešnice v Orlických horách – Vrchmezí – Bukačka – Šerlišský Mlýn – Deštné v Orlických horách]

Druhý den [osa: Deštné v Orlických horách – Šerlich – Velká Deštná – Tetřevec – Pěticestí – Říčky v Orlických horách]

Třetí den [osa: Říčky v Orlických horách – Anenský vrch – Hanička – Přední vrch – Zemská brána – Čihák (České Petrovice)]

Vybrané mapy a průvodce

Orlické hory. Turistická mapa č. 27, Edice Klubu českých turistů, Praha, 1:50 000, 2. vydání 1998.
Orlické hory, Góry Stolowe. Cykloturistická mapa č. 116, SHOCART, Zlín, 1:75 000, 1999.
Orlické hory, Góry Stolowe. Turistická mapa č. 28, SHOCART, Zlín, 1:50 000, 1999.

---

225. Čerstvě roztáté sněhy. Jeden z pravostranných přítoků Divoké Orlice

ŠUMAVSKÉ PODHŮŘÍ
(Podhůří nebo pohoří)

Šumavská hornatina náleží k nejrozlehlejším horských celkům ve střední Evropě. Na českém území ji zastupují dva hlavní útvary. Prvním jsou Šumavské pláně, o kterých již pojednávala kapitola o Šumavě. Druhý celek představuje pás vnitrozemských horstev. Je poměrně členitý a dlouhý, souhrnně jej označujeme jako Šumavské podhůří...

226. Blanskoleský prales na severovýchod od hlavního hřbetu

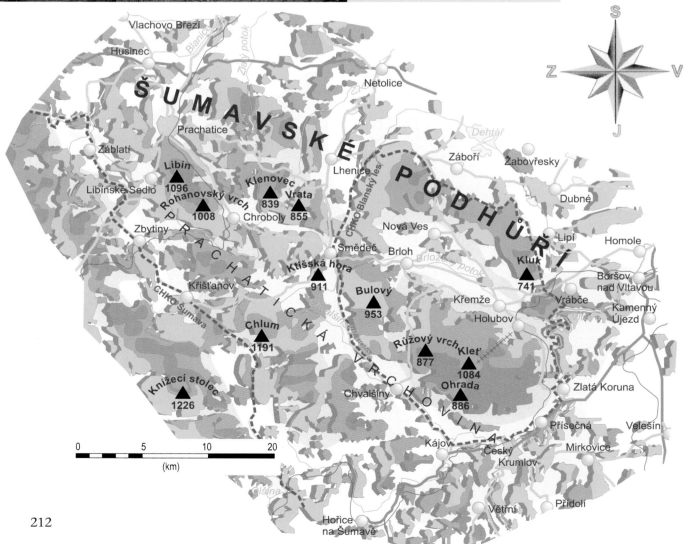

Prochází souběžně s hlavním hraničním hřbetem od severozápadu k jihovýchodu a tisícimetrovou mez přesahuje pouze v oblasti tzv. Prachatické hornatiny. Konkrétně se jedná o skupiny Libínské hornatiny (Libín 1096 m) a Blanského lesa (Kleť 1084 m).

Šumavské podhůří zabírá plochu 2407 km² a jeho střední nadmořská výška činí téměř 635 m. Rozloha Prachatické hornatiny je asi čtvrtinová, přitom střední výška je zhruba o 40 m vyšší. Celá oblast patří k nejstarší části jádra Českého masivu, k tzv. moldanubiku. Z hornin jsou tu zastoupeny především ruly, pararuly nebo svory, jimiž pronikala tělesa granulitů. Na ně bývají vázány serpentinity nebo amfibolity. Libínská hornatina, Blanský les i celá Prachatická hornatina mají charakter kerné hornatiny.

Reliéf Šumavského podhůří je poměrně různorodý. Převládajícím rysem jsou oblé a široké hřbety orientované obvykle od severozápadu k jihovýchodu, souhlasně s hlavním směrem pohoří. Vedle tektonicky podmíněných tvarů ovlivnily zdejší modelaci zejména selektivní eroze

227. Libín (1096 m) a Staré Prachatice. Pohled od severu

228. Kulíšek nejmenší (Glaucidium passerinum). Nejmenší česká sova a glaciální relikt

a obnažování podkladu (denudace). Ve strmějších partiích se poměrně vzácně uplatňují například skalní výchozy nebo suťová pole (např. v okolí Kleti). Zvláštní půvab horám dodávají příčně zahloubená údolí, jimiž protékají hlavní artérie. Patří do povodí Labe a zpravidla pramení hlouběji v Šumavské hornatině (vedle Vltavy jsou to například Blanice, Volyňka nebo Otava).

Podnebí i těch nejvyšších celků Šumavského podhůří je oproti odpovídajícím polohám hlavního šumavského hřebene poměrně suché a teplé. Závětří a s ním do značné míry spojený fénový efekt (zpravidla zdvojený prostřednictvím Alp a Šumavy) posouvají například průměrnou roční teplotu na vrcholu Libína ke 4,5 °C, roční úhrny srážek stlačují na sotva

229. Lesní jestřábník (Hieracium sp.). Bylinný podrost v kulturních smrčinách nebývá obzvlášť bohatý

230. Zátiší na starém kmeni

680 až 690 mm. Na Kleti činí analogické hodnoty 4,8 °C a asi 725 mm. Průzračný vzduch a nadstandardní počet bezoblačných dní i nocí využívá populární kleťská hvězdárna.

Svět zdejších rostlin a živočichů se příliš neliší od svého šumavského protějšku. Odborníci řadí dokonce obě pohoří do jediného biogeografického regionu. Místní rozlehlé lesy jsou většinou využívány hospodářsky. Roste v nich kupříkladu dřípatka horská, mýtiny a vlhčí louky jsou často domovem zvonečníku černého nebo kamzičníku rakouského. Těsnější zeměpisná vazba k podhůří a zároveň vlídnější tvář místního klimatu umožnily naopak řadě teplomilnějších organismů zaujmout některá možná až překvapivá stanoviště. Efekt je obzvlášť dobře znatelný tam, kde se ke zmíněným podmínkám přidává úživné horninové podloží (viz třeba Vyšenské kopce u Českého Krumlova).

Oblast byla trvale osídlena podstatně dříve než divočejší příhraniční partie Šumavy. Sušicko, Vimpersko, Prachaticko stejně jako Českokrumlovsko patří k dlouhodobě pozměňovaným, třebaže relativně stále velmi zachovalým regionům České republiky i Střední Evropy. Vedle podhorského zemědělství a lesnictví se tu po věky rozvíjela také řemeslná průmyslová výroba, počínaje textilnictvím, dřevozpracovatelstvím a konče třeba strojírenstvím. Světoznámá jsou mnohá kulturní střediska oblasti. Připomeňme jen některé středověké hrady, soubory lidové architektury nebo typická městská centra Prachatic, Vimperka, Českého Krumlova.

Územní ochranu pošumavské přírody zajišťuje v současnosti několik desítek maloplošných zvláště chráněných území. Nejvíce přírodních rezervací a přírodních památek bychom našli právě v oblasti vyšších poloh Prachatické hornatiny a jejich příkladem může být lesní Přírodní rezervace Libín na svazích nejvyššího vrcholu. Pokud pomineme okrajové partie CHKO Šumava, které zpravidla

231. Nejvyšší polohy Prachatické hornatiny porůstá kulturní smrčina

konší na jihozápadním úpatí Šumavského podhůří, zůstává zde nejvýznamnějším a dosud osamoceným velkoplošným zvláště chráněným územím CHKO Blanský les. Vyhlášena byla v roce 1989 na ploše 212 km^2.

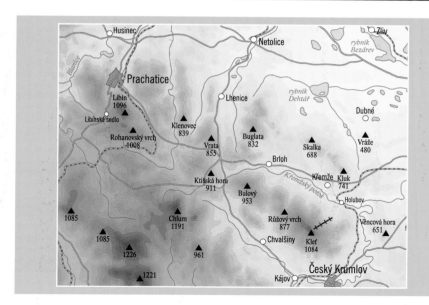

Legenda

vodní plochy		lanovky	
vodní toky		sídla	
železnice		výškové kóty	
významnější komunikace			

250   500   750   1000   1250 m n. m.

1 : 400 000   0   5   10 km

v dosahu slouží lyžařské vleky i sjezdová dráha. Hora je z velké části zalesněna, nejcennější zbytky přirozené montánní smrčiny s příměsí buku a javoru chrání přírodní rezervace.

TURISTICKÉ CÍLE A ZAJÍMAVOSTI

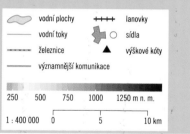

Kleť

Dominanta Blanského lesa (1084 m), druhé nejvyšší skupiny Šumavského podhůří. Budují ji granulity a jejím vrcholem kulminuje rozlehlá hrásť. Poblíž se uplatňují různorodé skalní výchozy, sutě a suťové proudy, nouze tu není o kamenná moře ani o mrazové sruby. Také člověk tu zanechal nesmazatelnou stopu. Postavil zde horskou chatu, historickou rozhlednu, astronomickou observatoř a 172 m vysoký televizní vysílač. Od severovýchodu sem lze dojet sedačkovou lanovkou,

Kuklov

Kuklov leží asi 3 km na západ od obce Brloh. Stojí tu zřícenina středověkého královského hradu Kuglvajt z poloviny 14. století.

232. Nad hlubokým zářezem Vltavy a nad Českým Krumlovem Kleť (1084 m) výrazně vyniká

233. Od jihozápadu působí Libín nenápadně

vestavěno několik zemědělských usedlostí. V Kuklově natáčel František Vláčil v šedesátých letech 20. století známý historický film Údolí včel.

Libín

Dominanta Prachaticka a celého Šumavského podhůří (1096 m). Horopisně součást Libínské hornatiny. Nesouměrný libínský hřeben vymezuje na severovýchodě tektonická porucha, budují jej pararuly a ruly staré geologické jednotky moldanubikum.
V blízkosti vrcholu jsou patrné nápadné skalní tvary. Okolí je zalesněno především smrčinou s příměsí buku, javoru a jedle. Na temeni hory stojí horská chata a historická turistická rozhledna. Až téměř pod vrchol vedla z Prachatic stará křížová cesta.

234. Turistická rozhledna na vrcholu Libína

V sousedství najdeme nikdy nedokončený, pozdně gotický klášter s kostelem sv. Ondřeje. Kdysi zde pracoval rožmberský pivovar, později bylo do areálu

Vyšenské kopce

Přírodovědecky velmi ceněná geobotanická lokalita – národní přírodní rezervace. Útočiště teplomilných a vápnomilných druhů na bývalých pastvinách, ostrůvek pošumavské vápencové lesostepi v zázemí Českého Krumlova. Přístupnost lokality je omezena na zdejší vozovou cestu.

VYBRANÁ TURISTICKÁ STŘEDISKA

Libínské Sedlo, Prachatice

Pod názvem Fefry bylo Libínské Sedlo zmiňováno již v polovině 14. století. Obec zaujímala strategickou polohu na rušné obchodní Zlaté stezce mezi českými Prachaticemi a bavorským Pasovem. Údajně tudy procházelo více než tisíc naložených soumarů a koní týdně. V centru obce stojí kostel sv. Anny z 16. století. Dnes středisko slouží především jako východiště na horu Libín (viz Turistické cíle a zajímavosti).

Prachatice jsou jedním z nejmenších okresních měst v České republice. Byly založeny již v roce 1323 a jejich terminální poloha na Zlaté stezce jim zaručovala hospodářský rozvoj a prosperitu (obchod se sladem, solí). Výraznou sakrální stavbou je tu gotický kostel sv. Jakuba ze 14. století. Z dalších architektonických památek uveďme zbytky prachatického opevnění, z pozdějších časů pak řadu renesančních domů, hojně zdobených originálními sgrafity. Město může návštěvníkům nabídnout nejširší možnosti kulturního i sportovního vyžití během celého roku.

Dopravní dostupnost

Libínské Sedlo leží na silnici č. 141 mezi Prachaticemi a Volary.
K cestě do Prachatic můžeme využít jak silniční, tak železniční

235. Západní hřeben a město Prachatice z nejvyšší hory Prachatické hornatiny

236. Vstupní kulisa Přírodní rezervace Kleť

237. Skalní útvary pod vrcholem nejvyšší hory v Blanském lese

spoj. V prvním případě patrně zvolíme od severu nebo od jihu již zmiňovanou komunikaci č. 141. K příjezdu od severozápadu se rovněž nabízí tah č. 144 od Volyně, z jihovýchodu (České Budějovice) doporučujeme pak pošumavskou silnici č. 143. Nakonec je třeba ještě poznamenat, že asi v pětikilometrové vzdálenosti severně od Prachatic probíhá důležitá komunikace č. 145 mezi Vimperkem a Českými Budějovicemi. Kdo se rozhodne přijet do Prachatic železnicí, bude mít daleko menší výběr. Městské nádraží leží na trati mezi Vodňany a Volary.

DOPORUČENÝ VÝLET
Kategorie: půldenní

Prachatice – Perlovice – Libínské Sedlo (po zelené značce, z Libínského Sedla vpravo po modré) – Libín (z vrcholu Libína vykročíme nazpět po červené) – Prachatice

Holubov, Křemže

Holubov je důležité a patrně vůbec nejvyužívanější východiště do oblasti nejvyšší hory Blanského lesa – Kleti (viz výše). Obec vznikla v zázemí adolfovské železárny, vybudované v první polovině 19. století. Nejznámějším průmyslovým podnikem současnosti je tu papírenský podnik Artypa. V obci se zachovalo několik stylových lidových staveb.

Sousední sídlo Křemže bylo doloženo již ve 13. století. Archeologické vykopávky ovšem dokazují, že v nejbližším okolí žili lidé od pravěku. Ještě ve 13. století se Křemže stala městečkem, statut městyse jí byl přiznán o šest let později (1863). Zdejší kostel sv. archanděla Michaela je jednou z nejstarších staveb v okolí. Původně byl románský, později byl přestavován. Historie Křemže i Holubova je spojena se jmény hudebního skladatele Karla Kovařovice nebo spisovatele Gustava Pöschla.

Dopravní dostupnost

Hlavní přístup do obou sídel skýtá komunikace č. 143 mezi Prachaticemi a Českými Budějovicemi. K Holubovu je z ní třeba odbočit právě v Křemži nebo v Mřiči. Cestu do Holubova (nebo též do Křemže) umožňuje železniční trať České Budějovice – Volary.

DOPORUČENÝ VÝLET
Kategorie: celodenní

Holubov – Krasetín – Na Lazích – rozcestí U tunelu – Kleť (stále po zelené); Kleť – rozcestí žluté, modré a červené (z vrcholu k severozápadu sledujeme zprvu všechny tři značky, od rozcestí půjdeme již jen po žluté a modré) – rozcestí žluté a modré (zde je třeba odbočit po žluté při okraji přírodní rezervace) – rozcestí U tunelu (zde uhýbáme vlevo po souběžné žluté a zelené, brzy však budeme odbočovat doleva po žluté) – Bořinka – Křemže (stále po žluté, návrat z Křemže do Holubova po zelené vpravo) – Holubov

Český Krumlov

Okresní město a architektonická perla, zařazená do seznamu kulturního a přírodního dědictví organizace UNESCO. Starý hrad nad zaříznutým meandrem Vltavy založili v první polovině 13. století Vítkovci. Později patřil Rožmberkům, po nich pak postupně Habsburkům a Schwarzenberkům. Mimořádně hodnotnou kulturní památkou je českokrumlovský zámek. Původně byl raně gotický, poté byl přestavován v renesančním stylu. K dalším stavitelským skvostům patřil tzv. Latrán (podhradí), dále pak Staré město s řadou zachovalých gotických a renesančních budov a s pozdně gotickým kostelem sv. Víta, nebo městské části Horní Brána (unikátní židovský hřbitov) a Plešivec (synagoga či další zajímavé objekty).

V městě se odjakživa dařilo průmyslu. Přehlídka výrobních odvětví začíná například těžbou nerostů a končí potravinářstvím, oděvnictvím, zpracováním dřeva nebo papírnictvím. Současný Český Krumlov může svým hostům nabídnout strukturované ubytovací možnosti, bohaté kulturní zázemí včetně divadla, muzea a knihoven. Pro aktivní odpočinek jsou určeny tenisové dvorce, koupaliště nebo sportovní stadion. Na severozápadě láká k výstupu typická silueta Kleti.

Dopravní dostupnost

K návštěvě Českého Krumlova vybízí především komunikace č. 159 České Budějovice – Černá

Vybrané mapy a průvodce

Českobudějovicko, Hluboká nad Vltavou. Turistická mapa č. 36, SHOCART, Zlín, 1:50 000, 2000.
Českobudějovicko. Geodézie ČS, Praha, 1:50 000, 1999.
Českobudějovicko. Turistická mapa č. 72, Edice Klubu českých turistů, Praha, 1:50 000, 1998.
Prachaticko. Turistická mapa č. 70, Edice Klubu českých turistů, Praha, 1:50 000, 1995.
Šumava – Lipensko. Český Krumlov. Turistická mapa č. 36, SHOCART, Zlín, 1:50 000, 1999.
Šumava – Prachaticko a Vimpersko. Průvodce po Čechách a Moravě č. 19, S & D, Praha, 1999.
Šumava – Prachaticko. Soubor turistických map, Geografický a geodetický podnik a VST ČÚV ČSTV, Praha, 1:100 000, 1983.
Vltava pod Vyšším Brodem a Blanský les. Turistická mapa č. 73, Edice Klubu českých turistů, Praha, 1:50 000, 1993.

v Pošumaví. Od severozápadu sem dále míří silnice č. 166, od jihozápadu č. 162, od jihu podél Vltavy č. 160 a konečně od východu č. 157 (návaznost na E 55 mezi Dolním Dvořištěm a Českými Budějovicemi). Milovníci železnice dají nejspíš přednost pošumavské trati z Českých Budějovic do Volar.

DOPORUČENÝ VÝLET
Kategorie: celodenní

Český Krumlov (zámek) – Nový dvůr – cesta kněžny Terezie

– rozcestí U tunelu (z Českého Krumlova po modré značce, dále po zelené vlevo) – Kleť; Kleť – V pařezí – rozcestí zelené a žluté (z vrcholu stále po zelené, z rozcestí v přímém směru pořád po žluté) – Vyšný – Český Krumlov (zámek)

238. Objekty astronomické observatoře nedaleko kleťského vrcholu

239. Silueta Kleti ze severozápadu

NOVOHRADSKÉ HORY
(Pralesy a dobré vody)

Pojmy Žofínský prales a Hojná Voda najdeme v každé přírodovědné nebo vlastivědné příručce. Kde že to ale dvě z nejstarších chráněných území Evropy leží...? V nejzazším výběžku jihovýchodních Čech. V srdci malého, avšak nesmírně cenného a zachovalého přírodního celku.
U česko-rakouské hranice zde po druhé světové válce vyrostla prazvláštní liduprázdná zóna. Říkávalo se jí „železná opona".

240. Novohradská obec Pohoří na Šumavě. Odtud je již na dohled nejvyšší vršek na české straně – Kamenec (1072 m)

Horopisně Novohradské hory spadají pod celek Šumavská hornatina. Na severu přecházejí do Novohradského podhůří a dotýkají se již okraje Třeboňské pánve. Na západě na ně za průsmykem u Dolního Dvořiště navazuje jihočeská Šumava. V České republice se pohoří rozkládá na ploše asi 162 km² a jeho střední výška dosahuje 810 m. Jedná se o plochou hornatinu. Při okrajích ji většinou vymezují výrazné svahy a hluboká

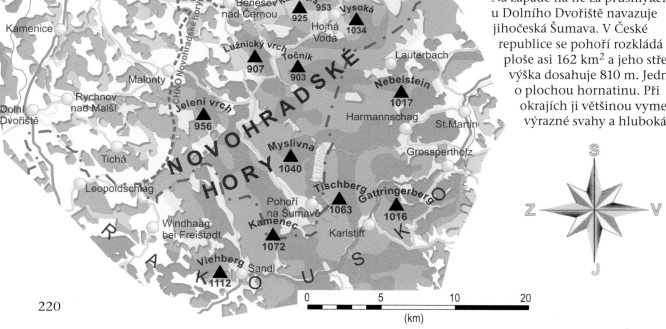

241. *Kapraď širolistá* (Dryopteris dilatata). *Novohradská lesní romance*

242. *Vydra říční* (Lutra lutra). *Znamenitý plavec a lovec ryb. Díky přísným ochranářským opatřením se plachá šelma do českých vod postupně vrací*

243. *Granodioritové hradby na Kraví hoře*

244. *Škardy* (Crepis sp.). *Na opuštěné louky a pastviny se začala s návratem hospodářovy ruky vracet i bývalá druhová rozmanitost*

údolí, která jsou obyčejně vázána na zlomové linie. Nejvyšší vrchol celých Novohradských hor Viehberg (1112 m) leží v Rakousku, kde se pohoří říká Freiwald. Česká strana kulminuje nedaleko státní hranice Kamencem (1072 m).

Vedle zmíněných obvodových svahů a údolí jsou pro místní reliéf typická také plošší úvalovitá údolí, vyplněná zpravidla rašeliništi. Mnohde zanechala svoje stopy pleistocénní kryoplanace (zarovnávání povrchu), ve stejné době vznikala zdejší balvanitá moře nebo mrazové sruby. Jinými geomorfologickými pozoruhodnostmi vyšších poloh jsou tzv. žokovité balvany, izolované skály nebo skalní hradby (např. Kraví hora, Vysoká).

Po geologické stránce jsou Novohradské hory součástí moldanubika. Jejich hlavní stavební horninou jsou granitoidy, okrajově se uplatňují rovněž žuly nebo ruly.

Podnebí oblasti je klasifikováno jako chladné s průměrnými ročními teplotami do 5 °C. Dlouhodobé průměry srážek se obvykle pohybují od 700 do 800 mm za rok. Podobně jako v nedalekém Blanském lese je tu poměrně častým hostem alpský fén. Patrný je při určitém typu jižního proudění a zdejší klima oproti jiným srovnatelným celkům přece jen poněkud vysušuje a otepluje.

České Novohradské hory stejně

jako velká plocha jejich rakouského protějšku spadají do povodí Labe. Pramení zde například známý přítok Vltavy Lužnice (Lainsitz), západněji pak Malše, jejíž tok zprava doplňují Černá a Stropnice. Teprve nejjižnější lem horstva v Rakousku leží za hlavním zemským rozvodím. Odvodňují jej kratší dunajské přítoky, například Aist.

Většinu Novohradských hor pokrývají souvislé lesní porosty, nikdy se tu však v historické době nevytvořil stupeň klasických horských smrčin (na rozdíl například od Šumavy). Naproti tomu bývají ve zdejších mělkých a vlhčích depresích zastoupeny smrčiny podmáčené. Nejrozšířenějším typem lesa jsou tu bučiny – na hřebenech horské, níže pak spíše květnaté. V poledovém období sehrálo pohoří úlohu klíčového migračního uzlu mezi Alpami a ostatními českými horami. Tato skutečnost je čitelnější ve světě rostlin, než u živočichů. Z typických „alpských přivandrovalců" jmenujme například pryskyřník oměj olistý, dřípatku horskou, vzácný šafrán bělokvětý nebo statnou a jedovatou kýchavici bílou. Setkáváme se tu ovšem s mnoha středoevropskými představiteli horské flóry, například

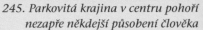
245. Parkovitá krajina v centru pohoří
nezapře někdejší působení člověka

246. Pohořský potok sloužíval k plavení dřeva

247. Domky v Hojné Vodě
rámuje masiv Vysoké (1034 m)

myšivka horská či netopýři severní a pestrý.

Neúrodné a poměrně drsné prostředí novohradskohorského krystalinika přilákalo první stálé osadníky teprve ve středověku. Hospodařilo se především v lesích, již tehdy byly položeny základy nynějších smrkových monokultur. S příchodem lidí se také začaly objevovat pastviny a sporadická horská políčka. K životu regionu patřilo místní lázeňství (Dobrá Voda, Hojná Voda) podobně jako silné motivy duchovní (mariánské poutní místo Dobrá Voda). Po druhé světové válce se hory dramaticky vylidnily, většina místních sídel a usedlostí zanikla. V současné době zažívá renesanci především novohradské chalupaření a pastvinářství.

Novohradské hory aspirují stát se jednou z chráněných krajinných oblastí. Jejich příroda a krajina by si to rozhodně zasloužily. Najdeme tady celou řadu velmi hodnotných přírodních lokalit, mimochodem také dvě nejstarší maloplošná zvláště chráněná území v českých zemích Žofínský prales a Hojnou Vodu (obě jsou veřejnosti nepřístupné). Jinde se zas originálně snoubí příroda s kulturou a s lidským umem (např. Národní přírodní památka Terčino údolí).

s podbělicí alpskou, sedmikvítkem evropským nebo mléčivcem alpským.

Místní fauna jakoby z oka vypadla zvířeně šumavské, snad je jen poněkud druhově skoupější. I v nejvyšších nadmořských polohách je tu mezi nižšími obratlovci běžná například zmije nebo ještěrka živorodá, mezi ptactvem nechybí kos horský, sýc rousný, tetřívek ani jeřábek, k méně obvyklým zástupcům zdejších savců patří určitě vydra říční,

TURISTICKÉ CÍLE A ZAJÍMAVOSTI

Pohoří na Šumavě, Jiřice

Obec Pohoří na Šumavě byla vzpomínána již v první polovině 16. století. Dříve se tu rozvíjelo místní sklářství, zpracovávání železa (hamr), výroba lihu i piva. Uprostřed protáhlého sídla stával pozdně barokní kostel Panny Marie z konce 18. století.

Sousední Jiřice vznikly až v 2. polovině 18. století. Sloužily především jako domov lesních dělníků, zaměstnaných v okolních hustých hvozdech.

Obě obce byly v období studené války vysídleny, jednotlivá stavení byla zčásti zdemolována, zčásti ponechána vlastnímu osudu. Teprve v posledních letech je

248. Pohořský rybník v zaniklých Jiřicích

*249. Remízy, pastviny a lesy
v oblasti Myslivny (1040 m)
a Lovčího hřbetu (980 m)*

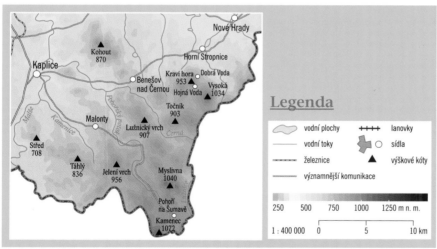

Legenda

⬭ vodní plochy	╋╋╋╋ lanovky
— vodní toky	○ sídla
╌╌╌ železnice	▲ výškové kóty
— významnější komunikace	

250 500 750 1000 1250 m n. m.

1 : 400 000   0   5   10 km

zajímavostí (např. skalní hradby, izolované skály, nivační deprese). Jižní úbočí pod vrcholem zvolna zarůstá kamenné moře. Horu kryjí smrkové porosty s příměsí buku a klenu.

Vysoká

Dominantní hora geomorfologického okrsku Žofínská hornatina (1034 m). Její vrcholové partie tvoří kompaktní granodiorit a jsou bohaté na zajímavé geomorfologické útvary (skalní hřbítek, puklinová jeskyně, vysoké mrazové sruby a kryoplanační terasy). Na jihovýchodním svahu u státní hranice leží veřejnosti uzavřený prales Hojná Voda, blízko pramení říčka Stropnice. Z obce Hojná Voda vede na vrchol Vysoké místní turistické značení.

Pohoří na Šumavě znovu osídlováno.
Z krajinářských zajímavostí v zázemí obou obcí je třeba připomenout Pohořský rybník neboli Jiřickou nádrž. Sloužila jako součást původní plavební soustavy na Pohořském potoce. Mezi Pohořím a státní hranicí s Rakouskem se rozprostírá svahové vrchoviště (PR Pohořské rašeliniště),

znamenitá ukázka montánního mokřadu (nepřístupné).

Kraví hora

Stěží přehlédnutelná hora (953 m) severozápadně od obce Hojná Voda. Masiv buduje granodioritové těleso a v jeho vrcholových partiích najdeme řadu geomorfologických

223

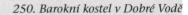
Dobrá Voda, Hojná Voda

Dvě oblíbená a hojně navštěvovaná rekreační střediska pod Kraví horou. Dobrá voda se jmenuje podle pramenů, jejichž léčivost byla zmiňována již v 16. století. Tehdy zde vyrostly dokonce menší lázně. Zdaleka bývá vidět zdejší barokní kostel Nanebevzetí Panny Marie, dostavěný v druhé dekádě 18. století. Mariánské poutní místo. Pod kostelem vyvěrá památný pramen, jsou odtud překrásné výhledy do Novohradska.

Blízká Hojná Voda nesla původně název Vilémova Hora. Vilém z Rožmberka zde totiž založil lázně, které však poměrně brzy zanikly. V 16. století se tu vyrábělo velmi kvalitní broušené sklo. Z hojnovodského farního kostela zbyla dodnes pouze starobylá zvonice. Sídlo je spojeno s několikaletým pobytem spisovatele Zikmunda Wintera.

Terčino údolí

Podivuhodný park zřídila na místě bývalé bažantnice již v roce 1756 baronka Terezie Buquoyová. Objekt je dnes chráněn jako národní přírodní památka. Prochází jím naučná stezka, z níž lze obdivovat historická stavení, romantické rybníky, umělý vodopád i řadu letitých exotických dřevin.

VYBRANÁ TURISTICKÁ STŘEDISKA

Horní Stropnice

První zmínky o obci sahají až do 12. století. Tenkrát ještě řeka Stropnice tvořila hranici. Teprve počínaje 13. stoletím připadlo

252. Dobrovodský chrám shlíží do kraje jako přelud

sídlo k Novohradskému panství. Z těch časů pochází kostel sv. Mikuláše, původně románský, později několikrát přestavovaný. Blízký morový sloup pochází až ze století osmnáctého. Vydáme-li se do Bedřichova, který leží při západním okraji obce, budeme si moci prohlédnout památkově chráněnou historickou kapli. A ještě jedna užitečná informace. Z Horní Stropnice jsou dobře dostupné Nové Hrady (ubytovací, stravovací a kulturní zázemí) a Národní přírodní památka Terčino údolí (viz Turistické cíle a zajímavosti).

Dopravní dostupnost

Horní Stropnicí prochází silniční tah č. 154 spojující město Kaplice s Novými Hrady. Po ní lze využít individuální i hromadnou dopravu. Místními komunikacemi se můžeme do střediska dostat buď od severozápadu (od Trhových Svin přes Svébohy), nebo z jihozápadu (přes Černé Údolí a Podhorskou Ves).

253. Pastva u Nových Hradů. Idylu uzavírá Vysoká (1034 m) a příslovečná Kraví hora (953 m)

DOPORUČENÝ VÝLET

Kategorie: půldenní (zkrácená varianta) nebo celodenní

Horní Stropnice – Dobrá Voda (po červené, v Dobré Vodě odbočíme vpravo po zelené) – rozcestí pod Kraví horou (odtud vede fakultativně po červené značce odbočka vlevo na vrchol) – Kuní hora (ze sedla pod Kraví horou v původním směru – po červené) – rozcestí červené a zelené (sem se budeme držet souběžné červené a zelené vlevo, dále nás povede výhradně zelená) – Staré Hutě (tady odbočíme po modré vlevo po silnici) – Hojná Voda (z Hojné Vody se můžeme vrátit po silnici

do Dobré Vody a odtud pokračovat až do Horní Stropnice; lze také absolvovat ještě asi osmi- až devítikilometrový okruh po místní červené značce přes horu Vysoká)

Vybrané mapy a průvodce

Novohradské hory. Geodézie ČS, Praha, 1:50 000, 2000.
Novohradské hory. Turistická mapa č. 74, Edice Klubu českých turistů, Praha, 1:50 000, 2. vydání 1998.

ČESKÝ LES
(Ve stínu
Čerchova)

*Český les tvoří přirozené
rozhraní mezi Čechami
a Bavorskem. Jeho hradba je
souvislá a dlouhá.
Po staletí ji střežili svobodní
a spolehliví ochránci,
které povinnostmi
a pravomocemi vybavoval
sám český panovník.
Chodské čakany a prapor
se psí hlavou vzbuzují
dodnes úctu i uznání.*

Studánka Tachov
Částka
Lesná
Staré Sedliště
Knížecí strom
828
Havran
894
Labuť
Bor
Hoštka
Rozvadov
Přimda
Stráž
Pleystein
Waldhaus
Třemešné
Diana
Bělá nad
Radbuzou
Holubeč
Moosbach
Eslarm
Železná
Smolov
Štítary
Velký Zvon
863
Újezd Sv. Kříže
Mutěnín
Hostouň
Weingartenfels
896
Drechel
Srby
Schönsee
836
Rybník
Poběžovice
Meclov
Mnichov
Weiding
Nový Kramolín
Třebnice
Gaisthal
Signal Berg
890
Postřekov
Draženov
Tiefenbach
Haltrava
882
Klenčí pod
Čerchovem
Domažlice
Treffelstein
Chodov
Trhanov
Tlumačov
Pec
Babylon
Mrákov
Hiltersried
Čerchov
1042
Walmünchen
Smrčí
Česká Kubice
Herzogau
935
Folmava
Schönthal
Špalenec
Kreutzfelsen
Döfering
Gelgant
938
Hint-Hiener
768
Gleissenberg
Furth i. Wald

0   5   10   20
(km)

254. Panoráma Českého lesa od východu. Vpravo skupina Čerchova (1042 m), vrcholy nalevo leží již v Bavorsku (skupiny Krouzfelsen, 938 m a Dachsriegel, 826 m)

Převážně členitou hornatinu Českého lesa vymezuje na jednom kraji horní Odrava (pramení v Německu jako Wondreb u stejnojmenného městečka), na kraji opačném přechází pak u České Kubice do Všerubské hornatiny. Jestliže jsou jihozápadní sklony pohoří relativně mírné, protější svahy klesají do českého vnitrozemí poměrně příkře. Rozloha hor v Čechách činí 790 km^2, střední výška zde dosahuje 628 m. Nejvyšší bod celého pohoří je vrchol Čerchova (1042 m). Nalezneme jej při jihovýchodním okraji horstva, označovaném úžeji jako Haltravská hornatina.

Obecně má dnes horstvo kerný až hrásťový charakter. Zrodilo se tak, že starý zarovnaný povrch byl rozlámán a vyzdvižen v rámci saxonských pohybů. Po geologické stránce se zde vyskytují převážně krystalinické horniny moldanubika (ruly, pararuly, migmatity). V severní části, zejména v okolí hory Dyleň, se uplatňují přeměněné svory. Vlastní vrchol Dyleně je však již součástí

255. Stařinec potoční (Tephroseris crispa). Ozdobný druh podhorských a horských vlhkých nebo zamokřených luk. Endemit střední a středovýchodní Evropy

256. Čáp černý (Ciconia nigra). Plachý tažný pták, milovník hlubokých podhorských a horských lesů. Živí se vodním hmyzem, menšími rybami a obojživelníky

pozoruhodné a pro pohoří typické struktury, tzv. českého křemenného valu. Tato velice odolná hornina se tu kdysi vysrážela z horkých vodních roztoků v dlouhé a široké puklině. Také v nejvyšších polohách Českého lesa se uplatňují

izolované skály, příkré mrazové sruby a srázy kontrastující s kryoplanačními plošinami a kamennými proudy. V tom se zvlášť neliší od ostatních podobných středoevropských celků.

227

257. Přírodě blízké porosty v okolí vrcholu Čerchova spadají do Národní přírodní rezervace Čerchovské hvozdy

258. Světlík lékařský (Euphrasia rostkoviana). *Příslušník čeledi krtičníkovitých stoupá v českých pohořích nejednou až do horského stupně. Na vlhčích lučinách kvete od července do září*

vzrůstá, na vrcholu Čerchova v dlouhodobém průměru naměřili přes 1100 mm srážek za rok (průměrná roční teplota tu dosahuje 4,3 °C). S uvedenými hodnotami kontrastují údaje z chodského podhůří. V Domažlicích je například roční průměr srážek již jen 662 mm, odpovídající teplota vzduchu je za stejné období 7,6 °C.

Převažující rostlinnou formací Českého lesa jsou dnes smrkové monokultury. Pozůstatky původních pralesů jsou jen sporadické, zpravidla je zastupují květnaté bukojedliny nebo kyselé bučiny, střídané na zvláštních stanovištích buď suťovými lesy, nebo podmáčenými smrčinami či olšinami. Ojediněle lze potom pozorovat rašeliniště s borovicí blatkou. Ani v těch nejexponovanějších partiích nedovolila nižší nadmořská výška vytvořit pravý subalpínský (klečový) stupeň, pouze vrchol Čerchova nese stopy takzvaného vrcholového fenoménu. Právě tato skutečnost odpovídá největší měrou za to, že ve srovnání s jinak hodně podobnou Šumavou je spektrum druhů v Českém lese poněkud chudší. Týká se to také místní fauny, které nejspíše sluší přívlastky hercynská, podhorská či horská.

Po hřebenech Českého lesa prochází Evropské rozvodí mezi Severním a Černým mořem. Významnějšími pramennými toky směřujícími k severu jsou zdrojnice Berounky Mže a Radbuza, k jihu do Bavorska míří pak celá řada levostranných přítoků Naabu a Dunaje (např. Pfreimd, Schwarzach).

Český les zosobňuje poměrně ostrý klimatický předěl. Návětrné západní svahy jsou vlhké s ročními úhrny srážek přes 830 mm. Se vzrůstající nadmořskou výškou humidita podle očekávání ještě

259. Korytem Černého potoka se v minulosti plavilo polenové dříví

260. Srpnová pole pod Čerchovem

K trvalejšímu osídlování vyšších poloh Českého lesa došlo až relativně pozdě, podobně jako v případě většiny ostatních českých pohraničních horstev. Zdejší prostor plnil funkci hraničního lesa, kterým procházely nanejvýš důležité obchodní cesty nebo pašerácké chodníky. Kraj na horském úpatí a v předhůří obývali Chodové neboli Psohlavci (podle svého znaku), ochránci českých hranic. Nadáni byli četnými privilegii a pravomocemi přímo od panovníka. Krátce a jednoduše: člověk zasahoval do vývoje zdejších přirozených hvozdů od středověku, výrazný plošný posun spektra dřevin směrem ke smrkovým monokulturám nastal až s intenzivnější kolonizací v stoletích nedávno minulých. A ještě jedna důležitá poznámka. Polohou na pomezí Východu a Západu byl Český les doslova předurčen sehrát po druhé světové válce úlohu vojenského pásma (probíhala tudy neblaze proslulá železná opona).

Přírodu Českého lesa chrání především síť maloplošných zvláště chráněných území. Známějšími z nich jsou například NPP Na požárech, PR Farské bažiny nebo PR Podkovák (rašeliniště), PR Diana, PR Přimda, v oblasti Haltravské hornatiny potom PR Bystřice, PP Skalky na Sádku či nejnověji NPR Čerchovské hvozdy (zbytky přirozených porostů). Geologicky motivovaná je zde například PP Sokolova vyhlídka. Aktuální zůstává otázka vyhlášení CHKO Český les, v posledních desetiletích byla však již několikrát odsunuta a odročována. Velkoplošnou ochranu tohoto zajímavého území nahrazují alespoň Přírodní parky Český les a Diana. Na bavorské straně hor zastává obdobnou funkci komplex tří příhraničních přírodních parků (Nördlicher Oberpfälzer Wald, Oberpfälzer Wald, Oberer Bayerischer Wald).

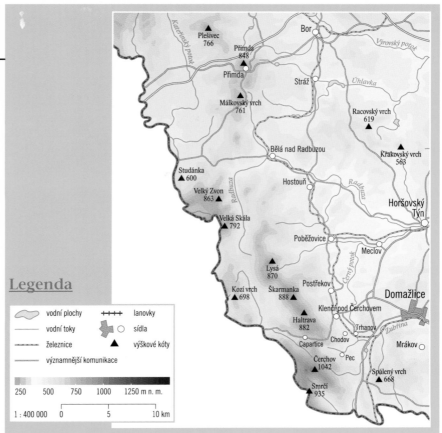

Legenda

vodní plochy		lanovky	
vodní toky		sídla	
železnice		výškové kóty	
významnější komunikace			

250 500 750 1000 1250 m n. m.

1 : 400 000   0   5   10 km

TURISTICKÉ CÍLE A ZAJÍMAVOSTI

Capartice, Výhledy

Chatová osada Capartice leží na silnici č. 189 mezi Domažlicemi, státní hranicí a bavorským městem Waldmünchen. Místo je historicky spjato s působením malíře Jana Šebka, dnes plní funkci letního i zimního východiště do oblasti Čerchova nebo Haltravy (tzv. Baarova cesta). Pouze kilometr od Capartic směrem na Domažlice leží proslulá lokalita Výhledy. Lze odtud přehlédnout velkou část Chodska a českého vnitrozemí, v areálu stojí monumentální památník slovutného rodáka z Klenčí Jindřicha Šimona Baara.

Čerchov

Nejvyšší hora celého Českého lesa, s 1042 m jediná zdejší „tisícovka". Budují ji prahorní migmatické ruly. V nejvyšších partiích se v náznacích uplatňuje vrcholový jev, najdeme tu stopy

261. Na vrcholu nejvyšší hory stávala turistická rozhledna. Během studené války ji nahradila vojenská pozorovatelna

262. Haltravská hornatina pod vrchem Sádek (854 m)

někdejší periglaciální činnosti (např. kryoplanační terasy, mrazové sruby či izolované skály). Koncem 19. století zdobila vrchol dřevěná pyramida, přestavěná v roce 1905 na kamennou rozhlednu, dále zde turistům sloužila turistická chata. V poválečném období byl vrchol Čerchova znepřístupněn a zdejší objekty plnily vojenské cíle. Čerchov kryjí převážně kulturní smrčiny, místy se však dochovaly i vzácné zbytky původního pestrého lesa s bukem, jedlí a klenem. Tvoří základ Národní přírodní rezervace Čerchovské hvozdy.

Haltrava

Výraznější elevace takzvaného haltravského hřbetu (882 m), jmenuje se podle ní Haltravská hornatina, okrsek v podcelku Čerchovského lesa. Masiv budují různorodé migmatické ruly. Oblast vrcholu zahrnuje skalnatý hřbítek, pod nímž leží balvanité sutě a suťové osypy. Temeno hory pokrývají lesy.

Pec

Známé rekreační a turistické středisko pod Čerchovem. Obec byla založena v polovině 17. století, postupně zde pobývali hutníci, skláři, dřevaři i řezbáři. K pamětihodnostem chodského sídla patří například kaplička sv. Prokopa z počátku 19. století. V Peci působil malíř Jaroslav Špillar, narodil se tu spisovatel Jan František Hruška (pamětní deska). Potenciální východiště na Čerchov.

Sokolova vyhlídka

Zosobnění zřetelného výchozu českého křemenného valu (viz výše), chráněný přírodní úkaz. Místo leží asi kilometr jihozápadně od Pece pod Čerchovem a bylo pojmenováno podle významného českého geologa Rudolfa Sokola.

263. Barokní interiér
svatomartinského kostela v Klenčí

264. Historické jádro obce Trhanov

VYBRANÁ TURISTICKÁ STŘEDISKA

Klenčí pod Čerchovem

Stará a v minulosti privilegovaná chodská obec, od roku 1680 město. Nejznámější architektonickou památkou Klenčí je barokní kostel sv. Martina z první poloviny 18. století s kryptami zdejších velmožů. Ještě starší je ovšem budova pošty (1546), bývalá celnice a pohostinství.

Kromě slavné hraničářské tradice se v Klenčí rozvíjela také výroba keramiky (porcelán), dařilo se tu krajkařství a vyšívání. V Klenčí se narodili spisovatel Jindřich Šimon Baar (místní muzeum)

a hudební skladatel Jindřich Jindřich. Město je magnetem také pro turisty a lyžaře. V zimě mají k dispozici lyžařský areál na nedalekém úbočí Sádku. Přes léto návštěvníkům slouží veřejné koupaliště.

Dopravní dostupnost

Klenčí je přístupné po silnici i železnicí. V prvním případě bývá nejčastěji využívána komunikace č. 189 mezi Domažlicemi a Waldmünchenem. Přijíždějící od Postřekova si mohou zvolit komunikaci č. 195. Klenčské nádraží leží na železniční trati mezi Domažlicemi a Poběžovicemi.

DOPORUČENÝ VÝLET
Kategorie: půldenní až celodenní

Klenčí – Výhledy (tzv. Baarovou stezkou po zelené, z Výhledů dále po modré) – Capartice (z Capartic po červené doprava) – Sádkova skála – Haltrava (stále po červené); Haltrava – Sádkova skála – rozcestí s modrou (zpět po červené, od rozcestí vlevo dolů po modré) – Klenčí

Chodov, Trhanov

Sídla Chodov a Trhanov byla správně několikrát spojena a znovu oddělena. K poslední formální rozluce došlo zatím roku 1990.

Chodov bývala privilegovaná osada a nikoli náhodou připomíná již svým jménem Chodsko a Chody. Zmiňován byl poprvé v roce 1325. Na zdejší návsi se dodnes zachovaly stylové chodské statky. K dalším kulturním památkám obce patří dozajista starý farní kostel sv. Vavřince, kaple sv. Jana Křtitele z přelomu 17. a 18. století, tzv. kosteliště, kde se prý scházívali nekatoličtí

265. Masív Čerchova spadá do Přírodního parku a do připravované Chráněné krajinné oblasti Český les

Chodové (Na Hůrce), nebo pomník Jana Husa z počátku 20. století.

Chodov sousedí s další významnou chodskou obcí Trhanovem. Odehrává se tu část románu Aloise Jiráska „Psohlavci". Trhanov vznikl v 17. století v podzámčí barokního sídla Lamingerů. Zámek později vyhořel, byl proto v 19. století přestavován. Právě zde se narodil význačný český lékař Josef Thomayer. Dnes se v objektu nachází muzeum. Církevním těžištěm obce je kostel sv. Jana z Nepomuku. Z přírodních zajímavostí stojí jistě za zmínku skalisko u silnice do Pece. Jedná se o výchoz českého křemenného valu (viz výše).

Dopravní dostupnost

Chodov i Trhanov leží na místní spojce mezi silnicemi č. 26 (Domažlice – Furth) a č. 189 (Domažlice – Waldmünchen).

Zmíněnou odbočku najdeme zhruba 3 km jihozápadně za Domažlicemi. Obě sídla lze navštívit také vlakem. Z Domažlic sem směřuje trať do Poběžovic.

DOPORUČENÝ VÝLET
Kategorie: půldenní až celodenní

Chodov – Výhledy (po červené, dále po modré značce) – Capartice (v Caparticích odbočíme ze silnice vlevo po červené) – rozcestí se zelenou (dále vpravo po zelené) – Čerchov; Čerchov – Pec (z Čerchova stále po modré, z Pece po žluté) – Mlýneček – Chodov

Vybrané mapy a průvodce

Chodsko. Turistická mapa č. 63, Edice Klubu českých turistů, Praha, 1 : 50 000, 2.vydání 1993, aktualizovaný dotisk 1998.

266. Z Výhledů se otevírá značná část historického území Chodska

267. Památník J. Š. Baara. Slavný spisovatel pocházel z Klenčí

VSETÍNSKÉ VRCHY
(Valašská romance)

Vsetínské vrchy (dříve též Vsacké vrchy) leží na východě horopisného celku Hostýnsko-vsetínská hornatina. Na severu je vymezuje Rožnovská brázda, na jihu předlouhá dolina Vsetínské Bečvy. Od západního souseda – vrchů Hostýnských – je odděluje dolina Horní Bečvy mezi Vsetínem a Valašským Meziříčím. Na konci opačném jakoby se vkliňovaly mezi dva sebevědomé a souběžně orientované západokarpatské masivy, Moravskoslezské Beskydy a Javorníky.

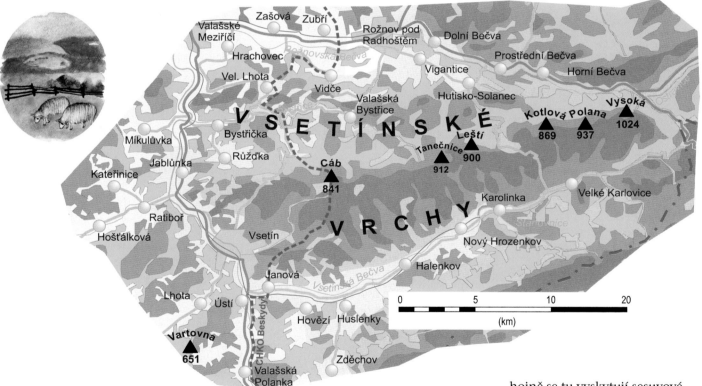

Pohoří má charakter ploché hornatiny až členité vrchoviny s dlouhými horskými hřbety a četnými příčnými rozsochami. Rozloha Vsetínských vrchů činí 338 km², jejich střední výška mírně přesahuje 590 m. Nad tisícimetrovou vrstevnici horstvo dosahuje na samém nejvýchodnějším okraji vrcholem

Vysoká (1024 m) v tzv. Soláňském hřebeni.

Vsetínské vrchy náleží do vnějšího pásu západokarpatského flyše (čelo tzv. magurského příkrovu). Jejich pestrá a silně zvrásněná souvrství skládají především paleogenní hrubozrnné pískovce, slepence a jílovce. Reliéf podmiňuje rychlá říční eroze,

hojně se tu vyskytují sesuvové plochy i proudy (hlavně na jílovcích), balvanité proudy (pískovce), skaliska nebo vyvýšeniny tzv. tvrdošů.

Téměř celé horstvo spadá do černomořského povodí. Odvodňují jej dvě hlavní artérie – severní svahy Rožnovská (neboli Dolní) Bečva, jižní a východní sklony pak Bečva Vsetínská neboli Horní. Obě se ve Valašském Meziříčí spojují,

268. Lilie cibulkonosná
(Lilium bulbiferum).
*Jmenuje se po cibulkách, které vytváří
v úžlabí horních listů. V podhorských
a horských oblastech rozkvétá vzácně,
vždy na přelomu jara a léta*

269. Vysoká (1024 m) a její družina.
Panoráma od obce Hlavatá

aby již pod názvem Bečva dospěly
až k řece Moravě. Avšak pozor!
V nejseverozápadnějším výběžku
pohoří, konkrétně na severních
úbočích Vysoké pramení Bílá
Ostravice. Ta již míří na sever
k Odře a s ní pak k Baltu.

Klima je ve Vsetínských vrších
různorodé. Podobně jako
u sousedních Javorníků je zde
cítit vliv srážkového stínu
za Moravskoslezskými Beskydy
a Hostýnskými vrchy. Jestliže
hlavní kotliny umožňují
teplomilnějším druhům pronikat
do hor a zejména v jejich ústích
panují relativně příznivé
podmínky, hřebeny a vrcholy jsou
již součástí chladné horské oblasti.
Pokud ve Vsetíně bývá průměrná
roční teplota vzduchu 8 °C a úhrny
srážek se zde za stejné období
pohybují okolo 880 mm, na
hřebenech je to již analogicky
okolo 5 °C a zhruba 1100 mm.

Původní porosty Vsetínských

270. Netýkavka nedůtklivá (Impatiens
noli-tangere). *Rostlina stinných lesů
a pobřežních křovin. Na vlhčích
lokalitách roste až do horského stupně.
Plod je tobolka, která při sebemenším
doteku příslovečně puká*

271. Prasetník kořenatý (Hypochoeris
radicata). *V okolí cest, na lesních
okrajích, pasekách a na sušších
pastvinách vystupuje až do horského
stupně. Poměrně hojný druh*

272. Proces zanášení je na flyšovém
podkladě rychlý. Bagrování nádrže
v Horní Bečvě

273. Babočka bílé C (Polygonia c-album). Charakteristicky tvarovaná křídla nesou na rubu bílou skvrnu ve tvaru písmene „c". Poletuje na lesních světlinách a při březích horských potoků

274. Na Valašsku jsou folklórní zvyky stále živé. Muž v tradičním kroji

275. Minulost a současnost. Vyšívaná a igelitová móda

také okrajová poloha v rámci Západních Karpat, je proto vůči svým vnitroslovenským protějškům druhově chudší. Běžně tu žijí například obojživelný mlok skvrnitý, horští ptáci jako ořešník, datlík tříprstý nebo tetřev, ze savců kupříkladu plch lesní nebo rejsek horský. Zurčící potoky oživuje zajímavá ichtyofauna pstruhového, lipanového a v nejnižších partiích také horního parmového pásma.

Podhůří Vsetínských vrchů bylo obydleno již v době bronzové, slovanské osídlení sem zasáhlo v 5. století. Obě skutečnosti dokládají četné archeologické nálezy. Závěry údolí a horské hřebeny začal člověk využívat až v 16. století, kdy sem ze Slovenska a předtím až z jižního Rumunska a Balkánu dorazila valašská neboli balkánská kolonizace. Však právě Vsetínsko, Rožnovsko a Meziříčsko jsou srdcem jedné z nejpozoru-hodnějších etnických oblastí České republiky a střední Evropy, tzv. Valašska. Dodnes tu žije nebývalá folklórní tradice včetně lidových slavností, národopisných festivalů nebo udržovaných stavebních památek a architektonických celků.

Převážná část Vsetínských vrchů spadá do nejrozlehlejší české chráněné krajinné oblasti. CHKO Beskydy byla na ploše 1160 km² vyhlášena v roce 1973. Maloplošných zvláště chráněných území je v pohoří ovšem dosud málo, za jejich příklad může sloužit pralesní Přírodní rezervace Kutaný nebo Přírodní památka Louka za Klenovem (pastvina s výskytem vzácné flóry). V oblasti Soláňského hřebene chráněná území podobného typu doposud zcela scházejí.

vrchů vytvářely hlavně květnaté a vzácně též acidofilní bučiny (např. v okolí Vysoké). Mezi buky se tu velmi často přimísila jedle či javor, javořinám a javorovým habřinám patřily spíše svažité a suťovité terény. Také tady byly většinou přirozené lesy vytěženy a převedeny na kulturní smrčiny. Část území ovšem zůstala bezlesá a byla pak využívána jako horské louky nebo pastviny. Doleji podél toků rostou obvykle spletité vrbové porosty. Nápadně kvetoucí rostliny pohoří zastupují například pryšec mandloňovitý, zapalice žluťuchovitá, kyčelnice žláznatá, tolije bahenní nebo řepíček trojlistý.

Podhorskou i horskou zvířenu Vsetínských vrchů dlouhodobě ovlivňoval člověk. Je na ní znát

276. Prořídlé porosty na vrcholu Vysoké. V dáli se rýsují první beskydští velikáni

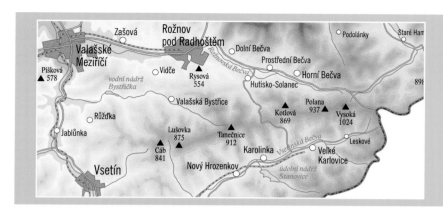

Legenda

vodní plochy	lanovky
vodní toky	sídla
železnice	výškové kóty
významnější komunikace	

250   500   750   1000   1250 m n. m.

1 : 400 000   0   5   10 km

TURISTICKÉ CÍLE A ZAJÍMAVOSTI

Vysoká

S kótou v nadmořské úrovni 1024 metrů je to nejvyšší hora Vsetínských vrchů. Leží na východě Soláňského hřbetu, blízko hraničního přechodu Bumbálka. Vrchol Vysoké tvoří odolný pískovcový tvrdoš na okraji magurského flyše. Je zčásti odlesněn a otevírají se z něj překrásné výhledy na Javorníky, vlastní hřeben Vsetínských vrchů a na nedaleké Moravskoslezské Beskydy. Severní úbočí odvodňuje

Rožnovská (Dolní) Bečva, na severozápadě pramení bystřina Bílá – zdrojnice Bílé Ostravice.

Makovský průsmyk

Uzlový bod, oddělující Hostýnsko-vsetínskou hornatinu (Vsetínské vrchy), Moravskoslezské Beskydy (část Klokočovská

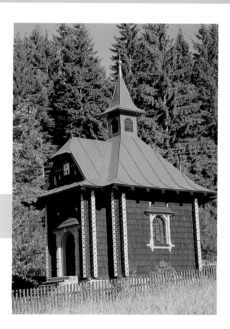

277. Dřevěná kaple v údolí Rožnovské Bečvy kopíruje skandinávský stavební styl

278. Západním směrem Vsetínské vrchy zvolna klesají. Vlevo lesnatý vrchol Polany (937 m), napravo Rožnovská brázda

279. Horské farmy
nad střediskem Třeštík

hornatina) a Javorníky (Karlovická vrchovina). Jmenuje se podle nedaleké slovenské obce Makov. Průsmykem prochází česko-slovenská státní hranice, překonávají jej silniční komunikace č. 487 a 442 (důležitý hraniční přechod). Památné místo partyzánského odboje za druhé světové války.

Třeštík

Rekreační, turistické a zvláště pak lyžařské středisko na hřebeni Vsetínských vrchů. V blízkosti se nalézá horský hotel, horská chata, turistická ubytovna s chatičkami. Místo slouží celoročně jako východiště na Vysokou, v zimě lze využívat zdejší sjezdovku s vlekem.

Benešky, Jezero

Hřebenové partie Vsetínských vrchů, rozvolněná krajina mezi vrchy Polana (937 m) a Kotlová (869 m). Ve východní části tohoto turisticky oblíbeného místa leží stejnojmenná horská osada Benešky. Směrem na jihozápad najdeme údolí Jezerního potoka. Při žlutě značené turistické cestě nad obcí Jezerné se skrývá nevelká umělá vodní nádrž. V blízkosti tohoto „Jezera" roste památný exemplář tisu červeného.

VYBRANÁ TURISTICKÁ STŘEDISKA

Horní Bečva, Prostřední Bečva

Popis střediska je uveden v kapitole Moravskoslezské Beskydy.

DOPORUČENÝ VÝLET
Kategorie: půldenní až celodenní

Prostřední (Horní) Bečva (po silnici č. 442 přejezd autobusem do zastávky Hlavatá – asi 4 až 7 km) – Hlavatá – Třeštík (pěšky po žluté, ze sedla Třeštík ostře vpravo po červené) – Vysoká – Polana – Benešky – Kotlová – rozcestí pod Kotlovou (až sem stále po červené, kterou v posledním úseku souběžně doprovází modrá; z rozcestí pod Kotlovou budeme pokračovat vpravo buď po zelené a žluté, nebo po zelené) – Horní (Prostřední) Bečva

Velké Karlovice

O středisku bude pojednáno v kapitole o Javorníkách.

DOPORUČENÝ VÝLET

Kategorie: půldenní až celodenní

Velké Karlovice – Miloňov – Benešky (až sem po modré, dále vpravo po červené) – Benešky – Polana – Vysoká – Třeštík (stále po červené, ze sedla vpravo po zelené) – Babská (pěšky, či autobusem podél Vsetínské Bečvy přes Leskovou zpět) – Velké Karlovice

280. Portál hornobečevského kostela. Barokní stavba pochází z konce 18. století

281. Samoty pod horou Jestřáb (777 m). Pohled z Vysoké

Vybrané mapy a průvodce

Javorníky, západ. Turistická mapa č. 95, Edice Klubu českých turistů, Praha, 1:50 000, 1992.
Moravskoslezské Beskydy. Turistická mapa č. 96, Edice Klubu českých turistů, Praha, 1:50 000, 2. vydání 1998.

JAVORNÍKY
(Hřebeny plné rozbřesků)

Za dolinou Vsetínské Bečvy vyrůstá nejposlednější z valašských hřebenů – historický předěl mezi Moravou a Uhrami. Ráno co ráno z tamních polan a hvozdů probleskují první světelné paprsky. Jako po horské magistrále po něm na západ proniká západokarpatská horská příroda, druhy překrásných bylin i velkých dravých šelem...

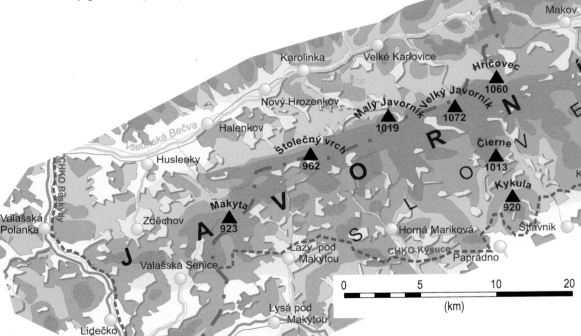

Na české straně je nejvyšší hraniční Malý Javorník, někdy též zvaný jednoduše Javorník (1019 m). České Javorníky zabírají plochu asi 230 km². Jejich průměrná nadmořská výška činí 632 metrů.

Nejbližšími horskými sousedy Javorníků jsou na jihu Bílé Karpaty, v českém vnitrozemí paralelně probíhající Vizovická vrchovina a Hostýnsko-vsetínská hornatina, u Makovského průsmyku se jich dotýká výběžek Moravskoslezských Beskyd. Za slovenskou hranicí

Dnes prochází Javornickým hřbetem pomezí České republiky a Slovenska. Právě na Slovensku pohoří kulminuje vrcholem Veľkého Javorníku (1072 m).

282. *Malý Javorník (1019 m).*
Jedna z mála
podvrcholových světlin

283. *Kočka divoká (Felis silvestris).*
Poznáme ji podle huňatého, poměrně
krátkého ocasu. Karpatský areál
sahá až po Javorníky, kde žije spíše
v listnatých nebo smíšených porostech

284. *Žebrovice různolistá (Blechnum*
spicant). Vytrvalá kapradina
z přirozených i kulturních lesů.
Na východě republiky bývá vzácná

Staškov

Rakovka
▲
908

Nesluša

navazují stále
ještě na severu
Oravské Beskydy
a za širokým
údolím Váhu
se zde zvedají
Strážovské vrchy.
Stejně jako
ostatní moravské
a slezské Karpaty patří
také Javorníky k Vnějším
Karpatům. Ty byly v rámci
zdejších horotvorných pochodů
vyvrásněny poměrně pozdě, budují
je pestré usazeniny, souborně
označované jako flyše. V případě
vcelku úzkého Javornického
hřebene se jedná především
o odolné paleogenní pískovce.

Hlavní Javornický hřeben má
zhruba jihozápado-severovýchodní
orientaci. Je relativně výškově
vyrovnaný. O to víc s ním
kontrastují příkrá úbočí
a zahloubené boční doliny. Mívají
charakteristický profil ve tvaru
písmene V a nezapřou svůj říční
původ. Společně s flyšovým
podkladem je pak takový terén
vynikající příležitost pro rozsáhlé
půdní sesuvy nebo pro hluboké
erozní rýhy.

Javornické potůčky, říčky
a řeky patří k povodí Dunaje.
Severozápadní expozice odvodňuje
Vsetínská Bečva a poté Morava,

ze slovenských svahů sbírají
podobně vodu Kysuca s Váhem.
Významnějším vodním dílem
pohoří je údolní nádrž Stanovnice
nad střediskem Karolinka.

Podnebí Javorníků ovlivňuje
jejich poloha ve srážkovém stínu
Hostýnsko-vsetínských vrchů
a Moravskoslezských Beskyd.
Ve vyšších polohách je lze
charakterizovat jako chladné
až velmi chladné, oproti oběma
západněji položeným celkům
je však ve srovnatelných výškách
sušší a teplejší. Na hřebenech
dosahují průměrné roční teploty
zhruba 5° C, srážkové úhrny za
stejné období bývají asi 1100 mm.
Javorníky dnes převážně

285. *Třezalka skvrnitá (Hypericum*
maculatum). Hojně rozšířený horský
druh získal jméno podle skvrnitých
listů. V řadě případů
jsou tečkované také korunní plátky

286. *Medvěd hnědý (Ursus arctos).*
Všežravý medvěd si pochutná také
rád na mase. Největší evropská
šelma do hraničních moravských
hor přichází ze Slovenska

287. Boží muka u dědiny Stanovnice

288. Za Malým Javorníkem ubíhá státní hranice vpravo od hlavního hřebene. Veľký Javorník (1072 m) leží proto již na Slovensku

289. Na hřebenech u Kohútky. Za chatami Spacák a Javorka vystupuje Stolečný vrch (962 m)

porůstají smrkové monokultury. Původní květnaté bučiny, jedlobučiny, jedliny a v nejvyšších polohách také acidofilní bučiny najdeme vzácně, bývají zpravidla chráněny státem. Údolní nivy hostí obvykle vrbiny, vzácněji také rašelinné nebo bezkolencové louky. Ve vyšších polohách, kde člověk lesy odstranil, nahrazují jej většinou smilkové louky nebo pastviny. Ojediněle můžeme v nejvyšších partiích hlavního hřebene uvidět horské květnaté louky. Flóra Javorníků nese již zřetelný západokarpatský rukopis, neschází v ní pryšec mandloňovitý, kyčelnice žláznatá, tolie bahenní ani překrásná orchidej střevíčník pantoflíček.

Také zvířena oblasti nenechá o své zeměpisné příslušnosti nikoho dlouho pochybovat. Při srovnání s většinou vnitroslovenských pohoří je snad jen poněkud druhově chudší. Z nápadnějších obratlovců jsou tu vcelku běžní například mlok skvrnitý, kuňka žlutobřichá, zmije obecná, kos horský, tetřev nebo strakapoud bělohřbetý.

V podhůří Javorníků žili lidé již v době bronzové (například archeologická lokalita Pulčín-Hradisko). Osídlení vlastních hor souvisí velmi úzce až s valašskou neboli balkánskou kolonizací. Horští pastevci, pasekáři a kolonizátoři sem po karpatském oblouku přicházeli převážně v 16. století, valašské způsoby života včetně odlesňování a typického horského zemědělství ovlivnily nesmazatelně celou krajinu. Druhovou skladbu a přeměnu místních porostů urychlila dále zvýšená potřeba dřeva v 19. století. V krátkém historickém přehledu Javornicka nemůžeme vynechat ani slavnou partyzánskou tradici na konci druhé světové války.

Ochranu javornické přírody zajišťuje dnes především existence CHKO Beskydy. Právě do její jižní oblasti spadají prakticky celé české Javorníky včetně údolí Vsetínské Bečvy. Maloplošně jsou zde chráněny například bukojedlový prales Razula (NPR), lesní porosty a skalní útvary Pulčín-Hradisko (NPR) nebo botanická lokalita Galovské lúky (PR). Protější slovenská část pohoří patří do západní poloviny CHKO Kysuce. Také tady se nachází řada velmi cenných maloplošných zvláště chráněných území.

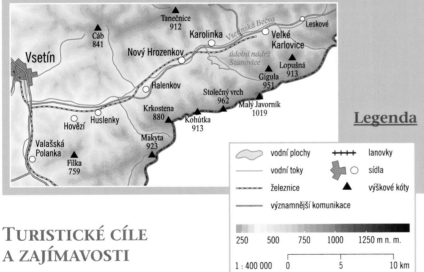

Legenda

vodní plochy	┼┼┼┼	lanovky
vodní toky		sídla
železnice	▲	výškové kóty
významnější komunikace		

250 500 750 1000 1250 m n. m.

1 : 400 000   0   5   10 km

TURISTICKÉ CÍLE A ZAJÍMAVOSTI

Kohútka, Portáš

Dvě vyhledávaná rekreační střediska a oblíbené horské chaty na hlavním hřebeni Javorníků. Obě místa leží na české straně česko-slovenské hranice a automobilem jsou běžně dostupná výhradně ze Slovenska.

Chata Kohútka leží pod stejnojmenným vrcholem (913 m), v její blízkosti se nachází ještě několik dalších ubytovacích zařízení. Z místa lze podnikat

290. Stanovnická Kyčera (851 m)
a Gigula (951 m) završují
dvě z bočních rozsoch

hřebenové túry pěšky i na běžkách, do českého vnitrozemí se odtud rozbíhá několik cvičných louček a sjezdařských tratí s vleky.

Horská chata Portáš plní podobné poslání jako blízká Kohútka. Najdeme ji pod kótou Stolečný vrch (962 m). Portášové bývali strážci východních hranic a jejich strážiště stávalo právě na Stolečném vrchu.

291. Vrcholová mýtina na Malém Javorníku.
Okolí nejvyšší kóty v české části pohoří

Leskové, Razula

Leskové se rozkládá v horní části údolí Vsetínské Bečvy. Je to historické podjavornické sídlo, správně patřící k Velkým Karlovicím. V minulosti proslulo výrobou kvalitního skla, nachází se tu řada původních valašských stavení. Současné Leskové je čilým turistickým střediskem, v zimě tudy procházejí běžecké trati a na severním úbočí vrchu Buřanov bývá k dispozici lyžařský vlek.

Asi 2 km jihovýchodním směrem od Leskového leží veřejnosti nepřístupná Národní přírodní rezervace Razula. Soustřeďuje unikátní zbytek původní jedlobučiny.

Malý Javorník (Javorník)

Malý Javorník neboli Chotárňa je s 1019 m nejvyšším vrchem české části Javornického hřbetu. Budují jej flyšové horniny. Odlesněný vrchol leží na státní hranici a jsou odtud daleké rozhledy, mimochodem na slovenský hřeben s Veľkým Javorníkem. V okolí rostou souvislé lesy s převahou smrku, buku a jedle.

Vodní nádrž Stanovnice

Vodárenská nádrž zásobuje pitnou vodou velkou část Vsetínska. Leží nad střediskem Karolinka v údolí horské dědiny Stanovnice a stejnojmenné javornické bystřiny. Přímo z přehradní hráze je pěkný výhled na skupinu Malého Javorníku.

VYBRANÁ TURISTICKÁ STŘEDISKA

Nový Hrozenkov

Obec a rekreační středisko u soutoku říčky Vranča a Vsetínské Bečvy. Byla založena v první polovině 17. století pod jménem Rozinkov. Okolí sídla je spjato s dílem malíře Antonína Strnadela, narodil se zde také národopisec Josef Ország Vranecký. Během druhé světové války tady působila významná buňka partyzánského odboje. Z Nového Hrozenkova se v současnosti obvykle vychází do oblasti Kohútky a Portáše.

292. Ranní opar nad nádrží Stanovnice

Pod tzv. Válkovým grúňom bývají přes zimu v provozu dva sjezdařské svahy s vleky.

Dopravní dostupnost

Obec leží na silnici č. 487 mezi Ústím (Vsetínem) a hraničním přechodem se Slovenskem v Makovském průsmyku. Dostupná je rovněž po železnici ze Vsetína.

DOPORUČENÝ VÝLET
Kategorie: celodenní

Nový Hrozenkov – Permoník – Vranča – Portáš (na Portáš po modré, dále vpravo po hřebeni po červené) – Kohútka - rozcestí Provazné (ještě před vrcholem Provazné musíme odbočit vpravo z kopce po zelené) – Košařiska – Halenkov (v Halenkově buď pěšky vpravo po asfaltu, nebo lze dále použít také autobus či železnici) – Nový Hrozenkov (neznačeno, z Halenkova asi 3 km)

293. Sečné louky na Hrdinkách. V pozadí Planinská Kýčera (768 m)

294. *Panoráma Javorníků z Vsetínských vrchů*

Karolinka

Obec byla založena teprve v 19. století jako součást Nového Hrozenkova. Jejím centrem bývala sklárna, dnešní podnik Moravských skláren. V části Raťkov se dochovala velká skupina roubených lidových staveb. Okolí Karolinky skýtá výborné možnosti letní i zimní turistiky v Javorníkách i ve Vsetínských vrších.

Dopravní dostupnost

Do Karolinky lze přijet silnicí č. 487 od severovýchodu z Makovského průsmyku, nebo z jihozápadu od Vsetína. Ke stejnému účelu lze využít také severní horskou spojnici s Prostřední Bečvou (č. 481). Železniční stanice Karolinka leží na trati Vsetín – Velké Karlovice.

DOPORUČENÝ VÝLET

Kategorie: celodenní

Karolinka – údolí Velká Stanovnice – Na Rakošovem – Frňovské sedlo (stále po žluté, odtud dále vpravo po červené hřebenovce) – Frňovské – Stolečný vrch – Portáš

246

Velké Karlovice

Známá obec a horské středisko v horní části údolí Vsetínské Bečvy. Založena byla v roce 1714. Sídlili zde portášové, strážci hranice s Uherským královstvím. V obci je dnes památkově chráněno několik zachovalých objektů. Patří k nim například dřevěný kostelík Panny Marie Sněžné z poloviny 18. století, selské dvory nebo patrové fojtství; doporučit lze i prohlídku národopisného a vlastivědného muzea. Místním tradičním výrobním odvětvím bylo sklářství (viz Lesková) a zpracovatelství dřeva. Velké Karlovice nabízejí řadu ubytovacích zařízení, v létě koupaliště, dostihovou dráhu, v zimě pak vynikající běžecké stopy a několik sjezdovek.

Dopravní dostupnost

Velké Karlovice jsou poslední větší obec v závěru hornobečevského údolí. Prochází jimi mezinárodní silnice č. 487, z oblasti Rožnovska sem vede přes Vsetínské vrchy silnice č. 481. Ve Velkých Karlovicích končí železniční trať ze Vsetína.

(na posledním úseku souběžná červená a zelená); Portáš – Stolečný vrch – rozcestí červené a zelené (začínáme se vracet po souběžné červené a zelené, z blízkého sedla dolů vlevo po zelené) – samoty Frňovské – rozcestí Stanovnice (vracíme se na již známé rozcestí zelené a žluté nad nádrží) – Karolinka (žlutá)

Vybrané mapy a průvodce

Beskydy, Javorníky. Turistická mapa č. 71, SHOCART, Zlín, 1:50 000, 2000.
Javorníky. Cykloturistická mapa č. 153, SHOCART, Zlín, 1:75 000, 1999.
Javorníky, západ. Turistická mapa č. 95, Edice Klubu českých turistů, Praha, 1:50 000, 1994, aktualizovaný dotisk 1998.

DOPORUČENÝ VÝLET
Kategorie: celodenní

Velké Karlovice – Velké Karlovice (část) – Podťaté – Noclehy – Kasárne (státní hranice) – rozcestí u chaty Javorník (až sem stále po modré, nyní vpravo vzhůru po žluté) – Veľký Javorník (přecházíme na červenou hřebenovku) – Stratenec – rozcestí Bukovina (opouštíme hřebenovku a odbočujeme zpět na Moravu po zelené) – Příschlop (odtud je možné postupovat do Velkých Karlovic buď vlevo po žluté, nebo po zelené vpravo) – Velké Karlovice

295. Nejvyšší horská skupina ze samot Na Rakošovem

JEŠTĚDSKÝ HŘBET
(Kosmická hora)

Ještěd vyčnívá nad severočeskou metropoli jako téměř dokonalý kužel. Které město se může pochlubit tak krásnou a inspirativní dominantou...? Pozoruhodné dílo přírody dokončila lidská ruka. Vrcholová budova z dílny českého architekta Hubáčka patří k dílům obdivovaným i zatracovaným.

296. Horní stanice lanovky a avantgardní hotel s vysílačem. Stavba před léty vyvolala nejednu polemiku

Vrcholek Ještědu sahá do nadmořské úrovně 1012 m. Je součástí tzv. Hlubockého hřbetu, centrální části Ještědského hřbetu neboli hřebene. Ten je dlouhý přes 30 km a má povahu ploché hornatiny. Jeho rozloha činí asi 120 km², střední výška necelých 550 m.

Ze severozápadu k jihovýchodu orientovaný Ještědský hřbet vyzdvihly silné neotektonické pohyby. Má charakter hrástě, kterou od sedimentů České křídové tabule odděluje výrazná geologická linie, tzv. lužický zlom. Budují jej horniny ještědského krystalinika, převážně staroprvohorního stáří, vlastní vrchol Ještědu je vlastně kvarcitový suk. V Hlubockém hřbetu jsou místy zastoupeny také sericitické a grafitické fylity, kvarcity (krystalické křemence), místy se uplatňují i zkrasovělé vložky krystalických vápenců (puklinové jeskyně v oblasti Vápenice – viz Turistické cíle a zajímavosti). Ve vyšších partiích Ještědského hřebene není nouze o pozůstatky periglaciální činnosti. Kromě kamenných moří a suťových osypů k nim náleží kupříkladu vrcholové skály nebo výrazné mrazové sruby.

Nelze pominout hydrologický význam pohoří. Hlavní hřeben tvoří rozvodí Labe a Odry, takže zatímco k jihu nebo k západu

297. Vyhlídková cesta odkrývá vhledy do hřebenových porostů

298. Ještěd (1012 m). Nepřehlédnutelná dominanta nad městem Liberec

299. Náprstník červený (Digitalis purpurea). Nápadná bylina lesních lemů, pasek i světlejších lesů. Pochází z jihozápadní Evropy, v českých zemích na řadě lokalit zdomácněl

300. Podběl lékařský (Tussilago farfara). Hojný kolem lesních cest, na březích nebo náspech. V českých horách vždy jeden z prvních rozkvétajících druhů

stékají vody k Mohelce, Jizeře nebo do Ploučnice (ta zde pramení nedaleko osady Hoření Paseky), severní „liberecké" svahy odvodňují krátké levostranné přítoky Lužické Nisy.

Vůči převládajícímu severozápadnímu proudění leží sice

Ještěd v návětří, projevují se tu však přece jen jeho nižší nadmořská výška a sousedství rozlehlejších a poněkud předsunutějších Jizerských a Lužických hor. V horní části severních svahů dosahují roční úhrny srážek v průměru přes 980 mm, jejich jižní protějšky

301. Časný podzim v ještědském buku

*302. Vikev ptačí (Vicia cracca).
Obyvatelka vlhčích a živnějších půd.
Rozšířena bývá v pobřežní zóně horských
potoků, ve světlejších křovinách
či na vysychavých loukách a pastvinách*

a přiléhající podještědí jsou již silně ovlivněny mírnějším a sušším podnebím českého vnitrozemí (v Jablonném v Podještědí jsou například odpovídající hodnoty téměř o třetinu nižší).

Ještědské rostlinstvo a živočišstvo se na první pohled neliší od bioty v analogických polohách Jizerských hor. Svojí skladbou zapadá do hercynské oblasti, endemity zde nejsou známy. Porosty tvoří hlavně smrčiny, které jsou zejména v nižších polohách antropogenní. Pestřejší lesní společenstva sdílí svažité vápencové podloží. V bylinném patře ještědských hvozdů by nás mohlo zaujmout i několik méně obvyklých druhů rostlin (např. okrotice červená), rovněž malakofauna stojí za zvýšenou pozornost (mj. výskyt vřetenatky šedavé). Vraťme se ale ještě k horským smrčinám. Začínají se přirozeně rozpadat již v úrovni nad 900 metrů a pár desítek metrů pod vrcholem Ještědu mizí úplně. Zásluhou izolovanosti a zejména větrného mezoklimatu se tu mohl v plné míře rozvinout takzvaný vrcholový efekt.

303. Srnec obecný (Capreolus capreolus). *Nejmenší jelenovitý sudokopytník v Evropě. Doma je v otevřenější krajině, od nížin až do vyšších hor. Oblíbená trofejní zvěř*

Ještědský hřeben ovlivňoval člověk již od středověku. Těžilo se tu dříví a později také stavební kámen a vápenec. Atraktivní nejvyšší vrchol přitahoval turisty z Liberecka i odjinud. První horské

útulny v jeho okolí vyrostly již v polovině 19. století. Na počátku století dvacátého byl vystavěn horský hotel přímo na temeni, k němu směřovala zásobovací cesta, později silnice. Od třicátých let sem vede z Horního Hanychova kabinová lanovka, která jenom v období 1945 – 1971 přepravila bezmála osm miliónů návštěvníků… Severovýchodní část Ještědského hřbetu je intenzivně využívána také sjezdaři a příznivci běžeckého lyžování.

Patrně nejvýznamnější z maloplošných zvláště chráněných území v oblasti Ještědu je Národní přírodní rezervace Karlovské bučiny. Byla vyhlášena v roce 1972 a chrání zbytek staré vápnomilné bučiny s unikátním bylinným podrostem.

Legenda

vodní plochy		lanovky	
vodní toky		sídla	
železnice		výškové kóty	
významnější komunikace			

250   500   750   1000   1250 m n. m.

1 : 400 000   0   5   10 km

TURISTICKÉ CÍLE A ZAJÍMAVOSTI

Hluboká

Obec a stejnojmenné rekreační středisko na severovýchodních svazích hory Nad Pláněmi (850 m), součásti Ještědského hřebene. V zimě tu bývají v provozu tři sjezdovky s vleky. Historickou zajímavostí obce byla ilegální tiskárna dělnického tisku (konec 19. století).

Ještěd

Nezaměnitelná dominanta (1012 m) Liberecka, nejvyšší hora Hlubockého hřbetu i Ještědského hřbetu. Vrcholový kužel budují sericitické křemence. V tomto případě se jedná o vložku fylitových vrstev, které jsou patrné v nižších partiích. V nejvyšších polohách hory jsou kamenná moře a balvanité akumulace, najdeme tu i kryoplanační terasy. Zásluhou tzv. vrcholového jevu probíhá horní hranice ještědského lesa v pouhých 980 m. Charakteristický tvar hory zvýrazňuje architektonicky avantgardní stavba hotelu s vysílací věží. Zpřístupňuje ji silnice, kabinová lanovka z Horního Hanychova i turistické stezky. Jsou odtud rozhledy do všech světových stran. Z cesty na Pláně je dobře dostupné moderní lyžařské centrum.

304. *Vířivé kameny. Výrazné skalní výchozy najdeme severovýchodně od ještědského vrcholu*

305. *Pláně pod Ještědem a Ještědský hřbet. Tentokrát od jihovýchodu*

307. Ještědský hřbet zpřístupňuje
asfaltová zásobovací silnička.
Veřejné parkoviště u chaty Ještědka

Pláně pod Ještědem

Turistický uzel a sportovní
středisko v jihovýchodní části
Ještědského hřebene. V blízkosti
začínají lyžařské svahy z liberecké
i ze světelské (jihozápadní) strany,
nacházejí se zde ubytovací a stravovací
zařízení. Po červeně značené
hřebenovce lze asi po 2,5 km
chůze dosáhnout vrcholu Ještědu.

Vápenice, Padouchov

Vápenice je výrazný vápencový
ostroh (711 m) mezi Světlou pod
Ještědem a Padouchovem. Naleziště
vzácné vápnomilné a světlobytné
květeny v současnosti však
pozvolna zarůstá lesem.

306. Na Ještědský hřeben navazují
hřbety Hluboký a Rašovský

Padouchov je podještědská
osada s typickou rozptýlenou
zástavbou. V bezprostředním okolí
obce se těžíval vápenec, v jednom
z lomů (Basa) se odehrál děj známé
povídky Karolíny Světlé „Lamač
a jeho dítě". Spisovatelka v okolí
často trávila léto (viz Světlá pod
Ještědem).

VYBRANÁ TURISTICKÁ
STŘEDISKA

Liberec

Jedno z nejdůležitějších
severočeských měst, tradiční
průmyslové středisko, centrum
mezi Ještědským hřbetem
a Jizerskými horami. Nejstarší
zmínky o Liberci pocházejí z roku
1352. Prudký rozvoj sídlo
zaznamenalo především v době
od 16. do 19. století, zejména
v souvislosti se zdejší soukenickou
a textilní výrobou. Současný
Liberec nabídne návštěvníkovi
mnohé: z kulturně-historických
zajímavostí zmiňme kostely
sv. Antonína (16. století) nebo
sv. Kříže (17. – 18. století),

renesanční zámek (původně
ze 16. století), nový zámek
z 18. století, nebo hrázděné
Valdštejnské domky ze 17. století.
Báječný zvuk u veřejnosti i mezi
znalci mají místní zoologická
a botanická zahrada nebo městské
muzeum. S Libercem je spojena
řada populárních jmen. Narodili
se tu například slavný český kritik
František Xaver Šalda nebo král
komiků Vlasta Burian.

Dopravní dostupnost

Liberec je dopravní uzel,
do kterého se sbíhá množství
rozmanitých spojení. Městem
prochází severočeská magistrála
E 442 (č. 13), od severu (od Frýdlantu)
sem vede komunikace č. 35
a od jihovýchodu (z Jablonce) č. 14.
Koridory uvedených silnic zpravidla
sledují také železniční koleje.
Konkrétně se jedná o směry na
Frýdlant, Chrastavu, do Jablonného
v Podještědí, do Turnova a Jablonce.

DOPORUČENÝ VÝLET
**Kategorie: půldenní
až celodenní**

Liberec (Horní Hanychov)
– rozcestí modré a žluté – rozcestí
modré a červené (z Liberce stále
po modré, na rozcestí odbočujeme
po souběžné modré a červené
vlevo) – chata Ještědka (fakultativní
prohlídka vrcholu Ještědu) – Pláně
pod Ještědem (od Ještědky
po červeně značené hřebenovce)
– Nad Pláněmi – U Šámalů
(od Plání po Hlubockém hřbetu
po modré, U Šámalů zabočujeme
v ostrém úhlu vlevo po zelené)
– Liberec (Horní Hanychov)

308. Z Horního Hanychova jezdí
na vrchol historická kabinová lanovka

Světlá pod Ještědem

Světlou pod Ještědem najdeme na jižním úpatí hory. V písemnostech byla uváděna již koncem 13. století, proslula především jako tržní ves. Zdejší prvořadou památkou je kostel sv. Mikuláše z poloviny 17. století, poměrně hojně se v obci zachovala stará lidová stavení. Na letní byt sem jezdívala spisovatelka Karolína Světlá (vlastním jménem Johanka Rottová), dodnes ji připomíná pamětní deska a pomník od sochaře Františka Bílka. Romány jako „Nemodlenec", „Vesnický román" nebo libreto ke Smetanově opeře „Hubička" vznikaly prý právě tady.

Dopravní dostupnost

Do Světlé pod Ještědem můžeme přijet automobilem nebo autobusem. Spojení umožní některá z místních silniček, navazujících na silnice č. 278 mezi Hodkovicemi a Stráží pod Ralskem (např. odbočka v Modlibozích) a č. 592 mezi Chrastavou a Osečnou (Janův Důl, Kryštofovo Údolí). Dojet sem lze také z Liberce přes Ještědský hřeben.

DOPORUČENÝ VÝLET
Kategorie: půldenní až celodenní

Světlá pod Ještědem – Ještědka (po modré, fakultativní odbočka na vrchol Ještědu) – Pláně pod Ještědem (od Ještědky po červené, dále pokračujeme vpravo po zelené) – Vápenice (fakultativní odbočka na kótu 711 m) – Padouchov – Jiříčkov (stále po zelené, dále je třeba jít asi kilometr na sever po neznačené asfaltové silničce) – Světlá pod Ještědem

309. Tetřeví sedlo a Černá hora (811 m). Pohled z Vířivých kamenů

Vybrané mapy a průvodce

Jizerské hory a Frýdlantsko.
Turistická mapa č. 20-21, Edice
Klubu českých turistů, Praha,
1:50 000, 2. vydání 1998.
Ještědský hřbet. Nakladatelství
ROSY, Mělník, 1:25 000, 1997.
Jizerské hory. Cykloturistická
mapa č. 103, SHOCART, Zlín,
1:75 000, 1999.
Jizerské hory, Frýdlantsko.
Turistická mapa č. 02, SHOCART,
Zlín, 1:50 000, 1999.

HANUŠOVICKÁ VRCHOVINA

(Utajená tisícovka)

Hledejme jižně od Králického Sněžníku a Hrubého Jeseníku. Morava s Desnou se tam nadobro rozhodly obrátit na jih, aby odlišily svéráznou trojici horských skupin. Úsovská vrchovina, Hraběšická hornatina i Branenská vrchovina náleží přesto k jedinému horopisnému celku. Možná k tomu nejmalebnějšímu koutu na Moravě i v českých zemích...

Hanušovickou vrchovinu vymezují na západě města Králíky a na severozápadě Hanušovice, na jihu pak Šumperk a na východě Rýmařov. Představuje ji soustava vrchovin a kotlin, které vystupují z Šumperské kotliny na jihu.

Pohoří zabírá plochu 793 km². Jedinou horou, sahající nad tisícimetrovou mez, je zde 1003 m vysoký Jeřáb v Branenské vrchovině (okrsek Jeřábská vrchovina). Hanušovická vrchovina je nejnižším tisímetrovým celkem v České republice, její střední výška je 527 m. Zaměříme-li se více na

vrchovinu Branenskou, stejná charakteristika činí 602 m.

Horstvo budují velmi rozmanité horniny. Převládají mezi nimi krystalické horniny (krystalické břidlice) a provrásněné prvohorní usazeniny. Konkrétně tu není nouze o migmatity, ruly, amfibolity, kvarcity, fylity, přeměněné diabasy, ba ani o ostrůvky hadců nebo vápenců. Hlubší údolí a sníženiny vyplňují třetihorní a čtvrtohorní sedimenty.

Samotná Branenská vrchovina je členitá hornatina, vlastní Jeřábská část je svojí stavbou

v podstatě hrásť. Právě v těch nejvyšších partiích jsou zachované stopy intenzivní kryoplanační modelace, objevují se tu kryoplanační terasy, mrazové sruby, izolované skály i skalní hradby.

Nejzápadnějším výběžkem Hanušovické vrchoviny přímo přes vrchol Jeřábu probíhá Evropské rozvodí Labe-Dunaj. Labské povodí tu tak zahrnuje malou část území s pramennou oblastí Tiché Orlice. Celý zbytek pohoří odvodňují řeky Morava a Desná, přitékající ovšem ze severněji položeného Králického Sněžníku, respektive z Hrubého

310. *Serpentinity v Přírodní rezervaci Na hadci hostí prazvláštní rostlinná společenstva*

Jeseníku. Z jejich významnějších přítoků, pramenících v Hanušovické vrchovině, jmenujme přinejmenším na západě Březnou, na východě pak Oskavu.

Podnebné podmínky pohoří jsou velmi různorodé. Největší rozdíly se přitom uplatňují mezi severními a jižními úbočími a mezi nižšími polohami a vrcholy. Králické, hanušovické nebo velkolosinské předhůří se svými srážkovými a teplotními poměry blíží klimatickým podmínkám v nedalekých vysokých pohraničních horách. Kupříkladu v Hanušovicích dosahuje průměrná roční teplota okolo 7 °C, průměrné roční úhrny srážek v příjesenické části a na vrcholech překračují 1000 mm. Naopak jižní úbočí a tamní údolí jsou již pod vlivem teplé Mohelnické brázdy a nejsevernějšího cípu Hornomoravského úvalu. Průměrná roční teplota

v Šumperku je již např. 7,7 °C, srážek tu za stejné období jako v předešlém případě spadne již jen okolo 650 mm. Průměrná roční teplota v okolí vrcholů je pouhé 4 °C.

Také živá příroda je v Hanušovické vrchovině poměrně pestrá. Lze u ní rovněž vytušit ovlivnění jak vyššími hraničními celky, tak mnohem teplejším jižním podhůřím. Podstatná část území, zvláště v nižších partiích, byla v minulosti odlesněna a lesní porosty tu tvoří dnes hlavně

311. *Chrpina parukářka* (Jacea phrygia). *Její větvená lodyha dorůstá až jednoho metru. Poměrně hojná je na horských a podhorských loukách nebo v přípotočních nivách*

312. *Mlok skvrnitý* (Salamandra salamandra). *Proti toku lesních potůčků vystupuje i přes tisícimetrovou mez. Pestří obojživelníci přečkávají ranní chlad ve vyzkoušených úkrytech*

313. Silenka nadmutá (Silene vulgaris). *Trsnatá forma ze sutí rezervace Na hadci*

314. Zátiší s houbičkami

315. Průsek pod Severomoravskou chatou slouží v zimě jako sjezdovka. Vzadu se rýsuje hřeben Kralického Sněžníku

smrkové monokultury.
Před příchodem člověka šuměly v podhůří zpravidla květnaté anebo acidofilní bučiny. Podél potoků rostly olšiny a jasaniny, prudší svahy a srázy opanovaly suťové lesy s převahou lípy nebo javoru. Pouze do nejteplejších cípů a dolin sahaly vzácně také dubohabřiny nebo acidofilní doubravy. Místní raritou, spojenou s výchozy serpentinitu jsou chudé reliktní bory (například PR Na hadci). Z typických zástupců místní horské flóry jmenujme dále přinejmenším vrbu slezskou, pryskyřník platanolistý, kýchavici zelenokvětou nebo rozrazil horský.

Zvířenu Hanušovické vrchoviny lze nejspíše klasifikovat jako lesní, podhorskou až horskou. Pozoruhodnějšími druhy jsou zde například ořešník kropenatý, tetřívek obecný, netopýři severní či brvitý, myšice temnopásá. Od východu sem zasahují také z karpatské oblasti mimo jiné někteří měkkýši nebo prazvláštní obyvatelka proudných potoků – mihule ukrajinská.

Člověk začal vyšší

polohy Hanušovické hornatiny využívat až s příchodem středověku. Zprvu přicházeli především prospektoři a dřevaři, daleko později sem z nižších poloh začalo šplhat podhorské zemědělství, hlavně lukařství a pastvinářství. Právě sem přinesla v druhé polovině 20. století tzv. intenzifikace nevhodné, pro přirozené a polopřirozené ekosystémy mnohdy destruktivní agrotechnické postupy (například přehnojování, meliorace atd.).

Stávající územní ochrana přírody a krajiny není v oblasti vyvážená. Zatímco východní část byla zahrnuta do CHKO Jeseníky (leží tu např. lesní PR Rabštejn), západní polovina hor má v tomto ohledu stále co dohánět. Dosud jediným maloplošným zvláště chráněným územím je tu již jednou zmiňovaná Přírodní rezervace Na hadci u Raškova.

Legenda

vodní plochy	lanovky
vodní toky	sídla
železnice	výškové kóty
významnější komunikace	

250 500 750 1000 1250 m n. m.

1 : 400 000   0   5   10 km

TURISTICKÉ CÍLE A ZAJÍMAVOSTI

Jeřáb

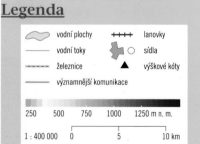

Vrcholek Jeřábu (1003 m) tvoří nejvyšší bod okrsku Jeřábská vrchovina, podcelku Branenská vrchovina i celku Hanušovická vrchovina. Lze se k němu přiblížit po žluté značce od kostelíku

sv. Trojice nebo z opačné strany od Králíků. Jeřábem kulminuje hrásťová struktura, budovaná migmatickými horninami a ortorulami. Hora je z převážné části zalesněná, převládají zde smrkové porosty.

Mariánský kopec, Hedeč

Mariánský kopec (770 m) nelze z Králické brázdy přehlédnout. Poznáme jej podle kláštera a barokní baziliky Sedmibolestné Panny Marie poblíž vrcholu. Stavby, zpravidla z konce 17. století, byly po ničivém požáru v 19. století obnoveny. Jedná se o poutní místo, ke kterému stoupá kapličkami obestavěná alej (křížová cesta). Temeno hory je z Králíků dostupné po žluté a zelené turistické značce nebo lanovkou. Lze se sem také dopravit automobilem přes Horní Hedeč (u silnice se tu nachází menší rašeliništní mokřad).

Nový hrad (Furchtenberk), Raškov

Důležitý středověký hrad střežíval strategické údolí Moravy. Byla to jedna z největších staveb svého druhu široko daleko. Prvně

317. V sedle mezi vrcholy Jeřáb a Bouda stojí kostelík sv. Trojice

byl zmiňován v roce 1417, patřil Lobkovicům a později dokonce císaři Zikmundovi. Blízká obec Raškov proslula počátkem novověku svými hamry. Místní architektonickou zajímavostí je barokní kostel sv. Jana Křtitele z roku 1711.

Pohořelec, Severomoravská chata

Pohořelec je vrchol (851 m) na jednom ze severních ostrohů Branenské vrchoviny. Poblíž stojí Severomoravská chata, vyhledávané rekreační, sportovní a turistické zařízení. Na severních svazích přímo pod chatou bývá přes zimu v provozu sjezdová trať s lyžařským vlekem. Zařízení lze využít také pro snadnější nástup na hřebenové běžecké stopy.

Štědrákova Lhota, Rovinka

Horskou obec Štědrákova Lhota najdeme v údolí Hostického potoka pod druhým nejvyšším vrchem Jeřábské vrchoviny Boudou (956 m). Z východních svahů nad obcí vedou kratší sjezdové tratě s vleky, protějšímu obzoru dominuje zčásti zalesněný hřeben Rovinka (615 m). Z Rovinky jsou překrásné výhledy na masiv tzv. Hrubého lesa s vrcholy Kamence, Jeřábu nebo Boudy.

VYBRANÁ TURISTICKÁ STŘEDISKA

Králíky

Město leží v Králické brázdě mezi Králickým Sněžníkem, orlickohorským masivem Suchého vrchu a Jeřábskou vrchovinou v severozápadní části Hanušovické vrchoviny. Na západ od Králíků se vypíná známé poutní místo Mariánský kopec (viz Turistické cíle a zajímavosti).

Králíky byly založeny na místě středověkých rudných dolů teprve v 16. století. S úpadkem hornictví se zde začaly rozvíjet hlavně tkalcovství, drobná řemeslnická výroba a později také textilní, elektrotechnický nebo dřevozpracující průmysl.

V centru střediska stojí klasicistní radnice z 18. století, přibližně stejného stáří je kostel sv. Michala i historická klášterní budova.

Dopravní dostupnost

Králíky jsou dosažitelné silnicí č. 43 mezi Červenou Vodou a hraničním přechodem Dolní Lipka, respektive silničním tahem č. 312 spojujícím Žamberk s Hanušovicemi. Možné je samozřejmě použít osobní automobil i autobusovou linku. Středisko lze navštívit rovněž po železnici (tratěmi Jablonné nad Orlicí – Lichkov – Červená Voda nebo Lichkov – Hanušovice).

318. Jeřáb nad hladinou vysokopotockého rybníčku

319. Rozložitá silueta Hrubého lesa z údolí Moravy u Raškova

Kategorie: celodenní

Králíky – Mariánský kopec (vyvedou nás souběžné žlutá a zelená značka nebo použijeme lanovku) – rozcestí s modrou – kostelík sv. Trojice (stále po žluté, od kostelíka po souběžné červené a modré značce) – rozcestí červené a modré (odtud již jen výhradně po červené) – Lysina – Zámeček – soutok Krupé a Moravy u Hanušovic – Hanušovice; ke zpáteční cestě do Králíků využijeme buď autobusovou linku, nebo železnici (asi 20 km)

320. Nejvyšší skupina Branenské i Hanušovické vrchoviny ze svahů Pohořelce (851 m)

Kategorie: celodenní

Hanušovice – Zámeček – Lysina – kostelík sv. Trojice (z Hanušovic po červené, v posledním úseku též po souběžné modré; od kostelíka po souběžné žluté a červené k jihovýchodu) – rozcestí Bouda (odtud už pouze po žluté) – U Lazů – Rovinka – Komňátka – Bohdíkov; do Hanušovic se vracíme proti proudu Moravy buď autobusem, nebo vlakem (asi 15 km)

321. Bučiny Hrubého lesa

Hanušovice

Město na soutoku Moravy a Branné, důležitý dopravní uzel. Písemnosti je prvně uvádějí jako Janovu Ves v roce 1325. V severní části Hanušovic stojí pozdně renesanční, později barokně přestavovaný kostel sv. Mikuláše, v místní části Holba pak barokní kaple z první poloviny 18. století. Počínaje 19. stoletím se zde rozvíjel textilní průmysl a pivovarnictví. Ke stinným stránkám zdejší historie patřilo období druhé světové války. V Hanušovicích a v jejich okolí stávalo tehdy několik zajateckých táborů. Pro dnešního turistu má město význam především jako východiště do vysokých horských skupin, které jej obklopují (vedle Haušovické vrchoviny také Králický Sněžník nebo Jeseníky).

Dopravní dostupnost

V oblasti Hanušovic se sbíhají tři důležité silniční spoje: č. 446 (Staré Město pod Sněžníkem – Šumperk), č. 369 (Ramzovské sedlo – Olšany) a č. 312 (Králíky). Železniční koleje odtud míří do Starého Města pod Sněžníkem, do Jeseníku, Bludova a Králíků.

Červená Voda

Obec v údolí mezi Hanušovickou vrchovinou a východními Orlickými horami (tzv. Bukovskou hornatinou). První zmínky o sídle pocházejí z 15. století, současné jméno je až pozdějšího data. Během třicetileté války bylo místo opakovaně drancováno cizineckými vojsky. Původní renesanční kostel zničil požár, v 2. polovině 17. století byl vystavěn nový, tentokrát barokní svatostánek. V obci se tradičně rozvíjel průmysl textilní a dřevozpracující, vzrůstá její význam coby podhorského rekreačního střediska.

322. Kupy, kupky, kupičky...
Jeřáb od Červeného Potoka

Dopravní dostupnost

Červenou Vodou procházejí důležité silniční komunikace. Předně je to západovýchodní tah č. 11 mezi Hradcem Králové a Šumperkem, dále pak severojižní spojnice č. 43 mezi Svitavami a Králíky (pokračuje ke státní hranici s Polskem). Z Králíků na jih vede přes Červenou Vodu železniční trať, končící ve Štítech.

DOPORUČENÝ VÝLET
Kategorie: celodenní

Červená Voda – Šanov – rozcestí modré se žlutou (z Červené Vody po modré, dále vpravo po žluté) – kostelík sv. Trojice (odtud přímo po souběžné červené a žluté) – rozcestí Bouda (na rozcestí opouštíme žlutou a vydáme se doprava po červené) – Hrubý les – Hájovna u tří tabulí – rozcestník Partyzánské bunkry (zde je třeba odbočit z červeného značení vpravo po zelené) – Písařov – Moravský Karlov (v sedle mezi kótami Hřebínek a Spálenisko opustíme zelené značení, abychom pokračovali po neznačené silnici; v Moravském Karlově budeme pokračovat vlevo po silnici podél říčky Březná) – železniční zastávka Moravský Karlov – Červená Voda (severním směrem buď pěšky po silnici č. 11, nebo jednu zastávku autobusem)

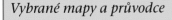

Vybrané mapy a průvodce

Králický Sněžník. Turistická mapa č. 53, Edice Klubu českých turistů, Praha, 1:50 000, 1994, aktualizovaný dotisk 2000.

323. Z Rovinky (615 m) se doširoka otvírá panoráma celého Hrubého lesa

MOUNTAINS OF THE CZECH REPUBLIC

This book introduces us to the highest mountain ranges in the Czech Republic. Every range with a peak exceeding 1000 m, the magical altitude in Central Europe, is described in the book. We can count sixteen individual mountain ranges and mountain groups: the Krkonoše Mts. (the Giant Mts. in English), Hrubý Jeseník Mts., Králický Sněžník mountain range, Šumava Mts., Moravskoslezské Beskydy Mts., Krušné hory Mts. (the Ore Mts. in English), Rychlebské hory Mts., Jizerské hory Mts., Orlické hory Mts., then Šumavské podhůří Foothills, Novohradské hory Mts., Český les Mts., Vsetínské vrchy Hills, Javorníky Mts., Ještědský hřbet Ridge and Hanušovická vrchovina Highland.

We will wander through the Bohemian Massif and the Carpathians in Moravia and Silesia. We will start our journey on Sněžka Mt. (1602 m) and end up in a picturesque upland landscape of the Hanušovická vrchovina Highland. Its highest mountain Jeřáb exceeds 1000 m by only three meters!

The Krkonoše Mountains

The Giant Mountains occupy the area of the Czech's northern border with Poland. They are 36 kilometers long and cover an area of 630 km². Almost two thirds belong to the Czech Republic. They are the highest mountain range of the Sudeten Mountains (Sněžka Mt. 1602 m).

The mountains are composed mainly by crystalline schists, which date from the Proterozoic and Older Paleozoic eras. Quartzites, basaltic igneous rocks and crystalline limestones rarely replace metamorphic mica schists, phyllites and orthogneisses. The large granite pluton penetrated the crystalline complex during the Variscan orogeny. Later in warm climate the Giant Mts. weathered and rounded. The Alpine orogeny, which occurred in the neighboring Alps and Carpathians (the so-called Saxonian tectonic processes) in the middle of the Tertiary period, resulted in the latest uplifting of the Giant Mts.

The Czech side of the Giant Mts. is divided into two significant sub-units: the Giant Mts. ridges (the inner and the outer) and the Giant Mts. saddle bows. The local relief is composed of blocks with the reminder of the flattened plateaux stretching out from the heads of the mountains and river valleys of the Elbe, Úpa and Jizera. The relief was further modified with glaciation during the Older Quarternary period when the peaks were warn down and rounded. There is an evidence of eight throughes, some just minor scars, some large glacial cirques. Due to periodical melting and freezing of solid rock faces and scree fields there are to be found isolated rock formations (tors), frost-riven cliffs, cryoplanation terraces and polygonal and stony striped grounds. The soil flow, so called the solifluction, is also connected with the regelation processes on the ridges of the Giant Mts. The antithetical process to the solifluction could be described as sudden and destructive debris avalanches, called "mury" in Czech.

The Giant Mts. are an important spring area. The Elbe, one of the biggest rivers in Europe, springs here. The mountain range forms the drainage divide between the Baltic and North Seas. Peat pools are examples of natural stagnant waters, which are present on the ridges and in suitable depressions. Glacial lakes arose mostly in the northern part of the mountains. There is only one tarn - (called "Mechové jezírko" in Czech) to be found in the Czech region of the mountains and is closed to public.

In the highest parts of the mountains, the snow cover usually stays for seven months per year (from October to May). The average depth of the snow reaches 150-200 cm. The biodiversity of flora and fauna in comparison to other Central European mountain ranges is surprisingly high. It is determined not only by its geographical position and elevation, but broken relief, various bedrock substrates and its complicated historical development after the glaciation play an important role. We must mention the presence of the glacial relicts and the Giant Mts. endemic and sub-endemic species (the Giant Mountain Whitebeam, Bohemian Bellflower, the Mountain Geometrid Moth, *Torula quadrifaria sudetica* etc.).

The fragile and beautiful nature of the Giant Mts. has been protected since 1963 when this oldest Czech national park was established (in short KRNAP). It covers an area of 362 km² and is now surrounded by a buffer zone of almost 200 km². The Karkonoski Park Narodowy in the Polish part of the Giant Mts. was established in 1959 on an area of 55.6 km². In 1992 the KRNAP and its "Polish twin" became a part of the UNESCO Biosphere Reserves.

Cover:

Sněžka Mt. (1602 m) is the highest mountain of the Krkonoše Mts., Sudeten and Czech Republic

1. The eastern part of the Krkonoše Mts. from Kutná (896 m)
2. The portal of the water plant in Obří důl, water used to be pumped from here to the chalets situated on the summit of Sněžka Mt.
3. Labská soutěska river rapids
4. Marsh Gentian (*Pneumonanthe asclepiadea*)
5. White Pasque Flower (*Pulsatilla scherfelii*)
6. Least Primrose (*Primula minima*)
7. Cloudberry (*Rubus chamaemorus*)
8. Giant Mountain Whitebeam (*Sorbus sudetica*)
9. Alpine Hawkweed (*Hieratium alpinum*)
10. The subalpine plant species of Mouse-ear (*Pilosella officinarum* agg.)

11. Tall Cotton-grass (*Eriophorum angustifolium*)
12. Fir Clubmoss (*Huperzia selago*)
13. The mountain meadows in the Svatý Petr area
14. Red Deer (*Cervus elaphus*)
15. Small Tortoiseshell (*Aglais urticae*)
16. Alpine Accentor (*Prunella collaris*)
17. Freshly cut trees attract insects
18. The massif of Černá hora Mt. (1299 m)
19. The Černohorské rašeliniště Peatbogs experienced the early post-glacial periods
20. Majestic Studniční hora Mt. (1554 m) projects from the Úpské rašeliniště Peatbogs
21. Rapids of the lower part of the river Bílé Labe
22. The view from the Kozí hřbety Ridges
23. The weather pits developed in the Dívčí kameny Rocks
24. The Dívčí kameny Rocks on the ridges (1414 m)
25. The beech primeval forest in the Rýchory area
26. The concrete fortification dated from the thirties of the 20th century. The massif of Vysoké Mt. (1509 m) at the back
27. Wielki Staw shines in the deep cirque under the Stříbrný hřbet Ridge
28. The upper part of the Labský důl
29. The training of mountain rescue in the area of Sněžné jámy
30. The waterfall on the Mumlava river by the Harrach's Road
31. The Kozí hřbety Ridges (1422 m), ridges of Luční hora Mt. (1555 m) and Stoh Mt. (1315 m) protrude behind the deep valley of the Elbe
32. The periglacial forms on the eastern slopes of Luční hora Mt.
33. Polední kámen Mt. (Słonecznik) is formed by large granite rocks
34. The sunrise above Sněžka Mt.
35. The "skyscraper" - the hotel Horizont in Pec pod Sněžkou
36. Čertovo návrší Mt. (1471 m) and Čertova louka Meadow from the highest part of the Bílé Labe river valley
37. The summit of the highest mountain of the Czech Republic is siege by tourists the whole year around
38. The Harrachovy kameny Rocks above the sheer Kotelní jámy
39. The Rýchory Hills rise behind the Modrý důl and Úpa river valley

The Hrubý Jeseník Mountains

The Hrubý Jeseník Mts. are a mountain range situated in the north-west of the Moravia region. Orographically, their relief can be characterized as mountainous, where the altitude difference is 450-600 m. The Jeseníky Mts. are a part of the Bohemian Massif and the Sudetic mountain system. Their total area is almost 530 km² and the average altitude reaches 890 m. Praděd Mt. (1491 m) makes the Jeseníky Mts. the highest mountain range in Moravia and the second highest of the mountain ranges in the Czech Republic.

The Hrubý Jeseník Mts. can be divided into two sub-units. The north-western part with the peak of Keprník Mt. (1423 m) and the Pradědská hornatina Mts. with the altitude difference 300-600 m in the south-eastern region. The mountain range is formed by two-part anticlinorium, which is divided by a depression (so-called synclinorium) situated near the Červenohorské sedlo Saddle. In the Keprník area ortogneisses, gneisses and mica schist-gneisses dominate but the south-western Desenian Dome (the Pradědská hornatina Mts.) consists mainly of magmatites, gneisses, slates, mica schists, quartzites and phyllites.

Although the relief was already upfolded during the Paleozoic era, the latest uplifting happened during the Tertiary period and at the beginning of the Quarternary period (the Saxonian tectonic processes). The ridges of the Jeseníky Mts. are remainders of the old peneplane, and that is why they appear to be very massive and have rounded shapes. In valleys there are torrential streams, which deeply incise the bedrock.

The cold climate during the Pleistocene epoch left the tracks of the glacial and periglacial activities in the mountains: frost-riven isolated cliffs, cryoplanation terraces, stone streams and patterned grounds. Easterly faced glacial cirques and smaller undeveloped cirques are examples of glacial activities.

The Hrubý Jeseník Mts. are an important hydrological area. The ridge forms the drainage divide between the Baltic and Black Seas. Several peat bogs were left in the mountains from the early post-glacial period. Spa and mineral springs are the special features within the hydrology of the Jeseníky Mts. (e.g. towns of Jeseník, Lipová, Velké Losiny and Karlova Studánka).

The climate of the mountain range is drier and warmer in comparison to the western Sudetic mountain system. The average annual precipitation rates range between 830 and 1400 mm, in the period of the highest rainfall they can increase to 1500 mm. The conditions for winter sports are ideal because the snow cover lasts from October to April/May.

The Hrubý Jeseník Mts. are one of the most forested areas in Central Europe. If we omit the managed spruce monocultures, the beech forests occur still in some areas in lower altitudes. Deep mountainous spruce forests dominate the higher elevated areas. There are widespread alpine grassland communities (so-called alpine meadows). Dwarf pine can be seen quite often during our hiking trips, but it is not native to the Jeseníky Mts. In lower areas one can find a native species of larch.

The fauna of the Jeseníky Mts. is composed of mountain forest species. Beside the common game, seeing the herds of chamois (*Rupicarpa rupicarpa*), which originate from the Carpathians and the Alps, will be surprising. Lynx represents the eastern zoological element and is the biggest beast of prey living in the region. Wolfs occasionally visit the area from the Beskydy Mts.

The Hrubý Jeseník Mts. and its surrounding were designated as a protected landscape area in 1969 and cover an area of 740 km².

40. The Petrovy kameny Rocks and Praděd Mt. (1491 m)
41. The feast in the inflorescence of *Adenostyles alliariae*
42. The tangle of the capsules and stalks of the hair cup moss in the moss forest
43. Devil's Paintbrush (*Pilosella aurantiaca* subsp. *aurantiaca*
44. *Trommsdorffia uniflora*
45. Sudetian Mountain Pansy (*Viola lutea* subsp. *sudetica*)
46. Eagle Owl (*Bubo bubo*)
47. River Trout (*Salmo trutta* morpha *fario*)
48. The Červenohorské sedlo Saddle (1010 m). An important traffic and tourists centre situated right in the heart of the mountains
49. Skiing in June under Vysoká hole Mt.
50. The rugged rocks of Obří Skály (1082 m) dominate to the northern hillsides of the Jeseníky Mts.
51. By the lake Velké mechové jezírko
52. Spring in the Rejvíz peatbogs
53. The little chapel with a reported curative spring at the well Vřesová studánka
54. Fresh green colour of beech forests in the Jeseníky Mts.
55. The thufur field in the highest elevated areas of the Keprník Ridge
56. The chalet of Jiří under Šerák Mt. A start-point to the area of Keprník Mt. in the Hrubý Jeseník Mts.
57. The lift from the Ramzovské sedlo Saddle to Šerák Mt. The Rychlebské hory Mts. at the back
58. The sunrise by the Ramzovské sedlo Saddle
59. The deep valley of the upper part of the river Hučivá Desná
60. Rugged rock formations on the summit of Vozka Mt. (1377 m) are mentioned in several folk tales
61. The highest mountain of the Keprník Dome is the rounded peak of Keprník (1423 m). The view from Vozka Mt.
62. In the National Nature Reserve Šerák-Keprník. Climatic spruce forests by their upper margin of distribution
63. The village Karlova Studánka is full of interesting and traditional spa pavilions
64. The saddle Skřítek with a small mysterious statue of the spirit of the mountains divides the Hrubý Jeseník Mts. and Hanušovická vrchovina Highland
65. Velký Máj Mt. (1384 m) and Břidličná hora Mt. (1358 m) are situated at the end of the south-western ridge of the Pradědská hornatina Mts.
66. The chalet Ovčárna is situated in the middle of the Pradědská hornatina Mts.
67. The cirque of Velká Kotlina and snow on the ridge of the Hrubý Jeseník Mts. from the village Malá Morávka

The Králický Sněžník mountain range

The landscape of the Králický Sněžník mountain range can be characterized as mountainous with the altitude difference 450-600 m. It is situated on the boundary of the eastern Bohemia, the north-western Moravia and the Polish Kłodzko area. The highest peak reaches the altitude of 1424 m. The length of the Czech part of the Králický Sněžník ridge is almost 16 km and the width is 12 km. It covers an area of 76 km² and its average altitude is 930 m.

Orographically, the ridge belongs to the

western part of the Sudetic mountain system, which is a part of the Bohemian Massif. It is built up of metamorphic rocks of the Orlické hory Mts.- the Kłodzko area crystalline complex. Gneisses, migmatites and mica schists are the main components, but the intercalations of quartzite, grafitic slate and partly karsted crystalline limestones are also present. Periglacial conditions in the more exposed areas of the Králický Sněžník during the Older Quarternary resulted in the origin of debris streams, debris avalanches and amphitheatral closures of some valleys were formed.

The main ridge of the mountains forms a unique hydrological knot, where the drainage divides of the Black, Baltic and North Seas come together. Beside the river Morava and its tributaries, the river Nysa Kłodzka flowing to the north also springs here. The stream Lipkovský potok flows to the river Tichá Orlice. The highest elevated areas are permanently exposed to great winds and have humid and cold climate. The average annual air temperature reaches only 1.7 °C and the average annual precipitation rates range between 1200 and 1300 mm.

The geographical position and elevation influence greatly the biota of the Králický Sněžník mountain range. The area of the subalpine zone is smaller, and its diversity is to a certain extent lower in comparison to the neighboring Jeseníky Mts.

The fauna of Králický Sněžník can be described as the mountainous - the Hercyan. The Carpathian element reaches its eastern distribution margin here. Any endemic animal and plant species have not been recorded in the region till now.

Although the Snieźnicki Park Krajobrazowy was designated to a highly protected area on the Polish side of the mountain range many years ago, the Czech part of the central massif waited for its protection status till 1991, when the National Nature Reserve was established. It covers an area of just 17 km² but is the second largest one in the Czech Republic.

68. Králický Sněžník Mt. (1424 m) - the highest peak of the same named mountains
69. The Rychlebské hory Mts. and Hrubý Jeseník Mts. can be seen from the downhill course Návrší
70. Cinquefoil (*Potentilla aurea*)
71. Common Frog (*Rana temporaria*)
72. Sudetian Common Yarrow (*Achillea millefolium* subsp. *sudetica*)
73. The river Horní Morava collects melted water from snow for the most of the year
74. The cupola of Králický Sněžník Mt. from the saddle under Stříbrnická Mt.
75. The debris streams and scree fields by the main ridge, the Morava river valley at the back
76. From the village Staré Město pod Sněžníkem the mountains look like a continuous barrier
77. The favourite statue of a baby-elephant by the former chalet Františkova chata
78. The Czech-Polish border crosses the summit of Králický Sněžník Mt.
79. The river Morava springs under the actual

summit of Králický Sněžník Mt.
80. Králický Sněžník Mt.

The Šumava Mountains

The Šumava Mts. are situated on the border of three countries - the Czech Republic, Germany (where they are called the Bayerischer Wald) and Austria (the Mühlviertel). Šumava is a part of the Šumavská hornatina Mts., which is the south-western part of the Bohemian Massif. It is 130 km long and 30 km wide. The highest peaks in the Šumava Mts. are found on the Bavarian side of the mountains (Grosser Arber - 1456 m, Grosser Rachel - 1453 m). The highest mountain of the Czech region is Plechý Mt. at 1378 m. The mountains are built of strongly metamorphosed crystalline rocks of the Moldanubicum, the oldest part of the Bohemian Massif. A wide Šumava Dome with parallel ridges and flat mountain heads is formed mainly of various gneisses of the Archeozoic and Proterozoic ages, paragneisses and orthogneisses. Mica schists, granulites and migmatites are also present. The part of the Variscan Pluton of the Paleozoic age, which is characterized by the presence of granites and granidiorites knobs, appears approximately at the axis of the range. The pressure invoked by the Alpine orogeny during the Tertiary period made the area of the Šumava Mts. to today's level. At that time there were repeated displacements and uplifts of the blocks. The original peneplain was preserved in the central part of the mountains (in the area of so-called Šumavské pláně Plains).
The distinctive appearance of the mountains was completed during the intensive geomorphological movements in the periods of the Older Quarternary. In the central part of the mountains twelve cirques and smaller undeveloped cirques, several moraines and rock walls are the remnants of smaller glaciers formed in cirques and on their slopes. Cryoplanation terraces, frost-riven cliffs, frost-riven scarps and specific patterned grounds were developed here. We must also mention large scree fields, castle koppies, isolated residual rocks (tors) and beautiful potholes found in the river Vydra. The ridges of the Šumava Mts. form the main European drainage divide between the Black and North Seas. Streams flowing to the south drain to the Danube river. Water of streams and brooks flowing to the north supplies the Czech national river Vltava, which springs here by the Černá hora Mt. Glacial lakes play a key role in the hydrology of Šumava and in the Czech part five of them are preserved from the Pleistocene epoch. Man-made water works also belong to the characteristic hydrographic features of the mountains - old floating channels, small damps built to collect water for floating timber, various riverbank re-constructions, races and the largest river dam in the Czech Republic Lipno. Peat bogs must be mentioned when talking about the hydrology of the region. They belong to the most valuable and interesting biotopes in Central Europe. In the Šumava Mts. the average annual precipitation rates are from 800 mm to 1500 mm. The ratio between liquid and solid states is in balance. In higher altitudes the snowfall occurs from November to April.

The flora of Šumava in comparison with the Alps, Giant Mts. and Carpathians is less diverse. The alpine vegetation zone was not formed here and only an undeveloped form of the subalpine zone can be found on several individual peaks. The low biodiversity of flora is caused by the lack of various bedrock substrates.
The fauna in the forests is fairly preserved and species are typical for the Central European fauna. A number of the animal relicts still inhabit the moors and deep forests. We can mention some interesting species - the Three-toed Woodpecker, Nutcracker, Corncrake, Black Grouse and Capercaillie and from mammals the repatriated lynx.
In the Czech Republic the nature of the Šumava mountains has been conserved in a protected landscape area since 1963. In 1990 the Šumava region was designated as a biosphere reserve of the UNESCO Program Man and Biosphere. The Šumava National Park was established in 1991 (69 030 ha) while the National Park Bayerischer Wald in Bavaria was formed twenty years earlier.

81. The fen Chalupská slať by the village Borová Lada
82. The potholes in the river Vydra
83. Lake Laka under the bordering massif of Plesná Mt. (1336 m)
84. Under the snow
85. Mountain Snow Bell (*Soldanella montana*)
86. The blush of Oxeye Daisies in the Šumava Mts.
87. Cup lichen of the Šumava Mts. (*Cladonia pleurota*)
88. Scarce Copper (*Lycaena virgaureae*) resting on a calathidum of the Common Tansy
89. Hood (*Aconitum* sp.) on the riverbanks of the Roklandský potok Brook
90. Hungarian Gentian (*Gentiana pannonica*)
91. Alpine Golden Rod (*Solidago virgaurea* subsp. *alpestris*)
92. Arnica (*Arnica montana*), a protected species
93. Broad-leaved Marsh Orchid (*Dactylorhiza majalis* subsp. *turfosa*) by the Hamerský potok Brook
94. Fireweed (*Chamerion angustifolium*)
95. Capercaillie (*Tetrao urogallus*)
96. The calamity of the bark beetle often encouraged a lot of discussions about the logging of infected forest stands
97. Carabid beetle (*Carabus auronitens*)
98. Viviparous Lizard (*Lacerta vivipara*)
99. Lynx (*Lynx lynx*)
100. The Scottish cattle is kept in some areas of the Šumavské pláně Plains
101. Březník. The symmetric Luzný Mt. (1373 m) protrudes behind the white bordering fen
102. The primeval forest Boubínský prales. The oldest protected area in the Šumava Mts.
103. The fluvial placers covered by snow near the village Horská Kvilda
104. The enclave Knížecí Pláně used to be inhabited even in the middle of 20th century
105. The last bear, the last riffle shot. It happened in 1856

106. The rocky summit of Trojmezná Mt. protrudes from the virgin forests Trojmezná-Smrčina
107. The restored Stožecká kaple Chapel, a traditional pilgrimage site
108. The chalet and the view tower on Pancíř Mt. (1214 m), which is situated in the western part of the Šumava Mts.
109. The traditional settlement Horní Antýgl in the Šumava Mts.
110. The navigation canal so-called Vchynicko-tetovský
111. The biggest lake in the fen Tříjezerní slať
112. Skiing season in the area of Kvilda
113. The ruins of the chapel in the valley Hůrecké údolí
114. Sokol Mt. (1253 m) rises up from the brook Hamerský potok
115. The river Vydra by Čeňkova pila in October
116. The peatbog Rakouská louka on the ridge between the summit of Plechý Mt. (1378 m) and point of Trojmezí Mt.
117. The bordering complex of Smrčina from the Stožecká skála Rock. From the right Hochstein Mt. (1332 m), Třístoličník Mt. (1311 m), Trojmezná Mt. (1364 m) and Plechý Mt. (1378 m)
118. The river dam Lipno by Frymburk
119. Lake Plešné jezero
120. The ruins of Vítkův Kámen by the village Svatý Tomáš

The Moravskoslezské Beskydy Mountains

The Moravskoslezské Beskydy Mts. are situated in the north-eastern region of Moravia, directly on the Slovakian border. They belong to the West Beskydy Mts. and also to the Outer Western Carpathians. They cover an area over 620 km² and the average height is 700 m. The highest peak of the mountains is Lysá hora at 1323 m.
The Moravskoslezské Beskydy Mts. form an individual geological unit of the Outer Carpathians, which is composed of easily erodable flysh. The mountains were not folded such a long time ago, sometime around the Tertiary period. They have a fold-faulted structure with individual ridges extending typically parallel to the SW-NE direction. Northern margin zones are transversely divided by deep cut-valleys. The biggest relative superelevation in the Czech mountains is found in this region (over 900 m). The south-eastern and southern regions are lower and are characterized by shallow saddles. Numerable tracks of periglacial processes are also preserved in the Beskydy Mts.
The mountains play an important role in hydrology. The southern and south-eastern ridges form the drainage divide between the Black and Baltic Seas. Due to the individual geological bedrock and sloping terrain intensive erosion, landslides and unpredictable rising of water levels in the forefront of the mountains often occur here. The climate of the Moravskoslezské Beskydy Mts. is formed not only by the relief but also by the exposition to prevailing north-western and northern winds. The climate of the foothills is quite mild when going up it gets colder and the climate is very cold in the area of the highest peaks. The highest

elevated areas of the northern ridge with a windward exposition get the highest precipitation rates.

These mountains are part of the Carpathians. Within eyeshot there are the Bohemian Massif and Moravian Gate, whose hillsides are an important „highway" to thermophilic species. All those geographical facts affect the flora and fauna of the Moravskoslezské Beskydy Mts. Open areas without woods are a typical feature of an otherwise forested landscape. Most open areas are meadows, which were created by herdsman, or clearings left there by calamitous logging.

The animal species in the Beskydy Mts. are the inhabitants of mountainous forests of the Western Carpathians. Bird species are represented by Capercaillie, Hazel Grouse and Black Grouse. Northern Birch Mouse, Alpine Shrew and River Otter are representatives of rare mammal species. With luck one can spot lynx and bear, and more and more often wolves. The afore mentioned carnivores visit the area from the Javorníky Mts. and the Slovakian Kysuce. In 1973 a protected landscape area was established to protect the nature of the Beskydy Mts. With an area of 1160 km^2, it is the largest protected area of the Czech Republic. It consists not only of the Moravskoslezské Beskydy Mts. but also of a large part of the Vsetínské vrchy Hills and the Moravian Javorníky Mts. This large protected area is continued by another protected landscape area - Kysuce across the Slovakian border.

121. Velký Polom Mt. (1067 m). The highest mountain of the bordering ridge in the Moravskoslezské Beskydy Mts.
122. The varied series of strata of the flysh in the Beskydy Mts.
123. The river dam Šance on the Ostravice river
124. Meadow Saffron (*Colchicum autumnale*)
125. Large Ringlet (*Erebia euryale*)
126. Bird#s-foot Trefoil (*Lotus corniculatus*)
127. Wolf (*Canis lupus*)
128. The Bílý Kříž Cross gave the name to the favourite recreation centre
129. The mysterious terrain channel under the peak of Čertův mlýn (1206 m)
130. The chapel and sculptural group of Cyril and Method are essential for Radhošť Mt.
131. Lysá hora Mt. (1323 m) and Travný Mt. (1203 m), the view from Bumbálka
132. Mountains Smrk (1276 m), Kněhyně (1257 m) and Radhošť (1129 m) from Butoranka
133. The memorial of Maryčka Magdonova in Staré Hamry
134. The small chapel under Muřínkový Vrch Mt. dates back to the beginning of the 20th century
135. The open-air museum of the Valašsko

region in Rožnov pod Radhoštěm
136. By the statue of the orthodox god Radegast
137. The panoramic view from the pavilion Cyrilka. Behind the centre Pustevny there are from the left mountains Zmrzlý vrch (1043 m), Tanečnice (1084 m) and Kněhyně (1257 m)
138. The summit of Kněhyně Mt.
139. The cutters from Papežov
140. Radhošť Mt. from the valley of the river Bečva
141. The mountain primeval forest typical for the Carpathians in the National Natural Reserve Mazák
142. Ondrášovy díry. The protected pseudokarst formations under Lysá hora Mt.
143. Javorový Mt. (1032 m), Ropice Mt. (1083 m), Příslop Mt. (946 m) and Ropička Mt. (918 m)
144. The rush hour on the summit of the highest mountain of the Beskydy Mts. There come tourists and bikers but also hang gliders
145. Flood and erosion control measures by the village Horní Lomná
146. The chalet Sulov found between Sulov Mt. (943 m) in Moravia and a 40 m lower mountain Súľov situated in Slovakia

The Krušné hory (Ore) Mountains
The Ore Mts. are situated on the north-western margin of the Bohemian Massif. Orographically, they are a part of the Krušnohorská hornatina Mts. In the Czech part of the mountains the hillsides fall more steeply into the tectonic depression of the Podkrušnohorská pánev Basin in comparison with the Saxon hillsides. The length of the mountains is 130 km and their width never reaches over 20 km. They cover an area of 1600 km^2 and its average height is almost 700 m. The eastern part of the mountains is relatively lower to the western region, with the highest peak, Klínovec Mt. at 1244 m.

The Krušné hory Mts. belong to the Krušné hory crystallinikum, which is a part of the old core of the Bohemian Massif. Crystalline schists dominate its complicated consistency. Mica schists and phyllites, often with granitic and porfyrytic penetrations of the Variscan age, are complemented to the massive gneiss core. Ore deposits are often bounded with those penetrations. The Saxonian tectonic processes during the Tertiary Period resulted in an uplifting of the Krušné hory block and the fault of its south-eastern foreland along the marked fault line. At the same time isolated basaltic knobs appeared on a plateau. Very valuable hot springs and mineral waters come up along this Podkrušnohorská fault line. Periglacial conditions occurred on the flat Krušné hory plateau during the Older Quarternary period and caused the solifluction of solid particles from weathering - smaller debris and stone fields were formed at that time. A slight depression (probably undeveloped cirque) was preserved in the area of Klínovec Mt. Other typical forms developed during the periglacial climate can be found on the Krušné hory plateau - flat tectonic depressions often filled with post-glacial peatbogs. Some denudated rocks are

textbook examples of weathering.
Rivers and streams are not very long because the south-eastern hillside is steep and short. All tributaries flow into the river Ohře. Waters from the eastern Mostecká pánev Basin are carried off by the river Bílina. The Krušné hory Mts. drainage divide cuts across a large area of the Czech Republic, where the Saxon rivers Saale and Mulde spring. Wherever all streams and rivers, that spring in this watershed, flow, they end up in the river Elbe. Industry in the Krušné hory region increased the consumption of water in the past and water dams had to be built. Thanks to their position and orientation the Krušné hory Mts. act as an important climatic interface. The north-western winds flowing across the mountains in the basins result in the formation of a "fön" effect. The flora of the Krušné hory Mts. is quite uniform and typical for forested areas in Central Europe. If we pay our attention to potential forests, we would record six vertical vegetation zones on a very short distance, which is exceptional. The present state of the forests in the Krušné hory Mts. is not all roses. Such large and desolate clearings cannot be found anywhere in European mountain ranges as here in these mountains. The fauna has also changed by human exploitation and emissions effects. Forest species are gradually replaced by organisms, which are representatives of open landscape and parkland.

On the Czech side of the Krušné hory Mts. there are 30 small-scale protected areas. The protected area (LSG) Oberes Westerzgebirge is situated in Germany, north of Nejdek. The ridge of Fichtelberg has a similar protection status and is the highest mountain in the Saxon part of the Krušné hory Mts.

147. A cone-shaped mountain Božídarský Špičák (1115 m) rises above the flat area of the Božídarské rašeliniště Peatbogs
148. Dwarf Birch (*Betula nana*)
149. Natural forests are rarely found in the highest elevated areas of the Krušné hory Mts.
150. Red Campion (*Melandrium sylvestre* subsp. *sylvestre*)
151. The tourist lookout tower on the summit of Blatenský vrch Mt. (1043 m)
152. The Blatenský kanál Canal by Rýžoviště
153. The basalt quarry by the village Hřebečná
154. The complex of buildings on Klínovec Mt.
155. From the forest aisles of downhill courses on Klínovec Mt. one can look over the skiing centre on Fichtelberg Mt. (1215 m) in the Oberwiesenthal area in Saxony
156. Měděnecký vršek Mt., so-called Měděnec Mt. (903 m) with the circular chapel of the Virgin
157. The mining town Měděnec and its surrounding from the east
158. The disturbed forest ecosystems in the area of Meluzina Mt. (1094 m)
159. The highest mountain of the Krušné hory Mts. - Klínovec Mt. (1244 m), Sonnenwirbel in German
160. The rocky Sphinxs by Měděnec Mt.
161. The narrow gorge of the one of Vlčí jáma, where ice sustains for the whole year
162. From the nature trail across the Božídarské rašeliniště Peatbogs

163. The autumn romance under Klínovec Mt. (1244 m)
164. The well-known mountain village Boží Dar in the Krušné hory Mts.
165. The industrial area Kovářská from the head of Měděnec Mt.
166. The "Palouk mrtvých" meadow near the area Kovářská. Kamenný vrch (963 m) at the back

The Rychlebské hory Mountains

The Rychlebské hory Mts. form a border between the northern Moravia and the Polish region of Kłodzko. Their main ridge extends roughly from the north-west to south-east and on both sides inclines and forms terraces. The highest mountain is Smrk at 1125 m and is situated in the Petříkovická hornatina Mts. The Czech part of the Rychlebské hory Mts. covers an area of 276 km^2 and its average altitude is 645 m. Geologically, the Rychlebské hory Mts. are the most eastern projection of the Sudeten Mts. where crystalline schists - migmatites dominate. They developed when glowing magma arose and pervaded older sea sediments. In the Older Quarternary strong frost weather on the mountain ridges resulted in the origin of other specific processes and shapes (isolated rock formations, stone fields and cryoplanation terraces). Although glaciers have never been formed in the mountains, the huge continental ice sheet reached almost their northern base.

Much of the Rychlebské hory Mts. is a part of the catchment area of the river Odra. Just a small amount of waters from the south-western part flows into the river Morava. The climate of the Rychlebské hory Mts. is cold but milder in comparison with the Jeseníky Mts. and the Králický Sněžník mountain range.

The flora and fauna of the mountains belong clearly to the Jeseníky Mts. bioregion where the elements of Eastern Sudetian, Polonian (the north-eastern hillsides) and marginally also Carpathians regions co-exist. Large areas are covered by spruce monocultures.

Only two more important small-scale protected areas have been designated till now in the Czech region of the Rychlebské hory Mts. In Poland the Snieżnicki Park Krajobrazowy was established.

Very interesting for the region is the presence of curative mineral springs. The spa centers in towns Jeseníky and Lipová are well known in the world.

167. The Rychlebské hory Mts. from the opposite facing hillsides of Králický Sněžník Mt.
168. Wood Anemone (*Anemonoides nemorosa*)
169. Fly Agaric Mushroom (*Amanita muscaria*)
170. Common Raven (*Corvus corax*)
171. The Priessnitz Sanatorium in the town Lázně Jeseník
172. Lví hora Mt. (1041 m). Studniční vrch (992 m) appears on the right at the back
173. Cowberry (*Rhodococcus vitis-idaea*)
174. The massif of Smrk Mt. (1125 m), the highest mountain of the Rychlebské hory Mts.
175. The view from Smrk Mt. over Klín Hill

(983 m)
176. Under Travní hora Mt. (1119 m). Mountain spruce forests in the Petříkovická hornatina Mts.
177. The centre Lipová-lázně is situated between the Rychlebské hory Mts. and Hrubý Jeseník Mts.
178. The long valley was formed by the creek Staříč
179. The bordering ridge slowly declines to the north. The panoramic view under Smrk Mt.
180. The southern projection of the mountains extends to the village Branná. But opposite facing slopes belong to the Hrubý Jeseník Mts.

The Jizerské hory Mountains

The Jizerské hory Mts. are situated in the north Bohemia, by the border with Poland and partly extend to Frýdlantský výběžek. Their altitude difference is 300-450 m. The average altitude is 700 m and they cover an area of 420 km^2. On the northern ridge there is the highest mountain of the Czech part of the mountains Smrk (1124 m). In Poland the highest peak is Wysoka Kopa (1126 m).

The main Jizerské hory plateau slants down mildly to the south and is in the north bordered by the steep rocky scarps. Individual mountains (e.g. Jizera Mt., Černá hora Mt.) protrude the plateau, which projects into lower ridges and chains. The mountains belong to the Western Sudeten and are a part of the western portion of the Hercyan Krkonošsko-jizerský Pluton. The massif was uplifted during the Saxonian tectonic processes in the period of Tertiary. Sternly binary granites dominate in the Jizerské hory Mts. Only the northern ridge and the highest peak are built of orthogneisses, binary gneisses and mica schists. Eruptive bodies formed by volcanic effusion during the Tertiary period are of geological interest.

In the Pleistocene individual mountain glaciers were never developed. But the evidence of periglacial processes can be found everywhere (residual rock formations - tors, frost-riven cliffs, cryoplanation terraces, scree fields etc.). Some outstanding geomorphological phenomena can be discovered on the northern fault-slope. The presence of curative mineral springs is associated with this fault line and that is why the healing centre in the town Libverda was established just here.

The Jizerské hory Mts. play an important role in hydrology. The drainage divide of the river Odra (the rivers Lužická Nisa and Smědá) and of the river Elbe (the river Jizera) runs cross their plains and mountain ridges. We must also mention several hydrological features - peatbogs situated on a plateau, beautiful winding rivers, rapids and waterfalls.

Windward northern and north-western hillsides as well as a plateau receive the highest precipitation rates and belong to the coldest places in Central Europe (the annual maximum reaches 1600 mm). In winter there are ideal snow conditions.

The Jizerské hory Mts. have always belonged to the most forested areas in Bohemia. Forested land covers more than 70 % of the

total area. The mountains do not reach high altitudes and a natural subalpine zone could not be developed. The phenomena of the natural open peatbogs, which are regionally called "meadows", was preserved in the region. During the past several decades deforestation caused by high level of emissions affected fauna of the Jizerské hory Mts. Former Hercyan animal species inhabit only remnants of continuous forests and are replaced step by step by species that depend on open woodless areas. Nowadays extensive re-forestation projects are in progress. Efforts of nature conservationists and nature lovers of the Jizerské hory Mts. resulted in establishment of the Protected Landscape Area Jizerské hory Mts. in 1967 by the Decree of the Ministry of Culture and Information. It covers an area of 350 km^2.

181. Basalt mountain Bukovec (1005 m)
182. In the National Nature Reserve Rašeliniště Jizery Peatbogs
183. The mountain subspecies of Marsh Marigold (*Caltha palustris* subsp. *laeta*)
184. White-false Helleborine (*Veratrum lobelianum*)
185. Moss pillows found on the forest raised bogs
186. Round-leaved Sundew (*Drosera rotundifolia*)
187. Common Harebell (*Campanula rotundifolia*)
188. The mountain ringlets of the genus *Erebia* on the inflorescence of the groundsell
189. Larvae of caddis fly living in clear waters
190. Viper (*Vipera berus*) - the black so-called melanic form
191. The crags of the Hajní kostel Church in Frýdlantské cimbuří
192. The National Nature Reserve Rašeliniště Jizerky Peatbogs on the Malá Jizerská louka Meadow
193. The deforested head of Smědavská hora Mt. (1084 m)
194. The so-called Srázy emerge from the surface of Šolcův rybník Pond
195. The rocky outcrop above Hejnice
196. The well Plischkeho studánka
197. The relict beech-fir forests near the northern margin of the mountains. The area of Frýdlantské cimbuří
198. The shady waterfalls on the Černý potok Brook
199. Smrk Mt. (1124 m)
200. "The granite fortress" found on steep northern slopes
201. The marsh Izerskie Bagno is the area where the river Jizera starts to form the state border
202. The balanced boulder
203. The rocky outcrops on the ridges rise above the Jizerské hory Mts. plateau (Jizera 1122 m)
204. The beech forests under the Oldřichovské sedlo Saddle
205. The Polish Wysoki Grzbiet Ridge projects from the flat valley in the upper part of the Jizera river

The Orlické hory Mountains

The Orlické hory Mts. can be described as mountains with altitude difference 300-450 m. They extend from the north-west to the south-east. The height of the hills, which project to eastern Bohemia decreases gradually, but opposite facing hills to the Orlické Záhoří area are steep and short. The ridge of the Orlické hory Mts. is about 50 km long and its largest width is about 10 km. The area of the mountains reaches slightly over 340 km² and its average height is 710 m. The highest peaks are found in the north-eastern region, in the Deštenská hornatina Mts. (Velká Deštná Mt., 1115 m). Orographically, the mountains are part of the central region of the Sudetian complex. They can be described as an old peneplain, which was shifted to the east in the period of the Saxonian tectonic processes and bounded by a significant fault. The edge of the fault forms today's main ridge with several peaks that are not fully developed morphologically - Vrchmezí Mt. (1084 m), Velká Deštná Mt. (1115 m) and Tetřevec Mt. (1043 m). Significant remnants of the frost weathering (frost-riven cliffs and stone-fields) formed in the highest altitudes during the Pleistocene period. The vertical valleys of the rivers Divoká and Tichá Orlice in the south-western part are characteristic for the morphology of the mountains. Migmatites and gneisses of the Proterozoic age dominate the geology of the Orlické hory Mts. and are typical rocks for the core of the Orlicko-kladská klenba Dome. They are accompanied by the zones of mica schists, amphibolites, phyllites and granodiorites and isolated deposits of sandstone from the Cretacerous age and zones of marlstones.

The north-western region of the bordering ridge forms the European drainage divide between the North and Baltic Seas. The Czech part of the Orlické hory Mts. is drained by the dextral tributaries of the river Orlice, which flows into the river Elbe. On ridges and gentle slopes of the mountains there are to be found small peatbogs, which are hydrologically interesting.

The mountain ridges and areas of high altitudes are exposed to prevailing north-western and northern winds. The average annual temperatures do not reach even 4 °C here and the areas receive the highest rates of precipitation. A continuous snow cover is sustained in most skiing centers for at least four months every year.

In the Orlické hory Mts. there is a wide range of vertical vegetation zones, from the submontane to supramontane vegetation zones. 70 % of the area is forested. The present flora is quite diverse and its formation was influenced by the interesting bio-geographical position at the border. The fauna is formed by Hercyan species of highland and mountain areas.

In 1969 the most valuable nature areas of the Orlické hory Mts. were designated as a Protected Landscape Area (204 km²).

206. It is possible to look over the large part of the Broumovsko area and Góry Stołowy in Poland from Vrchmezí Mt.
207. Rapids in the gulch Zemská brána on the river Divoká Orlice
208. Ox-lip (*Primula elatior*)
209. Spring Snow Flake (*Leucojum vernum*)
210. Winter in forests on the ridges
211. Peacock Butterfly (*Nymphalis io*)
212. White Butterbur (*Petasites albus*)
213. Ragged Robin (*Lychnis flos-cuculi*)
214. Farming in the Bedřichovka area in the Orlickozáhorská brázda
215. Early spring in the National Nature Reserve Bukačka
216. The Masarykova chata Chalet
217. The group of Velká Deštná Mt. (1115 m) from the village Ošerov
218. The waterlogged Trčkovské louky Meadows. Designated as a natural reserve in 80s of the 20th century
219. The information board under Vrchmezí Mt. (1084 m)
220. The ridges of the Orlické hory Mts. from under Komáří vrch Hill. The peaks Tetřevec (1043 m) and Velká Deštná rise up behind Pěticestí crossroad
221. The strategic fortification in the saddle Mezivrší. Komáří vrch Hill (992 m) at the back
222. The bordering forest aisle on the main ridge of the Orlické hory Mts. The silhouette of the Polomský kopec Hill (1050 m) can be noticed at the back
223. Spring time in the Říčky area. At the back Zakletý Mt. (991 m) with the scarps of downhill courses
224. The highest part of the ridge from Orlické Záhoří
225. One of the right-side tributaries of the river Divoká Orlice

The Šumavské podhůří Foothills

The mountain ridge is running parallel to the bordering ridge of the Šumava Mts. from the north-west to the south-east. It reaches over 1000 m in the Prachatická vrchovina Highland, specifically in the Libínská hornatina Mts. (Libín Mt. 1096 m) and in the Blanský les mountain range (Kleť Mt. 1084 m). The area of the Šumavské podhůří Foothills is 2407 km² and its average altitude is almost 635 m. The region belongs to the oldest part of the core of the Bohemian Massif, the Moldanubicum. It is formed mainly by gneisses, orto-gneisses and mica schists, which were penetrated by bodies of granulites. They are often bound with serpentinites and amphibolites.

The relief of the Šumava Foothills is varied with parallel wide rounded ridges. Beside the forms, which originated from the tectonic processes, selective erosion and denudation influenced the modeling of the mountains. Surface rocky outcropping and scree fields are formed on more sheer places. Main water bodies flow through deep charming valleys, which extend across the mountains. They all belong to the catchment area of the river Elbe and spring mainly at a short distance from the Šumavská hornatina Mts.

The climate of even the highest areas of the Šumavské podhůří Foothills is, in comparison with corresponding areas in nearby located the Šumava Mts., drier and warmer. It is caused by their leeward position where the "fön" effect is formed (its effect is doubled by the existence of the Alps and the Šumava Mts.).

The biodiversity of plant and animal species is very similar to the Šumava Mts. Scientists place both mountain ranges to the same bio-geographical region. Large forests of the Šumava Foothills are used for economic purposes.

Nature of the Šumava Foothills is protected by existence of several tens of small-scale protected areas. If we dismiss the marginal areas of the Šumava Mts. Protected Landscape Area, there is only one larger protected area for the protection of the Šumava Foothills - the Blanský les Protected Landscape Area. It was established in 1989 and covers an area of 212 km².

226. The primeval forest in the Blanský les Mts. is situated in the north-east from the main ridge
227. Libín Mt. (1096 m) and the village Staré Prachatice. The view from the north
228. Pygmy Owl (*Glaucidium passerinum*)
229. Forest hawkweed (*Hieracium* sp.)
230. The still-life on an old trunk
231. Managed spruce forests cover mainly the highest elevated areas of the Prachatická hornatina Mts.
232. Kleť Mt. (1084 m) rises up above the deep valley of the river Vltava and the town of Český Krumlov
233. Libín Mt. does not seem massive when looking from the south-west
234. The tourist lookout tower on the summit of Libín Mt.
235. The western ridge and the town Prachatice from the highest mountain of the Prachatická hornatina Mts.
236. The entrance to the Nature Reserve Kleť
237. The rock formations under the summit of the highest mountain in the Blanský les Mts.
238. The facilities of the astronomical observatory near the summit of Kleť Mt.
239. The silhouette of Kleť Mt. from the north-west

The Novohradské hory Mountains

The Novohradské hory Mts. belong to the orographical unit Šumavská hornatina Mts. In the Czech Republic they cover an area of 162 km² and their average height reaches 810 m. The highest peak of the mountains is Viehberg (1112 m) in Austria. The mountain Kamenec (1072 m) is the culmination point situated near the state border of the Czech Republic.

The relief can be described as mountainous with altitude difference 300-450 m. The edges are defined by significant slopes and valleys which are limited to fault lines. There are also wide shallow valleys often filled with peatbogs. Cryoplanation processes during the Pleistocene left their characteristic tracks in many areas of the Novohradské hory Mts. In the same period block fields and frost-riven cliffs were developed. In higher elevated areas there are to be found boulders, residual rocks and castle coppies. The mountains belong to the Moldanubicum and are composed mainly by granitoids, to less extent granites and gneisses are also present.

The climate is cold and average annual temperatures reach 5 °C. Long-term precipitation rates are somewhere between 700-800 mm per year. The fön from the Alps often visits the area.

The Novohradské hory Mts. in the Czech Republic and a significant Austrian part (Freiwald) belong to the catchment area of the river Elbe. A popular tributary of the river Vltava, the Lužnice River (Lainsitz) springs here. In the west, the right-hand side tributaries Černá and Stropnice empty into the river Malše.

Most of the area of the Novohradské hory Mts. is covered with continuous forests. The zone of typical mountainous spruce forests has never been formed here. The mountains have acted as a migration crossroads between the Alps and other mountain ranges in the Czech Republic during the post-glacial periods.

The Novohradské hory Mts. have aspirated to become a Protected Landscape Area for many years. The two oldest small-scale protected areas of the Czech Republic, the primeval forests Žofínský prales and Hojná Voda are situated here but both are closed to public.

240. The village Pohoří na Šumavě in the Novohradské hory Mts.
241. Narrow Buckler-fern (Dryopteris dilatata)
242. River Otter (Lutra lutra)
243. The granodiorite outcrops on Kraví hora Mt.
244. Hawk's Beard species (Crepis sp.). The increase of biodiversity of the abandoned meadows and pastures goes hand by hand with the comeback of farmers
245. The parkland landscape in the centre of the Novohradské hory Mts.
246. The Pohořský potok Stream was used for floating the timber
247. The massif of Vysoká Mt. (1034 m) frames the houses in Hojná Voda
248. Pohořský rybník Pond in the abandoned settlement Jiřice
249. The scattered small woods, pastures and forests in the areas of Myslivna Mt. (1040 m) and Lovčí hřbet Ridge (980 m)
250. The baroque church in Dobrá Voda
251. The south-western panorama from Kraví hora Mt.
252. The cathedral in Dobrá Voda stays out as a delusion
253. The pasturage near the village Nové Hrady. The mountains Vysoká (1034 m) and Kraví hora (963 m) rise at the back

The Český les Mountains

The hillsides of the Český les Mts. fall more rapidly to the Czech Republic than to the south-west. The area situated in Bohemia is 790 km^2 and their average height is 628 m. The highest mountain is Čerchov (1042 m) which can be found by the south-eastern margin of the mountains, which is called the Haltravská hornatina Mts.

The character of the mountains can be described as block or horst. The appearance of the mountains was formed during the Saxonian tectonic processes when an old etchplein was broken and uplifted. In geology crystalline rocks of the Moldanubicum - gneisses, paragneisses and migmatites dominate. In the north, particularly in the surrounding of Dyleň Mt. mica shists are present. The peak of Dyleň is a part of the so-called Bohemian quartz

dyke. The highest-elevated areas of the Český les Mts. are full of isolated frost-riven cliffs and frost-riven scarps, which contrast with cryoplanation platforms and stone streams.

The mountain ridges act as the drainage divide between the North and Black Seas. The well-known rivers Mže and Radbuza flowing into the river Berounka spring here. Many small as well as bigger left-hand tributaries of the Danube River flowing to the south to Bavaria begin their journey in those regions. The Český les Mts. present quite a distinctive climatic divide.

Spruce monocultures are the main ecosystem found in the mountains. It is rare to see the former primeval forests. Biodiversity of plant and animal species in comparison with the similar Šumava Mts. is lower.

Several small-scale protected areas have been already designated in the Český les Mts. Nature parks Český les Mts. and Diana present to certain extent large-scale protection.

254. The panorama of the Český les Mts. from the east. The group of Čerchov Mt. (1040 m) on the right
255. Field fleawort (Tephroseris crispa)
256. Black Stork (Ciconia nigra)
257. The natural forests around the summit of Čerchov Mt.
258. Eyebright (Euphrasia rostkoviana)
259. The Černý potok Stream was used for floating the timber
260. The fields under Čerchov Mt. in August
261. The tourist lookout tower used to be on the summit of the highest mountain. The military observation point replaced it during the cold war
262. The Haltravská hornatina Mts. under Sádek Hill (854 m)
263. The baroque interior of the St. Martin's church in the village Klenčí
264. The historical centre of the village Trhanov
265. The massif of Čerchov Mt.
266. The large part of the historic area of Chodsko opens up from Výhledy
267. The memorial of well known narrator J. Š. Baar

The Vsetínské vrchy Hills

The Vsetínské vrchy Hills are situated in the eastern part of the orographical unit Hostýnsko-vsetínská hornatina Mts. There are present some areas with altitude difference 300-450 m and some are higher with 450-600 m. They form long mountainous ridges and many transverse saddle bows. The area of the sub-unit Vsetínské vrchy Hills is 338 km^2 and their average height reaches over 590 m. The highest mountain is Vysoká at 1024 m. The Vsetínské vrchy Hills belong to the Outer Western Carpathians flysh zone. Their diverse and strongly folded series of strata are mainly composed of Paleogene gritstones, conglomerates and claystones. The local relief was greatly affected by fluvial erosion. Landslides, stone streams and sandstone cliffs often occur in the region.

Almost the whole area of the mountains belongs to the Black Sea catchment area. It is drained by several rivers - Rožnovská Bečva (so-called the Lower) and Vsetínská Bečva (so-called the Upper). The river Bílá Ostravice springs in the most north-western projection of the mountains and flows to the river Odra and then onward to the Baltic Sea. The climate of the Vsetínské vrchy Hills is highly variable. It is similarly affected as in the neighboring Javorníky Mts. by a rain shadow formed behind the Moravskoslezské Beskydy Mts. and Hostýnské vrchy Hills. Former herb-rich and acidophilous beech forests were cut and replaced by managed spruce forests. Certain areas were left unforested and are now used as meadows and pastures. The fauna of this western Carpathian region has been affected for a long time by human use.

A major part of the Vsetínské vrchy Hills belongs to the Protected Landscape Area Beskydy Mts. There are few designated small-scale protected areas but in the surrounding areas of the highest mountain, the Soláňský hřeben Ridge, do not exist any.

268. Orange Lilly (Lilium bulbiferum)
269. Vysoká Mt. (1024 m) and its companions. The panoramic view from the village Hlavatá
270. Touch-me-not Balsam (Impatiens noli-tangere)
271. Cat's Ear (Hypocheris radicata)
272. The dredging of the reservoir in the village Horní Bečva
273. Comma Butterfly (Polygonia c-album)
274. The folk customs are still practised in the Valašsko region
275. The past and the presence. The embroidered and the plastic fashion
276. The thinned forests on the summit of Vysoká Mt. The first big mountains outline in the distance
277. The wooden chapel situated in the valley of the river Rožnovská Bečva
278. On the left there is the forested Polana (937 m) and on the right Rožnovská brázda
279. The mountain farms situated above the centre Třeštík
280. The portal of the baroque church in Horní Bečva, the end of the 18th century
281. The hamlets under Jestřáb Mt. (777 m). The view from Vysoká Mt.

The Javorníky Mountains

Nowadays the ridge of the Javorníky Mts. forms the border between the Czech Republic and Slovakia. In Slovakia the mountains culminate with Velký Javorník Mt. (1071 m) and Malý Javorník Mt., sometimes called Javorník Mt. (1019 m), is the highest peak on the Czech side of the mountains. The Czech region of the Javorníky Mts. covers an area of 230 km^2 and their average altitude reaches 632 m. The Carpathians in the Moravia and Silesia regions as well as the Javorníky Mts. belong to the geological unit called the Outer Carpathians. They were formed during local orogenic processes rather late. They are built by various sediments, called flyshes, which are replaced by weather proofed sandstones of the Paleogenic age in the area of the narrow Javorníky Mts. ridge. The main ridge extends from the south-west to the north-east and there are not any outstanding peaks. In contrast steep hillsides fall into deep side valleys, which were clearly created by water erosion. This type of terrain has perfect conditions for formation of landslides and deep erosion furrows. Brooks, streams and rivers in the Javorníky Mts. belong to the Danube catchment area. The climate of the mountains is affected by a shadow made by the Hostýnsko-Vsetínské vrchy Hills and the Moravskoslezské Beskydy Mts. The climate of the high-elevated areas range from cold to very cold but in comparison with similar altitudes in both westerly situated neighboring "siblings" is drier and warmer.

Spruce monocultures cover most of the area of the Javorníky Mts. Former herb-rich beech forests, fir-beech forests and fir forests and in the highest elevated areas rarely found acidophilous beech forests are usually protected by law. The flora of the Javorníky Mts. includes West Carpathians elements. The fauna is also influenced by their geographical position. Their biodiversity is lower in comparison to similar mountain ranges in Slovakia.

The Javorníky Mts. together with the valley of the river Vsetínská Bečva are located in the southern part of the Protected Landscape Area Beskydy Mts.

282. Malý Javorník Mt. (1019 m). One of the few clearings is situated just under the summit
283. Wildcat (*Felis silvestris*)
284. Perennial fern Hard Fern (*Blechnum spicant*)
285. St. John's Wort (*Hypericum maculatum*)
286. Brown Bear (*Ursus arctos*)
287. The column of the crucifixion near the village Stanovnice
288. The state border projects to the right from the main ridge behind Malý Javorník Mt. and that is why Velký Javorník Mt. (1072 m) is situated in Slovakia
289. On the ridges near Kohútka. Stolecký vrch Hill (962 m) rises up behind the chalets Spacák and Javorka
290. The mountains Stanovnická Kyčera (851 m) and Gigula (951 m) come on the top of the two side saddlebows
291. The clearing on the summit of Malý Javorník Mt. Surrounded area of the highest mountain found in the Czech region of the mountains
292. Morning haze above the reservoir Stanovnice
293. The regularly cut meadows in the Hrdinky area. Planinská Kýčera (768 m) at the back
294. The panoramic view of the Javorníky Mts. from the Vsetínské vrchy Hills
295. The highest group of the mountains from the hamlet Nad Rakošovem

The Ještědský hřbet Ridge

Ještěd Mt. is 1012 m high and is a part of the so-called Hlubocký hřbet Ridge, the central part of the Ještěd hřbet Ridge. The ridge is 30 km long with the altitude difference 300-450 m. It covers an area of 120 km² and the average height reaches almost 550 m. Strong

neo-tectonic processes uplifted the Ještěd hřbet Ridge, which projects from the north-west to the south-east. It is a typical example of a horst, which is segregated from the sediments of the Bohemian Cretaceous Basin by a distinctive geological line, the so-called Lusatian Fault.

The mountains are composed of rocks of the Ještěd crystallinicum, mainly of the Older Proterozoic. The actual summit of the Ještěd Mt. is a quartzite monadnock. The Hlubocký hřbet Ridge is built of phyllites and quartzites and in some areas karstificated intercalations of crystalline limestones are present. Surrounding areas of the Ještěd hřbet Ridge are full of reminders of periglacial processes. Besides stone and scree fields, isolated rocks and frost-riven cliffs can be found.

Although no large rivers spring in this area, the Ještěd hřbet Ridge still plays an important role in the hydrology of the region.

Climatically, the Ještěd Mt. is exposed to the prevailing north-western winds. At the same time it is to some extent "protected" by the larger Jizerské hory Mts. and Lužické hory Mts. and by its relative lower altitudes. Fauna and flora of the Ještěd Ridge reminds us at first sight of the biota found in corresponding areas of the Jizerské hory Mts. Due to a distinct isolated geographical position and wind mesoclimate, a so-called "peak effect" could form in the region. Forests are composed mainly by spruce forests, which in lower positions are practically of anthropogenic origin. Higher biodiversity plant communities are adapted to steep slopes with limestone bedrock. The National Reserve Karlovské bučiny is a well known small-scale protected area situated in the area of Ještěd Mt.

296. The upper station of the cable car and the avant-garde hotel with the transmitter
297. The leisure path on the ridge uncovers the inside of mountain forests
298. Ještěd Mt. (1012 m). An inseparable dominant rising above the town Liberec
299. Common Foxglove (*Digitalis purpurea*)
300. Coltsfoot (*Tussilago farfara*)
301. Early autumn in beech forests
302. Common Vetch (*Vicia cracca*)
303. Roe deer (*Capreolus capreolus*)
304. The Vířivé kameny Rocks situated north-east from Ještěd Mt.
305. The plains under Ještěd Mt. and the Ještěd hřbet Ridge from the south-east
306. The Ještěd hřbet Ridge is continued by the ridges Hluboký and Rašovský
307. The parking lot by the Ještědka chalet on the Ještěd hřbet Ridge
308. The historical cable-car goes up to the summit from Horní Hanychov
309. The Tetřeví sedlo Saddle and Černá hora Mt. (811 m) from the Vířivé kameny Rocks

The Hanušovická vrchovina Highland

The Hanušovická vrchovina Highland consists of a system of individual highlands and basins, which protrudes northerly from the Šumperská kotlina Basin. The mountains cover an area of 793 km² but only one mountain Jeřáb (1003 m) exceeds

1000 m by 3 meters. The mountains are composed of varied rocks but crystalline schists and folded sediments of the Paleozoic age are the dominating substrates. There are to be found a great number of outcrops of serpentinites and limestones. Deeper valleys and depressions are filled with sediments of the Tertiary and Quarternary ages.

The actual Jeřábská vrchovina Highland is basically a horst. Tracks of an intensive cryoplanation modeling are preserved in the highest elevated areas - cryoplanation terraces, frost-riven cliffs, isolated rock cliffs and castle coppies.

The drainage divide Elbe-Danube runs across the peak of Jeřáb Mt. and the most western projection of the highland. Climatic conditions are very diverse within the mountains. Big differences are displayed between low- and high-elevated areas and northern and southern exposed hillsides. Species biodiversity of the Hanušovická vrchovina Highland is also high - due to influence by the higher mountain ranges near the state border and the warmer climate in the foothills. The substantial part of this area was deforested in the past with the remnants of the forests now formed by spruce monocultures.

Existing levels of the protection of the area are not equal. While the eastern part of the mountains belongs to the Protected Landscape Area Jeseníky Mts., the protection of the western region lags behind. The Nature Reserve "Na hadci" is the only small-scale protected area in this region.

310. The adapted plant communities growing on serpentinites in the Nature Reserve Na hadci are unique
311. Knapweed (*Jacea phrygia*)
312. Fire Salamander (*Salamandra salamandra*)
313. Common Bladder Campion (*Silene vulgaris*)
314. The still-life with little mushrooms
315. The downhill course under the Severomoravská chata Chalet, the ridge of the Králický Sněžník Mts. at the back
316. The dawn behind Jeřábek Mt. (838 m) and Jeřáb Mt. (1003 m). On the left the cone-shape pilgrimage Mariánský kopec Hill
317. The chapel Sv. Trojice was built in the saddle between the summits of Jeřáb Mt. and Bouda Mt.
318. Jeřáb Mt. rises up from the surface of pond in village Vysoký potok
319. Majestic silhouette of Hrubý les Forest from the Morava river valley near Raškov
320. The highest mountains of the Branenská and Hanušovická vrchovina Highlands from the hillsides of Pohořelec (851 m)
321. The beech forests of Hrubý les
322. Jeřáb Mt. from the Červený potok Brook
323. The panoramic view of Hrubý les Forest from Rovinka (615 m)

DIE BERGE TSCHECHIENS

Unser Buch bespricht die höchsten Gebirge Tschechiens. Es konzentriert sich auf solche, bei denen mindestens ein Gipfel die für mitteleuropäische Verhältnisse magische Tausendmetergrenze erreicht. Von solchen Gebirgen oder Berggruppen gibt es sechzehn: Krkonoše, Hrubý Jeseník, Králický Sněžník, Šumava, Moravskoslezské Beskydy, Krušné hory, Rychlebské hory, Jizerské hory, Orlické hory, und weiter Šumavské podhůří, Novohradské hory, Český les, Vsetínské vrchy, Javorníky, Ještědský hřbet und Hanušovická vrchovina.

Wir müssen also eine Reise kreuz und quer durch das böhmische Massiv und die Mährisch-Schlesischen Karpaten unternehmen. Wir beginnen bei der Sněžka (Schneekoppe) mit 1602 Metern und enden in dem malerischen Bergland Hanušovická vrchovina. Der dortige Gipfel des Jeřáb überschreitet die oben angegebene Ziellinie um bloße drei Meter!

Krkonoše (Riesengebirge)

Die Krkonoše liegen an der tschechisch-polnischen Grenze. Sie erstrecken sich über etwa 36 Kilometer und nehmen insgesamt eine Fläche von mehr als 630 km² ein. Beinahe zwei Drittel davon entfallen auf Böhmen. Es ist die höchste Gebirgseinheit der Sudeten mit der Sněžka (1602 m). Das Gebirge besteht überwiegend aus kristallinen Schiefern, in der Regel proterozoischen oder frühpaläozoischen Alters. Umgewandelte Glimmerschiefer, Phyllite und Orthogneise wechseln nur selten mit Quarzit, basischem Ergussgestein oder kristallinem Kalkstein ab. Im Laufe der variszischen Gebirgsbildung durchdrang ein großer Gneis-Batholith das damalige Kristallinikum. Im späteren heißen Klima rundete sich das Gebirge schnell ab. Zu der bislang letzten Erhebung des Gebirges kam es gegen Mitte des Tertiärs als Folge alpinischer gebirgsformender Spannungen in den benachbarten Alpen und Karpaten (sog. saxonische tektonische Vorgänge). Den böhmischen Teil der Krkonoše bilden zwei bedeutende Untereinheiten, die Krkonošské hřebeny (die - äußeren und inneren Riesengebirgskämme) und die Krkonošské rozsochy (die Riesengebirgszwieseln). Das Relief können wir als ein Schollen-Bergland mit Resten verebneter Oberfläche auf den Gipfeln bezeichnen. Im weiteren wird es durch die Taleinschnitte der Flüsse Labe (Elbe), Úpa (Aupa) und Jizera (Iser) sowie die abgerundete frühquartäre Gletschermodellierung bestimmt. Diese Gletscher hinterließen in dem böhmischen Teil der Krkonoše acht Täler oder deren Andeutung.

Dank dem periodischen Auftauen und Gefrieren der Felsen oder Gerölle finden wir in den höchsten Gebirgslagen z.B. Felsburgen, Felsstufen (sog. Frostkliffe), Kryoplanationsterrassen, polygonale oder zerfurchte Böden. Mit den Regelationsprozessen in den Kammpartien der Berge steht das Erdfließen, oder Solifluktion in Zusammenhang. Den imaginären Gegenpol der langsamen Solifluktion bilden plötzliche, vernichtende, und deswegen auch befürchtete tonig-steinige Schlammströme, die Muren.

Die Krkonoše sind ein wichtiges Quellgebiet. Hier entspringt die Elbe, einer der größten Flüsse des gesamten Kontinents. Die Bergkämme bilden die Hauptwasserscheide zwischen der Ost- und Nordsee. Natürliche stehende Gewässer sind auf den Kämmen und in entsprechenden Einsenkungen torfige Tümpel. Mit der Ausnahme des der Öffentlichkeit unzugänglichen Tümpels 'Mechové jezírko' befinden sich bedeutendere Gletscherseen nur auf der Nordseite des Gebirges.

In den Hochlagen der Krkonoše liegt durchschnittlich sieben Monate im Jahr (Oktober bis Mai) Schnee. Die Schneedecke ist im Durchschnitt 150 bis 200 cm dick. Die Pflanzen- und Tierwelt ist im Gegensatz zu den übrigen mitteleuropäischen Gebirgen überraschend reich und mannigfaltig. Dies wird nicht nur durch die Lage und beträchtliche Höhe des Gebirges, sondern auch durch seine Gliederung, vielfältigen geologischen Untergrund und komplizierte historische Entwicklung nach der Eiszeit bedingt. Aufmerksamkeit verdient das Vorkommen sog. Eiszeitrelikte oder Endemiten und Subendemiten (Riesengebirgs-Mehlbeere Sorbus sudetica, Böhmische Glockenblume, der Schmetterling Torula quadrifaria sudetica u.a.).

Die verletzbare, wunderschöne Natur der Krkonoše schützt seit 1963 der älteste tschechische Nationalpark (abgekürzt KRNAP). Seine gegenwärtige Fläche beträgt 362 km², die von einer Schutzzone von beinah 200 km² ergänzt wird. Der Karkonoski Park Narodowy auf der polnischen Seite erblickte das Licht der Welt bereits im Jahre 1959 und umfasst eine Fläche von 55,6 km². Im Jahre 1992 wurden der KRNAP und sein „polnischer Zwilling" gemeinsam in die sog. Biosphärenreservate der UNESCO eingegliedert.

1. Das östliche Riesengebirge am Fusse des Berges Kutná (896 m) in den Rýchory
2. Portal des Wasserwerkes im Obří důl (Riesengrund), von wo das Wasser zu den Bauden auf der Sněžka gepumpt wurde.
3. Die Elbklamm
4. Schwalbenwurz-Enzian (*Pneumonanthe asclepiadea*)
5. Kuhschelle *Pulsatilla scherfelii*
6. Zwerg-Primel (*Primula minima*)
7. Moltebeere (*Rubus chamaemorus*)
8. Riesengebirgs-Mehlbeere *Sorbus sudetica*
9. Alpen-Habichtskraut (*Hieratium alpinum*)
10. Kleines Habichtskraut (*Pilosella officinarum agg.*)
11. Schmalblättriges Wollgras (*Eriophorum angustifolium*)
12. Tannen-Teufelsklaue (*Huperzia selago*)
13. Bergwiesen in Svatý Petr
14. Rothirsch
15. Der Kleine Fuchs (*Aglais urticae*) ist eine häufige Art der Waldlichtungen und subalpiner Wiesen.
16. Alpenbraunelle (*Prunella collaris*)
17. Frisch gefällte Bäume locken die verschiedensten Insekten an.
18. Das Massiv der Černá hora (1299 m)
19. Das Moor Černonorské rašeliniště - stammt aus der frühen Postglazialzeit.
20. Nahe des Moores Úpská rašelina befinden sich die Ausläufer der weit ausgedehnten Studniční hora (1554 m).
21. Stromschnellen im Unterlauf der Weissen Elbe (Bílé Labe)
22. Ausblick von den Kozí hřbety.
23. Sog. Steinschüsseln auf der Steinformation Dívčí kameny
24. Die Dívčí kameny (1414 m), am Kamm
25. Buchenurwald in den Rýchory
26. Betonbefestigungen aus den dreißiger Jahren des 20. Jahrhunderts. Dahinter das Massiv des Vysoké Kolo (1509 m).
27. Der Wielki Staw spiegelt sich im tiefen Kar am Fusse des Stříbrný hřbet.
28. Oberer Teil des Elbgrundes
29. Übung des Bergrettungsdienstes im Gebiet der Sněžné jámy (Schneegruben)
30. Der Wasserfall Mumlavský vodopád am Weg Harrachova cesta
31. Hinter dem tiefen Elbtal erheben sich der Bergrücken Kozí hřbety (1422 m) sowie die Massive der Luční hora (1555 m) und des Stoh (1315 m).
32. Periglaziale Formationen an den Osthängen der Luční hora
33. Der Polední kámen (Słonecznik) bildet massive Granitblöcke.
34. Sonnenaufgang auf der Schneekoppe
35. Hotel Horizont in Pec pod Sněžkou
36. Čertovo návrší (1471 m) und Čertova louka vom höchsten Punkt des Tals der Weißen Elbe
37. Der Gipfel des höchsten Berges Böhmens wird ganzjährig von Touristen belagert.
38. Die Harrachovy kameny (Harrach-Stein) - oberhalb der steilen Kotelní jámy (Kesselgruben)
39. Hinter dem Modrý důl und dem Úpa-Tal erhebt sich das Massiv der Rýchory.

Hrubý Jeseník (das Altvatergebirge)

Der Hrubý Jeseník erhebt sich im Nordwesten Mährens. Orographisch handelt es sich um ein gegliedertes Bergland, das einen Bestandteil des böhmischen Massivs und der Sudeten bildet. Die Gesamtfläche des Gebirges beträgt etwa 530 km², die durchschnittliche Meereshöhe fast 890 m. Die höchste Einheit Mährens und zugleich den Kronprinz aller Gebirge Tschechiens macht der Praděd (Altvater, 1491 m) aus ihm.

Das Gebirge kann in zwei Untereinheiten aufgeteilt werden. Dem nordwestlichen Teil dominiert der Gipfel des Keprník (Kepernik, 1423 m), südwestlich liegt das eigentliche Bergland Pradědská hornatina. Das Gebirge hat den Charakter eines komplizierten zweiteiligen Antiklinoriums, das durch eine Einsenkung (sog. Synklinorium) ungefähr im Bereich des Sattels Červenohorské sedlo (Roter Berg-Paß) geteilt ist. Während im Teil um den Keprník Orthogneise, Gneise und Glimmerschiefer-Gneise überwiegen, wird die südwestliche Wölbung um Desná (Teß), (Pradědská hornatina) vorwiegend von Kern-Magmatiten, Gneisen, Schiefern, Glimmerschiefern, Quarzit und Phylliten gebildet.

Obwohl das hiesige Gelände bereits im Paläozoikum gefaltet wurde, erfolgte der bislang letzte Hebungsvorgang im Tertiär und am Anfang des Quartärs (saxonische Tektonik). Die Kämme des Hrubý Jeseník bilden oft Reste alter verebneter Oberflächen und haben somit sehr massive und abgerundete Formen. Durch die Täler fließen reissende Bäche und kleinere Flüsse, die sich tief in den Untergrund einschneiden.

Das Eiszeitalter hinterließ im Gebirge Spuren periglazialer und glazialer Vorgänge: einzeln stehende Felsen, Kryoplanationsterrassen, Blockströme oder Strukturböden. Ein Beispiel früherer Gletscherwirkung stellen die nach Osten orientierten Kare und Karoide dar.

Der Hrubý Jeseník hat eine große wasserwirtschaftliche Bedeutung. Auf seinen Kämmen verläuft die Hauptwasserscheide zwischen der Ostsee und dem Schwarzen Meer. Aus dem frühen Postglazial haben sich hier einige Moore erhalten. Ein besonderes Kapitel der Hydrographie des Gebirges bilden die Heil- und Mineralquellen z.B. Jeseník (Freiwaldau-Gräfenberg), Lipová (Lindewiese), Velké Losiny (Groß Ullersdorf) oder Karlova Studánka (Karlsbrunn).

Im ganzen ist das Klima des Gebirges etwas trockener und wärmer als in den vergleichbaren westsudetischen Massiven. Die mittlere jährliche Niederschlagsmenge beträgt 830 bis 1400 mm, an den regenreichsten Stellen steigt sie bis 1500 mm an. Im Winter sind die Schneebedingungen ideal, der Schnee hält von Oktober bis April, teils bis Mai.

Der Hrubý Jeseník ist eines der waldreichsten Gebiete Mitteleuropas. Sieht man von den Fichtenmonokulturen ab, so sind die niedrigsten Lagen stellenweise bis heute die Domäne der Buchenwälder. In höheren Lagen dominieren tiefe Gebirgs-Fichtenwälder, noch höher auf der subalpinen Stufe finden sich alpine Mattengesellschaften. Das Knieholz, welches wir bei Ausflügen relativ häufig antreffen, ist hier nicht heimisch. Etwas niedriger wächst aber die heimische Lärche. Die Fauna gründet sich auf die für Gebirgswälder charakteristischen Arten. Neben dem reichlichen Edelwild überraschen uns in den Gebirgslagen kleine Rudel von Gemsen, die aus den Karpaten oder Alpen stammen. Ein östliches zoologisches Element und zugleich das größte Raubtier des Hrubý Jeseník ist der Luchs. Vereinzelt verlaufen sich auch Wölfe aus den Beskiden her.

Der Hrubý Jeseník und seine nahe Umgebung wurden im Jahre 1969 zum Landschaftsschutzgebiet erklärt. Seine Fläche beträgt 740 km^2.

40. Die Steine Petrovy kameny und Praděd (1491 m) - Geschichte, Symbolik und Metaphysik in nuce
41. Ein Gastmahl im Blütenstand des Grauen Alpendostes (*Adenostyles alliariae*)
42. Ein Dickicht von Samenkapseln und Kapselstielen des Frauenhaarmooses - Im Mooswald
43. Feuerfarbenes Habichtskraut (*Pilosella aurantiaca subsp. aurantiaca*)
44. Einköpfiges Ferkelkraut (*Trommsdorffia uniflora*)
45. Gelbe Wicke (*Viola lutea subsp. Sudetica*)
46. Uhu (*Bubo bubo*)
47. Bachforelle (*Salmo trutta morpha fario*)
48. Červenohorské sedlo (1010 m), ein wichtiger Verkehrs- und touristicher Knotenpunkt im Herzen des Gebirges.
49. Skifahren am Fusse der Vysoká hole im Juni
50. Die zerklüfteten Obří skály (1082 m) beherrschen die nördlichen Berghänge des Gesenkes.
51. Am Velké mechové jezírko
52. Frühling am Rejvíz
53. Kapelle beim Brunnen Vřesová Studánka wo das angeblich heilkräftige Wasser hervorquillt
54. Frisches Grün der Buchenwälder im Gesenke
55. Thufur-Feld in den höchsten Partien des Keprník-Kammes
56. Georgshütte am Fuß des Šerák - Ausgangspunkt in den Hrubý Jeseník um den Keprník
57. Seilbahn vom Ramzovské sedlo auf den Šerák im Hintergrund Rychlebské hory.
58. Wenn am Ramzovské sedlo die Sonne aufgeht.
59. Einschnitt des Oberlaufes der Hučivá Desná
60. Die Felsen auf dem Gipfel Vozka (1377 m) sind von mehreren Volkssagen umwoben.
61. Die Keprník-Wölbung wird vom runden Gipfel des Keprník (1423 m) gekrönt - Blick vom Vozka.
62. Im Nationalnaturschutzgebiet Šerák-Keprník. - Klimaxbildende Fichtenwälder an der oberen Waldgrenze.
63. In Karlova Studánka gibt es zahlreiche stilechte interessante Pavillons.
64. Das Altvatergebirge und die Hanušovická vrchovina trennt der Sattel Skřítek mit einer sonderbaren Statue des Berggeistes.
65. Den südwestlichen Kamm des Berglandes Pradědská hornatina schließen Velký Máj (1384 m) und Břidličná hora (1358 m) ab.
66. Ovčárna - Die Hütte steht inmitten des Berglandes Pradědská hornatina.
67. Talkessel der Velká Kotlina und beschneiter Kamm des Hrubý Jeseník von Malá Morávka aus gesehen

Králický Sněžník (der Spieglitzer Schneeberg)

Der Králický Sněžník hat den Charakter eines gegliederten Berglandes. Er liegt an der Grenze von Ostböhmen, Nordwestmähren und dem polnischen Kłodzko. Sein gleichnamiger höchster Gipfel ist 1424 m hoch. Der tschechische Gebirgsteil ist etwa 16 km lang und 12 km breit, die Gesamtfläche umfasst ungefähr 76 km^2 bei einer durchschnittlichen Meereshöhe von 930 m.

Orographisch ist er ein Teil des böhmischen Massivs, genauer der Westsudeten. Aus geologischer Sicht besteht er aus umgewandelten Gesteinstypen vom Typ des Kristallinikums, Adlergebirges und Glatzer Schneebergs. Es herrschen Gneise, Migmatite und Glimmerschiefer vor, es besteht aber auch kein Mangel an Einschlüsen von Quarzit, Graphitschiefern oder zum Teil verkarstetem kristallinem Kalkstein. Im Verlauf des älteren Quartärs kamen in den exponierteren Lagen periglaziale Bedingungen intensiv zur Geltung. Bis heute blieben aus dieser Zeit Blockfelder, Geröllströme oder amphitheaterförmige Talkessel erhalten.

Der Hauptkamm bildet einen einzigartigen hydrologischen Knoten. Es ist die Hauptwasserscheide zwischen dem Schwarzem Meer, der Ost- und Nordsee. Neben der Morava (March) und deren Zuströmen entspringt hier die nach Norden fließende Nysa Kłodzka (Glatzer Neiße). Durch den Bach Lipkovský potok wird das Wasser dem Fluss Tichá Orlice (Stille Adler) zugeführt. In den höchsten Lagen herrscht ein feuchtes, kühles und oft äußerst windiges Klima. Das Jahresmittel der Lufttemperatur liegt bei kaum 1,7°C, die mittlere Jahresniederschlagssumme beträgt 1200 bis 1300 mm.

Die Pflanzenwelt des Králický Sněžník bestimmen vor allem die geografische Grenzlage und die Meereshöhe. Die subalpine Vegetationsstufe ist im Vergleich mit ihrem unweiten Pendant, den Jeseníky flächengemäß kleiner und etwas artenärmer.

Die Fauna kann als herzynische Gebirgsfauna charakterisiert werden. Nur in den Randgebieten greift auch das karpatische Element vom Osten in ganz geringem Maße in dieses Gebiet über. Endemische Tier- und Pflanzenarten wurden bisher in dem Gebirge nicht festgestellt.

Wenngleich auf polnischer Seite der Sniežnicki park krajobrazowy bereits viele Jahre seine verdienstvolle Funktion erfüllt, musste der böhmische Teil des zentralen Massivs bis 1991 auf einen entsprechenden speziellen Schutz warten. Damals wurde auf einer Fläche von fast 17 km^2 ein nationales Naturschutzgebiet errichtet, welches das zweitgrößte in der Tschechischen Republik ist.

68. Spieglitzer Schneeberg - der höchste Gipfel des gleichnamigen Gebirges
69. Von der Piste am Návrší bietet sich eine schöne Aussicht auf die Rychlebské hory und das Altvatergebirge
70. Gold-Fingerkraut (*Potentilla aurea*)
71. Grasfrosch (*Rana temporaria*)
72. Gemeine Schafgarbe (*Achillea millefolium subsp. sudetica*)
73. Die March nimmt den meisten Teil des Jahres über Schneewasser auf.
74. Die Koppe des Spieglitzer Schneebergs vom Sattel am Fusse der Stříbrnická
75. Blockströme und Geröll in der Nähe des Hauptkammes - im Hintergrund das Marchtal.
76. Von Staré Město pod Sněžníkem aus ähneln

die Berge einem zusammenhängenden Wall.
77. Beliebte Statue eines Elefantenjungen bei der ehemaligen Franzenshütte Altvatergebirge
78. Auf dem Gipfel des Spieglitzer Schneebergs verläuft die tschechisch-polnische Grenze.
79. Die Marchquelle entspringt direkt unter dem Gipfel des Králický Sněžník.
80. Králický Sněžník - Spieglitzer Schneeberg

Šumava (Böhmerwald)

Die Šumava erstreckt sich entlang der Grenze dreier Staaten - der Tschechischen Republik, Deutschlands (hier unter dem Namen Bayerischer Wald) und Österreichs (Mühlviertel). Es ist ein Bestandteil des sog. Šumava-Berglandes im südwestlichen Teil des böhmischen Massivs. Seine Länge beträgt etwa 130 km, die Breite 30 km. Die höchsten Gipfel der Šumava liegen auf der bayerischen Seite (Großer Arber - 1456 m, Großer Rachel - 1453 m). Die höchste Erhebung des böhmischen Teils ist der Plechý (Plöckenstein, 1378 m.)
Das Gebirge besteht zum größeren Teil aus stark umgewandelten kristallinen Gesteinen des Moldanubikums, des ältesten Teils des böhmischen Massivs. Die Wölbung parallel laufender Bergrücken und flacher Gipfel bilden vor allem verschiedenartige Urgebirgs- und proterozoische Gneise, Para- und Orthogneise, in geringerem Maße auch Glimmerschiefer, Granulite oder Migmatite. Ungefähr in der Achse des Gebirges dringen Teile des paläozoischen (variszischen) Batholits zur Oberfläche, in Form von Granit- und Granodiorit-Härtlingen. Ihre heutige Höhe hat die Šumava aufgrund von Druckwirkungen erreicht, die von der tertiären Phase der alpinischen Faltung verursacht wurden. Gerade in dieser Zeit kam es zu wiederholten Schollenverschiebungen und -erhebungen. Im zentralen Gebirge blieb dabei die ursprüngliche Fastebene (sog. Šumava Planen) erhalten.
Die eigentümliche Beschaffenheit der Landschaft haben intensive geomorphologische Vorgänge im älteren Quartär vertieft. Als Überbleibsel kleinerer Kar- und Hanggletscher haben sich im Gebirgskern zwölf Karoide und Kare, einige Moränen und Felswände erhalten. Es entfalteten sich auch Kryoplanationsterrassen, Frostkliffs, steile Abhänge oder besondere Typen von sog. Strukturböden. Zu den weiteren bemerkenswerten Erscheinungen der Šumava gehören ausgedehnte Blockmeere, Felsburgen, einzelnstehende Felsen (Tore) oder wunderschöne Riesentöpfe (im Flussbett der Vydra).
Kämme der Šumava bilden die europäische Hauptwasserscheide zwischen dem Schwarzen Meer und der Nordsee. Das Wasser der nach Süden fließenden Gebirgsbäche sammelt sich nach und nach im Strom der Donau, Bäche und kleinere Flüsse die nach Norden fließen versorgen die Moldau, die hier unter dem Berg Černá hora (Schwarzkopf, 1039 m) entspringt. Ein bedeutsames Kapitel der Hydrologie der Šumava sind die Gletscherseen. Im böhmischen Teil haben sich aus dem

Eiszeitalter fünf erhalten. Zur Hydrographie gehören aber selbstverständlich auch künstliche Wasserbauwerke. Zu ihnen zählen alte Floßkanäle, Klausen, verschiedene Veränderungen der Ufer, Stacke oder auch der größte Stausee der Tschechischen Republik, Lipno. Auch die Gebirgsmoore sind zu erwähnen. Sie gehören zu dem Wertvollsten, was die mitteleuropäische Natur ihren Besuchern bieten kann. Die mittlere jährliche Niederschlagsmenge beträgt 800 bis 1500 mm, das Verhältnis zwischen ihrer flüssigen und festen Form ist ungefähr ausgeglichen. In höheren Lagen fällt der Schnee in der Regel von November bis April.
Die Pflanzenwelt der Šumava ist im Vergleich mit den Alpen, dem Riesengebirge oder den Karpaten deutlich ärmer. Es fehlt hier die alpine Vegetationsstufe, Spuren der subalpinen Stufe finden sich nur auf einigen vereinzelten Gipfeln. Die Entwicklung einer reicheren Flora verhinderte der karge Gesteinsuntergrund.
Das Gebirge wird von der mitteleuropäischen Waldfauna bewohnt, die sich erhalten hat. Auf Hochmooren und in tiefen Wäldern überleben zahlreiche Relikte. Unter den hiesigen bedeutsamen Tierarten sei zumindest der Dreizehenspecht, der Tannenhäher, der Wachtelkönig, das Birk- oder Auerhuhn, und von den Säugetieren der wieder eingebürgerte Luchs erwähnt. Die Natur der Šumava schützte seit 1963 ein Landschaftsschutzgebiet. Im Jahre 1990 wurde sie in die sog. Biosphärenreservate des Programms der UNESCO Mensch und Biosphäre eingegliedert. Im Jahre 1991 erblickte der Nationalpark Šumava (69030 ha) das Licht der Welt. Der Nationalpark Bayerischer Wald wurde zwölf Jahre vorher gegründet.

81. Das Moor Chalupská slať bei Borová Lada
82. „Riesentöpfe" im Flussbett der Vydra
83. Der Laka-See am Fusse des Grenzmassives der Plesná (1336 m)
84. Unter dem verschneiten Wall
85. Berg-Alpenglöckchen (Soldanella montana)
86. Jede Menge von Margeriten im Böhmerwald
87. Die Säulenflechte (Cladonia pleurota)
88. Dukatenfalter (Lycaena virgaureae) auf der Blüte des Rainfarns
89. Sturmhut (Aconitum sp.) - am Ufer des Roklanský potok
90. Braunvioletter Enzian (Gentiana pannonica)
91. Gemeine Goldrute (Solidago virgaurea subsp. alpestris) um Horská Kvilda.
92. Arnika (Arnica montana)
93. Breitblättriges Knabenkraut (Dactylorhiza majalis subsp. turfosa) - am Bach Hamerský potok
94. Schmalblättriges Weidenröschen (Chamerion angustifolium)
95. Auerhuhn (Tetrao urogallus) - In der Šumava vermehrt sich diese Art noch spontan.
96. Die Borkenkäfer Kalamität hat oft diskutierte Abholzung hervorgerufen.
97. Goldglänzender Laufkäfer (Carabus auronitens)
98. Bergeidechse (Lacerta vivipara)
99. Luchs (Lynx lynx)

100. Auf den Planen des Böhmerwaldes wird stellenweise das schottische Hochland-Rind gehalten.
101. Březník - hinter dem Grenzmoor erhebt sich der symmetrische Lusen (1373 m).
102. Der Urwald Boubínský prales - das älteste Schutzgebiet des Böhmerwaldes
103. Sejpy in der Nähe von Horská Kvilda von Schnee bedeckt.
104. Die Enklave Knížecí Pláně war noch in der Hälfte des 20. Jahrhundert ständig bewohnt.
105. Der letzte Bär, der letzte Schuss - 1856.
106. Der felsige Gipfel Trojmezná erhebt sich aus den Urwäldern Trojmezná - Smrčina.
107. Erneuerte Kapelle in Stožec - ein traditioneller Wallfahrtsort
108. Hütte und Aussichtsturm auf dem Pancíř (1214 m) im westlichen Böhmerwald
109. Traditionelles Anwesen des Böhmerwaldes - Horní Antýgl
110. Der Floßkanal 'Vchynicko-tetovský kánál'
111. Der größte Tümpel des Moores Tříjezerní slať
112. Skisaison in Kvilda
113. Ruine einer Kirche im Hůrecké údolí
114. Der Berg Sokol (1253 m) erhebt sich am Bach Hamerský potok.
115. Die Vydra in der Nähe von Čeňkova Pila im Oktober
116. Das -Moor Rakouská louka am Kamm zwischen Plechý (1378 m) und Trojmezí
117. Grenzkomplex Smrčiny von der Stožecká skála aus gesehen - rechts Hochstein (1332 m), Třístoličník / Dreisesselberg, 1311 m), Trojmezná (1364 m) und Plechý (1378 m)
118. Die Talsperre Lipno bei Frymburk
119. Der See Plešné jezero
120. Burgruine Vítkův Kámen bei Svatý Tomáš

Moravskoslezské Beskydy (Mährisch-Schlesische Beskiden)

Die Moravskoslezské Beskydy finden sich im nordöstlichen Zipfel Mährens, direkt an der Grenze zur Slowakei. Sie sind ein Bestandteil der Westbeskiden und im breiteren Sinne des Wortes auch der Westkarpaten. Das Gebirge erstreckt sich auf einer Fläche von über 620 km², die durchschnittliche Höhe liegt bei 700 m. Ihr höchster Punkt ist der 1323 m hohe Berg Lysá hora.
Die Moravskoslezské Beskydy stellen eine selbstständige geologische Einheit der Äußeren Karpaten dar und bestehen aus leicht erodierbaren Flyschen. Die Gebirgsgruppe ist vor verhältnismäßig kurzer Zeit ungefähr in der Mitte des Tertiärs durch Faltung entstanden. Die Anordnung der Falten und Brüche führt zu typischen parallelen, in südwestlich - nordöstlicher Richtung verlaufenden Bergrücken. Am Nordrand werden die einzelnen Rücken quer durch tiefe Taleinschnitte getrennt. Und gerade dort findet man die größte relative Überhöhung aller Berge Tschechiens (über 900 m). Die südöstlichen und südlichen Teile sind niedriger und durch flachere Sättel charakterisiert. Auch in den Beskiden haben sich zahlreiche Spuren periglazialer Vorgänge erhalten.
Die wasserwirtschaftliche Bedeutung des Gebirges ist enorm, der südliche und der südöstliche Bergrücken bilden die Hauptwasserscheide zwischen dem Schwarzen Meer und der Ostsee. Dank dem

eigentümlichen geologischen Untergrund und dem ziemlich abschüssigen Gelände kommt es im Gebirge zu intensiver Erosion, Erdrutschen und im Vorfeld des Gebirges auch zu häufigem und unerwartetem Ansteigen des Wasserstandes der Flüsse. Das Klima der Moravskoslezské Beskydy wird neben dem Gelände auch von der Exposition in Bezug auf die überwiegenden nordwestlichen und nördlichen Luftströmung bestimmt. Im Vorgebirge ist das Klima insgesamt mild, in höheren Lagen ist es kühler und die Bergrücken sind sehr kalt. Am niederschlagsreichsten sind hohe Wetterlagen des nördlichen Kamms. Das Gebirge gehört zu den Karpaten, in Sichtweite befindet sich das böhmische Massiv und direkt über den Abhang führt die äußerst wichtige „Autobahn" der wärmeliebenden Natur, die sog. Moravská brána (Mährische Pforte). All diese geographischen Faktoren mussten die Flora und Fauna der Moravskoslezské Beskydy beeinflussen. Einen untrennbaren Bestandteil der hiesigen Waldlandschaft bildet auch das waldfreie Gebiet. Meistens handelt es sich um von Hirten angelegte Bergwiesen oder nach forstlicher Aufarbeitung entstandene Kahlflächen. Die Tierwelt der Beskiden bezeichnet man als westkarpatische Bergwaldfauna. Von Vögeln sind Auer-, Hasel- oder Birkhuhn vertreten, zu den seltenen Säugetieren gehören Birkenmaus, Spitzmaus und Fischotter, bei etwas Glück kann man einen Luchs oder Bären und immer häufiger auch einen Wolf sichten. Die beiden letztgenannten Raubtiere kommen oft aus den Javorníky oder der slowakischen Kysuca. Der Schutz der Natur beruht seit 1973 auf der Existenz eines Landschaftsschutzgebietes. Mit einer Fläche von 1160 km^2 ist es das größte Großschutzgebiet der Tschechischen Republik und neben den Moravskoslezské Beskydy umfasst es auch einen großen Teil der Vsetínské vrchy und den mährischen Teil der Javorníky. Jenseits der slowakischen Grenze schließt ein weiteres Landschaftsschutzgebiet - Kysuca an diesen Komplex an.

121. Velký Polom (1067 m) - der höchste Berg im Grenzkamm der Moravskoslezské Beskydy
122. Verschiedenartige Gesteinfolge des Beskiden-Flysches
123. Talsperre Šance auf der Ostravice
124. Herbstzeitlosen (Colchicum autumnale)
125. Berg-Mohrenfalter (Erebia euryale)
126. Gemeiner Hornklee (Lotus corniculatus)
127. Wolf (Canis lupus)
128. Der Bílý kříž ('Weißes Kreuz') gab den Namen einer beliebten Erholungseinrichtung.
129. Geländerrinne unter dem Gipfel des Čertův mlýn (1206 m)
130. Zum Gipfel des Radhošť gehört die Kapelle und die Statuengruppe von Cyrill und Methodius
131. Lysá hora (1323 m) und Travný (1203 m) - von der Hütte Bumbálka aus gesehen
132. Smrk (1276 m), Kněhyně (1257) und Radhošť (1129 m) von Butoranka aus gesehen
133. Denkmal von Maryčka Magdonova in Staré Hamry

134. Die Kapelle am Fusse des Muřínkový vrch stammt vom Anfang des 20. Jahrhunderts.
135. Das Walachische Freilichtmuseum in Rožnov pod Radhoštěm
136. Bei der Statue des altslawischen Gottes Radegast
137. Panorama vom Pavillon Cyrilka aus - hinter dem Zentrum Pustevny von links Zmrzlý vrch (1043 m), Tanečnice (1084 m) und Kněhyně (1257 m)
138. Kněhyně
139. Schnitter aus Papežov
140. Der Radhošť von Bečva-Tal aus gesehen
141. Der Karpaten-Gebirgsurwald im Nationalnaturschutzgebiet Mazák
142. Die 'Löcher' Ondrášovy díry - geschützte Pseudokarstgebilde am Fusse der Lysá hora
143. Javorový (1032 m), Ropice (1083 m), Přislop (946 m) und Ropička (918 m)
144. Aufruhr am Gipfel des höchsten Berges der Beskiden - neben Wanderern und Radfahrern nutzen ihn auch Drachenflieger.
145. Hochwasser- und Erosionsschutz bei Horní Lomná
146. Die Berghütte Sulov zwischen dem mährischen Sulov (943 m) und dem um 40 m niedrigeren slowakischen Súľov

Krušné hory (Erzgebirge)

Die Krušné hory liegen am Nordostrand des böhmischen Massivs. Orographisch gehören sie zum breiteren Komplex des Erzgebirgsberglandes und besitzen den Charakter eines einseitig geneigten Schollenberglandes. In Böhmen sind die Hänge steil und fallen in die tektonische Talsohle des vorerzgebirgischen Beckens ab. Viel weniger steil sind die Abhänge in Sachsen. Das Gebirge ist insgesamt etwa 130 km lang, seine Breite überschreitet nirgends 20 km. Es dehnt sich auf einer Fläche von etwa 1600 km^2 aus, die durchschnittliche Höhe liegt bei fast 700 m. Der Ostteil des Gebirges ist relativ niedriger, im Westteil erhebt sich der Klínovec (Keilberg, 1244 m). Die Krušné hory gehören zu dem sog. erzgebirgischen Kristallinikum, welches einen Teil des alten Kernes des böhmischen Massivs bildet. In seinem komplizierten Aufbau überwiegen kristalline Schiefer. Den massiven Gneiskern ergänzen im Westen Glimmerschiefer und Phyllite, die oft von Granit- oder Porphyrdurchdringungen variszischen Alters durchsetzt sind. An solche Durchdringungen waren reiche Erzvorkommen gebunden. Dank der saxonischen tektonischen Unruhe im Tertiär wurde die Erzgebirgsscholle längs der markanten Bruchlinien gegenseitig angehoben und ihr südöstliches Vorfeld sank. Ungefähr im gleichen Zeitabschnitt erhoben sich auf der Hochebene einige einzelstehende Basaltkuppen. Längs der erzgebirgischen Bruchlinie entspringen außergewöhnlich geschätzte Thermen und Mineralquellen.
Während des älteren Quartärs herrschten auf dem flachen erzgebirgischen Plateau periglaziale Bedingungen. Neben dem Erdfließen der Verwitterungsböden bildeten sich kleinere Geröll- und Blockfelder. Im Gebiet um den Klínovec blieb sogar eine winzige Karoidsenkung erhalten. Zu den typischen Formen der erzgebirgischen

Hochebene gehören auch flache kesselartige Einsenkungen, die oft von postglazialen Bergmooren ausgefüllt sind. Ein Schulbeispiel der Gesteinsverwitterung bieten einige entblößte Felsenriffe.
Der steile und verhältnismäßig kurze Südosthang ermöglicht den erzgebirgischen Flußläufen nicht, sich zu vergrößern, alle Zuströme enden in der Ohře (Eger). Den östlichen Teil des Beckens um die Stadt Most (Brüx) entwässert die Bílina (Bilin). Die eigentliche erzgebirgische Wasserscheide geht an vielen Stellen nach Böhmen über, wo sich auch Quellbereiche der sächsischen Flüsse Saale und Mulde befinden. Auf welche Seite auch die erzgebirgischen Bäche und Flüßchen fließen, sie enden immer in der Elbe. Der erhöhte Wasserverbrauch im industriellen Erzgebirge machte in der Vergangenheit die Errichtung von Talsperren notwendig.
Die Krušné hory bilden dank ihrer Lage und Orientierung eine bedeutsame klimatische Grenzscheide. Sie verursachen einen markanten Föhneffekt, wenn nordwestliche Luftströmungen über den Gebirgskamm in die Becken des Erzgebirgsvorlands fallen. Die im ganzen einheitliche Pflanzenwelt des Gebirges könnte am besten als „mitteleuropäische Waldvegetation" bezeichnet werden. Wenn wir aber potentielle Waldbestände betrachten, können wir einen Rekord verzeichnen. Auf einer verhältnismäßig sehr kleinen Entfernung kann man hier sechs vertikale Vegetationsstufen finden. Gegenwärtig ist die Lage der hiesigen Wälder keinesfalls rosig. Wahrscheinlich in keinem europäischen Gebirge findet man so ausgedehnte und trostlose Kahlflächen. Infolge der menschlichen Tätigkeit und der Einflüsse von Immissionen ändert sich sogar die Zusammensetzung der Fauna. Im Wald lebende Arten werden allmählich von Organismen ersetzt, die für das Offenland oder eine Parklandschaft typisch sind. Im Böhmischen Teil des Krušné hory finden wir heute etwa dreißig kleinflächige besonders geschützte Gebiete. Auf der deutschen Seite schließt nördlich der Stadt Nejdek (Neudek) das Landschaftsschutzgebiet Oberes Westerzgebirge an. Ähnlich wird auch das Massiv des höchsten sächsischen Gipfels im Erzgebirge, des Fichtelberges, geschützt.

147. Über dem flachen Moor von Boží Dar erhebt sich der Kegel des Božídarský Špičák (1115 m).
148. Zwerg-Birke (Betula nana)
149. Natürliche Bestände sind in den höchsten Lagen des Erzgebirges selten.
150. Rote Lichtnelke (Melandrium sylvestre subsp. sylvestre), eine
151. Aussichtsturm auf dem Gipfel des Blatenský vrch (1043 m)
152. Der Graben Blatenský kanál bei Rýžoviště
153. Der frühere Basaltbruch nahe der Gemeinde Hřebečná
154. Gebäudekomplex am Gipfel des Keilbergs
155. Von den Schneisen der Abfahrtspisten am Klínovec überblickt man das sächsische Oberwiesenthal zusammen mit dem Ski-Zentrum am Fichtelberg (1215 m).

156. Měděnec (903 m) mit dem Rundbau der Marienkapelle

157. Die Bergstadt Měděnec und ihre Umgebung von Osten her

158. Zerstörte Waldökosysteme im Gebiet von Meluzina (1094 m)

159. Der höchste Berg des Erzgebirges - Klínovec, deutsch Keilberg

160. Felssphingen beim Měděnec

161. Enge Spalte einer der Vlčí jámy genannten Gruben, wo sich das ganze Jahr Eis hält.

162. Auf dem Naturlehrpfad 'Božídarským rašeliništěm' (durch das Moor von Boží Dar)

163. Herbst-Romanze am Fusse des Klínovec (Keilberg) (1244 m)

164. Die berühmte hochgelegene Erzgebirgs-Gemeinde Boží Dar

165. Das Industriegebiet Kovářská vom Gipfel des Měděnec

166. Palouk mrtvých bei Kovářská. Im Hintergrund Kamenný vrch (963 m).

Rychlebské hory (Reichensteiner Gebirge)

Das Gebirge Rychlebské hory bildet die Grenze zwischen Nordmähren und dem polnischen Kłodzko (Glatz). Sein Hauptkamm windet sich ungefähr von Nordwesten nach Südosten und sinkt auf beiden seitlichen Teilen stufenweise ab. Der markanteste Berg ist der 1125 m hohe Smrk, der sich in dem sog. Bergland von Petříkovice erhebt. Der mährische Gebirgsteil umfasst eine Fläche von 276 km². Die durchschnittliche Meereshöhe liegt bei 645 m.

Aus geologischer Sicht ist das Gebirge der östlichste Ausläufer der Sudeten. Sein überwiegender Gesteinstyp sind kristalline Schiefer-Migmatite. In der Vergangenheit ist hier nämlich glutfließendes Tiefenmagma in die älteren Meeressedimente eingedrungen. Die Kammpartien tragen markante Spuren frühquartärer Verfrostungsprozesse (einzelnstehende Felsen, Blockfelder, Kryogen-Terrassen). Auch wenn sich in dem Gebirge niemals eigentliche Gletscher gebildet haben, reichte die gewaltige Masse des nordischen Kontinentalgletschers beinahe zu seinem nördlichen Fuß.

Fast das gesamte Gebirge gehört zum Einzugsgebiet der Oder, nur aus einem Teil des südwestlichen Zipfels fließt das Wasser in das Einzugsgebiet der Morava (March). Das Klima ist kühl, im Vergleich zum Hrubý Jeseník oder Králický Sněžník aber doch milder.

Die Pflanzen- und Tierwelt kann ihre Zugehörigkeit zu der sog. Bioregion Jeseníky nicht verleugnen, wo ostsudetische, polonische (Nordosthang) und am Rande auch karpatische Elemente vermengt sind. Einen großen Teil des Gebirges bedecken heute Fichtenmonokulturen.

Im mährischen Teil des Gebirges gibt es heute vorläufig nur zwei bedeutendere kleinflächige besonders geschützte Gebiete. Jenseits der polnischen Grenze erstreckt sich der Śnieznicki park krajobrazowy.

Ein besonderes Kapitel stellen die hiesigen Kurorte dar. Weltbekannt sind die Heilanstalten in Jeseník (Freiwaldau-Gräfenberg) und Lipová (Lindenwiese).

167. Rychlebské hory - vom gegenüberliegenden Hang des Spieglitzer Schneebergs aus gesehen

168. Buschwindröschen (*Anemonoides nemorosa*)

169. Der Rote Fliegenpilz (*Amanita muscaria*)

170. Kolkrabe (*Corvus corax*)

171. Das Priessnitz-Sanatorium ist der berühmteste Kurpavillon in Lázně Jeseník.

172. Lví hora (1041 m) - rechts im Hintergrund Studniční vrch (992 m)

173. Preiselbeere (*Rhodococcus vitis-idaea*)

174. Das Massiv des Smrk, des höchsten Berges der Rychlebské hory (1125 m)

175. Ausblick vom Smrk über die Anhöhe Klín (983 m)

176. Am Fusse der Travní hora (1119 m) - Gebirgs-Fichtenwälder im Bergland Petříkovská hornatina

177. Zwischen den Rychlebské hory und dem Altvatergebirge befindet sich das Bad Lázně Lipová.

178. Das lange Tal hat der Gebirgsbach Staříč modelliert.

179. Gegen Norden senkt sich der Grenzkamm allmählich - Panorama am Fusse des Smrk.

180. Der südliche Ausläufer des Gebirges reicht bis zur Gemeinde Branná. Die gegenüberliegenden Hänge gehören bereits zum Altvatergebirge.

Jizerské hory (Isergebirge)

Die Jizerské hory finden sich in Nordböhmen an der Grenze zu Polen. Teilweise reichen sie bis in den Frýdlantský výběžek (Friedlander Ländchen). Das Gebirge hat den Charakter einer flachen Berglandschaft mit einer durchschnittlichen Meereshöhe von 700 m und einer Gesamtfläche von etwa 420 km². Der höchste Gipfel des böhmischen Teiles ist der Smrk (Tafelfichte, 1124 m) im nördlichen Bergkamm. Im polnischen Teil dominiert Wysoka Kopa (Hinterberg, 1126 m). Das Hauptplateau der Jizerské hory fällt leicht nach Süden ab, von Norden her ist es durch felsige und steile Hänge begrenzt. Über das eigentliche Hochplateau erheben sich einzelne Gipfel, z.B. Jizera (Sieghübel), Černá hora (Schwarzeberg, 1084), seitlich finden sich niedrigere Bergrücken.

Das Gebirge ist ein Bestandteil der Westsudeten. Seinen Grund bildet der westliche Teil des herzynischen Riesen- und Erzgebirgsbatholits. Im Tertiär wurde das Massiv durch saxonische Tektonik gehoben. Der überwiegende Gesteinstyp der Jizerské hory sind grobkörnige Zweiglimmergranite, nur der nördliche Bergkamm mit dem höchsten Berg wird von Orthogneisen, Zweiglimmergneisen oder Glimmerschiefern gebildet. Eine geologische Besonderheit bilden vulkanische Körper, welche durch den Erguss von tertiärem Magma entstanden sind.

Im Pleistozän haben sich hier nie selbständige Berggletscher gebildet. Beweise für die damaligen periglazialen Vorgänge finden sich aber auf Schritt und Tritt (Felsburgen, Frostkliffe, Kryoplanationsterrassen, Frostgeröll usw.). Zahlreiche außerordentliche geomorphologische Erscheinungen finden wir am nördlichen Bruchhang. Mit dieser tektonischen Linie sind auch die heilkräftigen Mineralquellen und die Existenz des Kurortes Libverda (Bad Liebwerda) verbunden.

Das Isergebirge hat eine große wasserwirtschaftliche Bedeutung. Auf seinen Planen und Berghängen verläuft die Wasserscheide zwischen dem Einzugsgebiet der Oder (Lužická Nisa /Lausitzer Neiße/, Smědá /Wittig/) und Elbe (Jizera /Iser/). von den hiesigen hydrologischen Besonderheiten sind noch die Moore der Hochebenen und die wunderschön mäandrierenden Flussläufe oder Stromschnellen und Wasserfälle zu erwähnen.

Die nördlichen und nordwestlichen Wetterhänge gehören ähnlich wie das Hochplateau zu den niederschlagsreichsten und kältesten Gebieten Mitteleuropas (die Jahresmaxima nähern sich 1600 mm). Im Winter sind hier deshalb in der Regel ideale Schneebedingungen.

Die Jizerské hory gehörten seit jeher zu den waldreichsten Gebieten Böhmens. Der Wald nimmt hier mehr als 70 % der Gesamtfläche ein. Das Gebirge ist nicht so hoch, dass sich hier eine natürliche Mattenstufe entwickeln könnte. Es haben sich jedoch natürliche waldfreie Moore erhalten, die hier als Wiesen bezeichnet werden.Die ausgedehnte durch Immissionen hervorgerufene Entwaldung in den letzten Jahrzehnten hat die Fauna des Gebirges beeinflußt. Die ursprüngliche herzynische Fauna gedeiht in der Regel in den Überresten zusammenhängender Waldbestände, außerhalb der Wälder wird sie schrittweise von Vertretern waldfreier Gebiete ersetzt. Heute erfolgt im Gebiet eine großräumige Bewaldung.

Die Bestrebungen der Naturschützer und -liebhaber haben 1967 ihren Höhepunkt erreicht, als durch einen Erlass des Ministeriums für Kultur und Informationen das Landschaftsschutzgebiet Jizerské hory gegründet wurde. Es umfasst eine Fläche von 350 km².

181. Der Basaltberg Bukovec (1005 m)

182. Im Nationalnaturschutzgebiet Rašeliniště Jizery

183. Die Sumpf-Dotterblume (*Caltha palustris subsp. laeta*)

184. Grüner Germer (*Veratrum lobelianum*)

185. Moospolster im Wald-Hochmoor

186. Rundblättriger Sonnentau (*Drosera rotundifolia*)

187. Rundblättrige Glockenblume (*Campanula rotundifolia*)

188. Randaugenfalter auf Greiskrautblüten

189. Köcherfliegenlarven in klarem Wasser

190. - Die schwarze (melanotische) Form der Kreuzotter (*Vipera berus*)

191. Felsengebilde der Hainkirche in der Felsgruppe Frýdlantské cimbuří

192. Nationales Naturschutzgebiet Rašeliniště Jizerky auf der Wiese Malá Jizerská louka

193. Entwaldeter Gipfel der Smědavská hora (1084 m)

194. Über dem

Wasserspiegel des Teiches Šolcův rybník tauchen die sog. Srázy auf.

195. Felspilz oberhalb von Hejnice
196. Der Brunnen Plischkeho studánka
197. Buchen-Tannenwald, ein Reliktenwald unter der Nordkante des Gebirges im Bereich der Felsgruppe Frýdlantské cimbuří
198. Beschattete Wasserfälle am Bach Černý potok
199. Smrk (1124 m)
200. „Granitfestung" auf den steilen Nordhängen
201. Vom Moor Izerskie Bagno an bildet die Iser die Staatsgrenze.
202. Viklan
203. Über das Plateau der Isergebirges erheben sich Gipfelfelstorsos (Jizera 1122 m)
204. Buchenwälder unterhalb des Sattels Oldřichovské sedlo
205. Hinter dem flachen Tal des oberen Flusslaufes der Jizera (Iser) erhebt sich der polnische Wysoki Grzbiet.

Orlické hory (Adlergebirge)

Die Orlické hory haben den Charakter eines flachen Berglandes. Sie sind von Nordwesten nach Südosten orientiert. Nach Ostböhmen lösten sie sich allmählich im Hügelland Podorlická pahorkatina auf, die Abdachung zum Vorgebirge Orlické záhoří auf der gegenüberliegenden Seite ist größtenteils steiler, dafür aber kurz. Der Kamm der Orlické hory ist ungefähr 50 km lang, die breiteste Stelle misst etwa 10 km. Das Gebirge bedeckt eine Fläche von etwas mehr als 340 km², die durchschnittliche Höhe liegt bei 710 m. Die höchsten Gipfel finden sich im Nordosten, im Deštenská hornatina genannten Bergland (Velká Deštná - Deschneier Großkoppe, 1115 m). Orographisch gehören die Orlické hory zum mittleren Teil der Sudeten. Es handelt sich um eine alte Fastebene, die im Verlauf saxonischer Vorgänge gegen Osten verschoben wurde, wo sie ein markanter Bruch begrenzte. Diese Schollenkante bildet heute den Hauptkamm mit den morphologisch nicht sehr auffallenden Gipfeln Vrchmezí (Hohe Mense, 1084 m), Velká Deštná, Tetřevec (1043 m) usw. In den höchsten Lagen können wir deutliche Relikte der eiszeitlichen Frostverwitterungsformen antreffen, wie z.B. Frostkliffe oder Blockfelder. Zur Morphologie des Gebirges gehören untrennbar die Querdurchbrüche der Flüsse Divoká und Tichá Orlice (Wilde und Stille Adler) im südwestlichen Teil.

Von Mineralien finden wir in den Orlické hory vorwiegend proterozoische Gneise oder Migmatiten - charakteristische Gesteinstypen des Kernes des Adlergebirgs-Glatzer Gebirgskessels. Vor allem im Vorgebirge werden sie teils von Glimmerschiefer-, Amphiboliten-, Phyllit- und Granodioritzonen oder von Kreidesandstein- und Mergelinseln begleitet. Der nordwestliche Teil des Grenzkammes bildet die europäische Hauptwasserscheide zwischen Nord- und Ostsee. Den böhmischen Teil des Adlergebirges entwässern die rechten Zuflüsse der Orlice (Adler) und schließlich der Elbe. Auf den Bergkämmen und auf den weniger steilen Hängen des Adlergebirges finden wir kleine, aber hydrologisch interessante Moore. Die Kämme und Gipfelpartien sind den vorherrschenden nordwestlichen und nördlichen Luftströmungen ausgesetzt. Das Jahresmittel der Lufttemperatur liegt hier oft bei kaum 4°C. Es besteht auch keine Not an ausgiebigen Niederschlägen. Gewöhnlich liegt in den meisten Skizentren mindestens vier Monate im Jahr eine zusammenhängende Schneedecke.

Die Skala der Vegetationsstufen reicht in den Orlické hory von der submontanen bis zur höheren montanen oder supramontanen Stufe. Das Gebiet ist beinah zu 70% bewaldet. Die heutige Pflanzenwelt des Gebirges, zeugt von seiner interessanten biogeographischen Lage, die in bedeutendem Maße auch eine Grenze darstellt und ist relativ vielfältig. Die Tierwelt kann als herzynische bezeichnet werden, mit überwiegend submontanen und montanen Vertretern.

1969 wurden die naturwissenschaftlich wertvollsten Teile der Orlické hory zu einem 204 km² grossen Landschaftsschutzgebiet erklärt.

206. Bei gutem Wetter kann man vom Vrchmezí weite Teile des Gebietes von Broumov und der Góry Stołowe in Polen sehen.
207. Stromschnellen in der Klamm Zemská brána auf der Divoká Orlice
208. Wald-Primel (*Primula elatior*)
209. Märzenbecher (*Leucojum vernum*)
210. Winter in Kammbeständen
211. Tagpfauenauge (*Nymphalis io*)
212. Weiße Pestwurz (*Petasites albus*)
213. Die Kuckucks-Lichtnelke (*Lychnis flos-cuculi*)
214. Wochenendhäuser in Bedřichovka - in der Furche von Orlické Záhoří
215. Vorfrühling im Nationalnaturschutzgebiet Bukačka
216. Die Berghütte Masarykova chata auf dem Kamm des Adlergebirges.
217. Die Gruppe der Velká Deštná (1115 m) - von Ošerov aus
218. Die Sumpfwiesen Trčkovské louky sind - seit den 80 er Jahren des 20. Jahrhundert ein Naturschutzgebiet
219. Informationstafel Unter der Kote Vrchmezí (1084 m)
220. Die Gebirgskämme des Adlergebirges beim Anblick vom Fuss des Komáří vrch - Hinter der Wegkreuzung Pěticestí erheben sich Tetřevec (1043 m) und Velká Deštná.
221. Strategische Befestigung im Sattel Mezivrší - im Hintergrund Komáří vrch (992 m)
222. Grenzschneise am Hauptkamm - im Hintergrund Silhouette des Hügels Polomský kopec (1050 m)
223. Frühling in Říčky - im Hintergrund der Berg Zakletý (991 m) mit den Spuren der Pisten
224. Der höchste Teil des Kammes - von Orlické Záhoří aus

225. Einer der rechtsseitigen Zuflüsse der Divoká Orlice

Šumavské podhůří (Vorgebirge des Böhmerwalds)

Das Šumavské podhůří verläuft von Nordwesten nach Südosten parallel zum Grenzkamm der Šumava. Die Tausendmetergrenze übersteigt es nur im Bergland Prachatická hornatina, konkret im Bergland Libínská hornatina mit dem Libín (1096 m) und im Blanský les (Plansker Wald) mit Kleť (Schöninger, 1084 m). Das gesamte Vorgebirge umfasst eine Fläche von 2407 km² und erreicht eine durchnittliche Meereshöhe von fast 635 m. Das gesamte Gebiet gehört zu dem ältesten Kern des böhmischen Massivs, zum sog. Moldanubikum. Von Gesteinen sind vor allem Gneise, Paragneise oder Glimmerschiefer vertreten, durch welche Granulitkörper durchgedrungen sind. An sie sind oft Serpentinite oder Amphibolite gebunden.

Das Relief des Vorgebirges ist ziemlich heterogen. Seinen Charakter bestimmen parallel verlaufende, breite und abgerundete Bergrücken. Neben tektonisch bedingten Formen wurde die Modellierung der Berge vor allem durch selektive Erosionen und Denudationen beeinflußt. In steileren Partien kommen auch Felsaufschlüsse oder Geröllfelder zur Geltung. Besonderen Reiz verleihen den Bergen quer eingesenkte Täler, durch welche die wichtigsten Flüsse fließen. Alle gehören zum Einzugsgebiet der Elbe und entspringen in der Regel tiefer im Bergland Šumavská hornatina.

Das Klima selbst der höchsten Erhebungen des Vorgebirges ist im Vergleich mit den entsprechenden Lagen in der benachbarten Šumava trockener und wärmer. Es macht sich also der Windschatten und der mit ihm verbundene Föhneffekt bemerkbar (hier wird seine Auswirkung durch die Alpen und die Šumava verdoppelt).

Die hiesige Pflanzen- und Tierwelt ist sehr ähnlich wie in der Šumava. Die Fachleute ordnen beide Bergländer derselben biogeographischen Region zu. Die ausgedehnten Wälder des Vorgebirges werden in der Regel wirtschaftlich genutzt. Den Schutz der Natur gewährleisten hier heute viele kleinflächige Schutzgebiete. Abgesehen von den Randpartien des Landschaftsschutzgebietes Šumava ist hier das bedeutendste und bisher einzige großflächige besonders geschützte Gebiet das Landschaftsschutzgebiet Blanský les. Es wurde 1989 auf einer Fläche von 212 km² gegründet.

226. Urwald im Blanský les nordöstlich vom Hauptrücken.
227. Der Libín (1096 m) und Staré Prachatice - Ansicht von Norden
228. Sperlingskauz (*Glaucidium passerinum*)
229. Habichtskraut (*Hieracium sp.*),
230. Stilleben auf einem alten Stein
231. Die höchsten Lagen des Hügellandes Prachatická sind hauptsächlich von Kultur-wäldern mit Fichtenbestänten bewachsen
232. Den tiefen Einschnitt der Moldau und die

Stadt Český Krumlov überragt der Kleť (1084 m).

233. Von Südwesten her wirkt der Libín unauffälig.

234. Aussichtsturm auf dem Gipfel des Libín

235. Der westliche Kamm und die Stadt Prachatice - Blick vom höchsten Berg des Hügellandes Prachatická hornatina aus gesehen

236. Eingang zum Naturschutzgebiet Kleť

237. Felsgebilde unter dem Gipfel des höchsten Berges im Blanský les (Blansker Wald)

238. Komplex des astronomischen Observatoriums nahe dem Gipfel des Kleť

239. Silhouette des Kleť von Nordwesten

Novohradské hory (Freiwald)

Das Gebirge Novohradské hory gehört zur orographischen Einheit des Berglandes Šumavská hornatina. In der Tschechischen Republik nimmt es eine Fläche von etwa 162 km² ein, seine durchschnittliche Höhe liegt bei 810 m. Der höchste Punkt des gesamten Gebirges ist der sich bereits in Österreich befindende Viehberg (1112 m), in Böhmen ist der höchste Berg der Kamenec (1072) m nahe der Staatsgrenze.

Das Gebirge hat das Gepräge eines flachen Berglandes, dessen Randteile markante, an Bruchlinien gebundene Berghänge und Täler begrenzen. Darüber hinaus gibt es hier auch flachere, oft von Mooren erfüllte Talengen. An vielen Stellen hat die eiszeitliche Kryoplanation Spuren hinterlassen, in derselben Zeit sind auch die Blockfelder und Frostkliffe entstanden. In höheren Lagen sind auch sackförmige Steinblöcke, einzeln stehende Felsen oder Felsburgen vorhanden. Die Novohradské hory sind ein Bestandteil des Moldanubikums. Das wichtigste Baumaterial sind Granitoide, marginal kommen auch Granite oder Gneise vor.

Das Klima ist kühl, mit einem Jahresmittel der Lufttemperatur von maximal 5°C. Die langfristigen Niederschlagswerte bewegen sich in der Regel zwischen 700 und 800 mm pro Jahr. Ein häufiger Gast ist hier der Föhn aus den Alpen.

Der böhmische Gebirgsteil, ähnlich wie ein wesentlicher Teil des österreichischen (Freiwald) gehört zum Einzugsgebiet der Elbe. Hier entspringt z.B. der unter den böhmischen Kanuten populäre Moldauzufluss Lužnitz (Lainsitz), weiter im Westen dann die Malše (Maltsch), die rechts die Černá (Schwarzaubach) und Stropnice aufnimmt.

Den größeren Teil des Gebietes bedecken zusammenhängende Waldbestände. Die Stufe der klassischen Fichtenbergwälder hat sich aber hier in der Vergangenheit wahrscheinlich niemals ausgebildet. In der Postglazialzeit erfüllte das Gebirge die Aufgabe eines Migrationsknotens zwischen den Alpen und den anderen böhmischen Gebirgen.

Das Gebirge Novohradské hory wartet schon viele Jahre darauf, zum Landschaftsschutzgebiet erklärt zu werden. Übrigens befinden sich hier die beiden ältesten kleinflächigen Naturschutzgebiete Tschechiens - der Urwald Žofínský prales und Hojná Voda. Beide sind der

Öffentlichkeit nicht zugänglich.

240. Pohoří na Šumavě

241. Breitblättriger Dornfarn (*Dryopteris dilatata*)

242. Fischotter (*Lutra lutra*)

243. Granodioritwalle auf der Kraví hora

244. Pippau (*Crepis sp.*)

245. Parklandschaft im Zentrum des Freiwalds

246. Der Bach Pohořský potok diente früher dem Flössen von Holz.

247. Die Häuser in Hojná Voda sind vom Massiv der Vysoká (1034 m) umrahmt.

248. Teich in Pohoří in der nicht mehr bestehenden Siedlung von Jiřice

249. Remisen, Weiden und Wälder im Bereich Myslivna (1040 m) und Lovčí hřbet (980 m)

250. Barockkirche in Dobrá Voda

251. Südwestliches Panorama von der Kraví hora gesehen

252. Der Dom von Dobrá Voda steht da wie ein Phantom

253. Weide bei Nové Hrady - Die Idylle schließt mit der Vysoká (1034 m) und der Kraví hora (963 m) ab

Český les (der 'nördliche' Böhmerwald)

Der Český les fällt zum Inneren Böhmens steiler ab als in Richtung Südwesten. Die Gesamtfläche des böhmischen Teils des Gebirges beträgt 790 km², seine durchschnittliche Höhe 628 m. Der höchste Gipfel ist der Čerchov (1042 m), am südöstlichen Rand des Gebirges, der als das Bergland Haltravská hornatina bezeichnet wird.

Das Gebirge hat heute einen schollen- bis horstartigen Charakter. Es entstand durch das Zerbrechen einer alten verebneten Oberfläche und deren Hebung im Verlauf der saxonischen Vorgänge. Aus geologischer Sicht kommen hier vor allem kristalline Gesteinstypen des Moldanubikums vor - Gneise, Paragneise und Migmatiten. Im Norden, insbesondere in der Umgebung des Dyleň (Tillenberg), kommen auch Glimmerschiefer zur Geltung. Der eigentliche Gipfel ist aber ein Bestandteil des sog. böhmischen Kieselwalles. In den höchsten Lagen des Český les findet man reichlich isolierte Felsen und steile Frostkliffe, die mit den Kryoplanationsebenen und Blockströmen kontrastieren.

Auf den Bergkämmen des Český les verläuft die Wasserscheide zwischen der Nordsee und dem Schwarzen Meer. Von bekannteren Flüssen entspringen hier z.B. - Mže (Mies) und Radbuza die sich dann zur Berounka (Beraun) vereinigen. In den Süden - nach Bayern - fließt eine Reihe von kleineren und auch ergiebigeren linken Zuflüssen der Donau. Der Český les stellt eine relativ markante klimatische Scheide dar.

Das Gebirge bewachsen heute vor allem Fichtenmonokulturen, Überreste der ursprünglichen Urwälder sind sehr selten. Im Vergleich mit der im übrigen ähnlichen Šumava ist das Spektrum hiesiger Pflanzen- und Tierarten ärmer.

Im Český les existieren einige kleinflächige besonders geschützte Gebiete. Einen bestimmten großflächigen Schutz bieten die Naturparks Český les und Diana.

254. Český les - Panorama von Osten, rechts die Čerchov-Gruppe (1040 m)

255. Krauses Greiskraut (*Tephroseris crispa*)

256. Schwarzstorch (*Ciconia nigra*)

257. Naturnahe Bestände um den Gipfel des Čerchov

258. Augentrost (*Euphrasia rostkoviana*)

259. Auf dem Bach Černý potok wurde in der Vergangenheit Scheitholz geflößt.

260. Felder am Fusse des Čerchov im August

261. Auf dem Gipfel des höchsten Berges stand einst ein Aussichtsturm. Im kalten Krieg wurde er durch einen militärischen Beobachtungsposten ersetzt.

262 Das Bergland von Haltravská hornatina unter dem Gipfel Sádek (854 m)

263. Barockes Interieur der St.-Martinskirche in Klenčí

264. Historischer Kern von Trhanov

265. Massiv des Čerchov

266. Von Výhledy aus kann man einen grossen Teil des historischen Chodenlandes sehen.

267. Das Denkmal - des bekannten Schriftstellers J. Š. Baars

Vsetínské vrchy

Das Bergland Vsetínské vrchy liegt im Osten der orographischen Einheit der Hostýnsko-vsetínská hornatina. Es handelt sich um ein flaches Hügel- bis gegliedertes Bergland mit langen Bergrücken und zahlreichen Querzwieseln. Die Vsetínské vrchy umfassen 338 km², die durchschnittliche Höhe ist etwas höher als 590 m. Der höchste Punkt ist Vysoká mit 1024 m.

Die Vsetínské vrchy gehören zum äußeren Gürtel des westkarpatischen Flysches. Ihre mannigfältigen und stark gefalteten Gesteinsfolgen sind vor allem aus paläogenen grobkörnigen Sandsteinen, Konglomeraten und Schiefertonen zusammengesetzt. Das Gelände bedingt hauptsächlich das Entstehen der Flusserosion, häufig kommen auch Erdrutsche, Blockströme und Sandsteinfelsen vor.

Beinahe das gesamte Bergland gehört zum Einzugsgebiet des Schwarzen Meeres. Es wird von den Flüssen Rožnovská (Dolní) Bečva und Vsetínská (Horní) Bečva entwässert. Im nordwestlichsten Gebirgsausläufer entspringt die Bílá Ostravice, die sich allerdings zur Oder und mit ihr zur Ostsee wendet. Das Klima des Berglandes ist verschiedenartig. Wie in den benachbarten Javorníky ist auch hier der Einfluss des Regenschattens hinter den Moravskoslezské Beskydy und dem Bergland Hostýnské vrchy spürbar.

Die ursprünglichen krautreichen und bodensaueren Buchenwälder wurden in der Regel bereits gefällt und in aus Fichten zusammengesetzte Kulturwälder umgewandelt. Ein Teil des Gebirges ist waldfrei und wird als Bergwiesen oder - weiden genutzt. Auch die hiesige westkarpatische Fauna wird vom Menschen beeinflusst.

Der überwiegende Teil des Berglandes Vsetínské vrchy gehört zum Landschaftsschutzgebiet Beskydy. Kleinflächige besonders geschützte Gebiete gibt es im Gebirge bisher nur wenige, im Bereich des höchsten Berges, des Kamms Soláňský hřeben fehlen sie sogar ganz.

268. Feuer-Lilie (*Lilium bulbiferum*)
269. DieVysoká (1024 m) und ihre Gruppe - Panorama von der Gemeinde Hlavatá aus gesehen
270. Echtes Springkraut (*Impatiens noli-tangere*)
271. Gemeines Ferkelkraut (*Hypocheris radicata*)
272. Ausbaggern eines Wasserbeckens in Horní Bečva.
273. C-Falter (*Polygonia c-album*)
274. In der Walachei sind die Volksbräuche noch immer lebendig
275. Vergangenheit und Gegenwart - Gestickte und Kunststoff-Mode
276. Aufgelichtete Bestände auf dem Gipfel der Vysoká - In der Ferne sieht man die ersten Riesen der Beskyden.
277. Holzkapelle im Tal der Rožnovská Bečva
278. Links die bewaldete Polana (937 m), rechts die Furche Rožnovská brázda.
279. Gebirgsfarmen oberhalb des Erholungszentrums Třeštík
280. Portal der Kirche in Horní Bečva aus dem Ende des 18. Jahrhunderts
281. Weiler am Fuße des Jestřáb (777 m) - Von Vysoká aus gesehen

Javorníky (Javornikgebirge)

Heute bildet der Bergrücken der Javorníky die Staatsgrenze zwischen der Tschechischen Republik und der Slowakei. In der Slowakei erreicht das Gebirge seinen höchsten Punkt im Velký Javorník (1071 m), auf der mährischen Seite ist der Malý Javorník (1019 m), oft auch nur Javorník genannt, am höchsten. In Mähren nehmen die Javorníky eine Fläche von etwa 230 km² ein. Ihre Meereshöhe beträgt 632 m. Ähnlich wie die anderen mährischen und schlesischen Karpaten gehören auch die Javorníky zu den Äußeren Karpaten. Diese wurden im Rahmen der hier erfolgenden orogenetischen Vorgänge relativ spät aufgefaltet und bestehen aus den verschiedensten Sedimenten, die in ihrer Gesamtheit als Flysche bezeichnet werden. Im Bereich des schmalen Kammes werden sie vor allem durch die beständigen paläogenen Sandsteine vertreten. Der Hauptkamm ist ungefähr von Südwesten nach Nordosten orientiert und in Bezug auf seine Höhe im ganzen ausgeglichen. In Kontrast mit ihm stehen die steilen Berghänge mit tiefen seitlichen Tälern, die ihren Ursprung aus Flüssen nicht verleugnen. Ein Gelände, das für massive Erdrutsche oder tiefe Erosionsrinnen wie geschaffen ist!
Die Bäche, Flüßchen und Flüsse der Javorníky gehören zum Einzugsgebiet der Donau. Das Klima des Gebirges wird durch seine Lage im Schatten des Berglandes Hostýnsko-vsetínské vrchy und der Moravskoslezské Beskydy beeinflusst. Höhere Partien können als kühl bis sehr kühl charakterisiert werden, vergleichbare Höhenlagen sind aber trockener und wärmer als in ihren beiden westlicher gelegenen „Geschwistern".

Die Javorníky sind heute überwiegend von Fichtenmonokulturen bewachsen. Ursprüngliche krautreiche Buchenwälder, Tannen-Buchenwälder, Tannenwälder und in den höchsten Lagen auch bodensauere Buchenwälder findet man nur selten - in der Regel stehen sie unter staatlichem Schutz. Die Flora der Javorníky trägt bereits ein markantes westkarpatisches Gepräge und auch die Tierwelt lässt keinen Zweifel über ihre geographische Zugehörigkeit zu. Sie sind wohl nur etwas ärmer als in der Slowakei.
Der gesamte mährische Teil der Javorníky gehört zusammen mit dem Tal der Vsetínská Bečva zum südlichen Teil des Landschaftsschutzgebietes Beskydy (Beskiden).
282. Der Malý Javorník (1019 m) - eine der wenigen Lichtungen unter dem Gipfel
283. Wildkatze (*Felis silvestris*)
284. Rippenfarn (*Blechnum spicant*)
285. Kanten-Johanniskraut (*Hypericum maculatum*)
286. Braunbär (*Ursus arctos*)
287. Bildstock beim Dorf Stanovnice
288. Hinter dem Malý Javorník verläuft die Staatsgrenze rechts vom Hauptkamm. Der Velký Javorník (1072 m) liegt also bereits in der Slowakei
289. Auf dem Kamm bei Kohútka - Hinter den Berghütten Spacák und Javorka erhebt sich der Stolecký vrch (962 m).
290. Kyčera (851 m) und Gigula (951 m) krönen zwei Seitenzwiesel.
291. Lichtung auf dem Gipfel des Malý Javorník - Umgebung der höchsten Kote im mährischen Gebirgsteil
292. Morgendlicher Dunst über dem Wasserbecken Stanovnice
293. Mähwiesen bei Hrdinky -im Hintergrund der Gipfel Planinská Kýčera (768 m)
294. Panorama des Javornikgebirges - vom Bergland Vsetínské vrchy aus gesehen
295. Die höchste Gebirgsgruppe - vom Weiler Nad Rakošovem aus gesehen

Ještědský hřbet (Jeschken)

Der Ještěd erreicht eine Höhe von 1012 m. Er ist ein Bestandteil des sog. Hlubocký hřbet, des mittleren Teiles des Bergrückens oder auch Kammes Ještědský hřbet (Jeschkenkamm). Dieser ist über 30 km lang und hat den Charakter eines flachen Hügellandes, welches ungefähr 120 km² einnimmt und dessen durchschnittliche Höhe bei nicht ganzen 550 m liegt. Den von Nordwesten nach Südosten orientierten Jeschkenkamm haben starke neotektonische Bewegungen emporgehoben. Es handelt sich um einen typischen Horst, der durch eine markante geologische Linie, die sog. Lausitzer Überschiebung von den Sedimenten der böhmischen Kreideplatte getrennt wird.
Das Gebirge besteht aus Gesteinstypen des Jeschken-Kristallinikums, vorwiegend frühpaläozoischen Alters. Der eigentliche Gipfel des Ještěd ist im Grunde ein Quarzit-Härtling. Der Hlubocký hřbet besteht außerdem aus Phylliten, Quarzit und örtlich kommen auch verkarstete Zwischenschichten kristalliner Kalksteine vor. Die nahe Umgebung des eigentlichen

Jeschkenkammes ist reich an Überresten periglazialer Vorgänge. Neben Blockfeldern und Geröllen treten hier auch Gipfelfelsen oder Frostkliffe auf.
Im beschriebenen Gebiet entspringt kein bedeutenderer Fluss, trotzdem darf seine hydrologische Bedeutung nicht vergessen werden.
Aus klimatologischer Sicht liegt der Jeschken an der Wetterseite der vorherrschenden nordwestlichen Luftströmung, gleichzeitig macht sich aber doch die Schutzwirkung der ausgedehnteren und etwas vorgeschobenen Jizerské hory und Lužické hory (Lausitzer Gebirge) bemerkbar, sowie auch die relativ niedrigere Höhe des Gebirges.
Flora und Fauna erinnern auf den ersten Blick an das Biot der entsprechenden Partien der Jizerské hory. Dank einer gewissen Abgesondertheit und dem windigen Mesoklima konnte sich hier in vollem Maße der sog. Gipfeleffekt entfalten. Die Waldbestände bilden hauptsächlich Fichtenwälder, die in niedrigeren Lagen praktisch ausschließlich anthropogener Herkunft sind. Artenreichere Pflanzengesellschaften besiedeln die Hänge mit Kalksteinuntergrund.
Das bekannteste kleinflächige besonders geschützte Gebiet im Bereich des Ještěd ist das Nationalnaturschutzgebiet Karlovské bučiny.

296. Obere Seilbahnstation und avantgardistiches Hotel mit Funkturm
297. Der Panoramaweg bietet Einblicke in die Kammbestände.
298. Der Jeschken (1012 m) - nicht zu übersehende Dominante von Liberec
299. Roter Fingerhut (*Digitalis purpurea*)
300. Huflattich (*Tussilago farfara*)
301. Frühherbst in den Buchenwäldern am Hang des Ještěd
302. Vogel-Wicke (*Vicia cracca*)
303. Reh (*Capreolus capreolus*)
304. Vířivé kameny nordöstlich vom Jeschken
305. Pláně pod Ještědem und der Kamm des Jeschken von Südosten
306. An den Kamm des Jeschken schliessen die Bergkämme Hluboký und Rašovský an.
307. Parkplatz bei der Hütte Ještědka am Kamm des Jeschken
308. Von Horní Hanychov fährt bis zum Gipfel eine historische Kabinenseilbahn.
309. Tetřeví sedlo und Černá hora (811 m) - Blick von der Felsformation Vířivé kameny

Hanušovická vrchovina

Das Bergland Hanušovická vrchovina ist ein Komplex von Bergländern und Talkesseln, der sich nördlich des Kessels Šumperská kotlina erhebt. Das ganze Gebirge nimmt eine Fläche von 793 km² ein, aber der einzige Berg der die Tausendmetergrenze überschreitet, ist der 1003 m hohe Jeřáb. Das Gebirge bilden verschiedenartige Gesteinstypen, unter denen kristalline Schiefer und gefaltete paläozoische Ablagerungen überwiegen. Selbst Inseln von Kehrschleifen oder Kalkstein sind nicht selten. Die tieferen Täler und Absenkungen erfüllen tertiäre oder quartäre Sedimente. Das eigentliche Jeřáb- Bergland ist seinem

Bau nach in Grunde ein Horst. In seinem höchsten Partien haben sich Spuren einer intensiven Kryoplanationsmodellierung bewahrt, auch Kryoplanationsterrassen, Frostkliffe, einzeln stehende Felsen oder Felsburgen kommen hier vor.

Durch den westlichsten Ausläufer des Berglandes und direkt über den Gipfel des Jeřáb verläuft die Elbe-Donau Wasserscheide. Die klimatischen Verhältnisse des Gebietes sind sehr unterschiedlich. Zwischen den niedrigen Lagen Gipfeln, Nord- und Südhängen machen sich markante Unterschiede bemerkbar.

Auch die Flora und Fauna des Berglandes Hanušovická vrchovina ist mannigfaltig. Der Einfluss der höheren Grenzgebiete, sowie der wärmeren südlichen Vorgebirge ist spürbar. Der wesentliche Teil des Gebietes wurde in der Vergangenheit entwaldet. Die Überreste von Waldbeständen bilden heute hauptsächlich Fichten-Monokulturen.

Der bestehende Schutz des Gebietes ist nicht ausgewogen. Während der östliche Teil zum Landschaftsschutzgebiet Jeseníky gehört, hat der westliche Teil einiges nachzuholen. Das bislang einzige kleinflächige Naturschutzgebiet in diesem Teil nennt sich Na hadci.

310. Die Serpentinite im Naturschutzgebiet Na hadci besiedeln eigentümliche Pflanzengesellschaften.
311. Phrygische Flockenblume (*Jacea phrygia*)
312. Feuersalamander (*Salamandra salamandra*)
313. Taubenkropf (*Silene vulgaris*)
314. Stilleben mit Pilzen
315. Piste unter der Berghütte Severomoravská - Im Hintergrund der Kamm des Spieglitzer Schneebergs.
316. Sonnenaufgang hinter Jeřábek (838 m) und Jeřáb (1003 m) - links der Kegel - des Mariánský kopec, eines Wallfahrtsortes
317. Im Sattel zwischen den Gipfeln Jeřáb und Bouda steht die Dreifaltigkeitskirche.
318. Der Jeřáb spiegelt sich im Teich

Vysokopotocký
319. Die ausgebreitete Silhouette des Hrubý les mit Marchtal von Raškov aus gesehen
320. Die höchste Gruppe der Bergländer Branenská und Hanušovická vrchovina von den Hängen des Pohořelec (851 m) gesehen
321. Buchenwälder im Hrubý les
322. Der Berg Jeřáb von der Gemeinde Červený Potok aus gesehen
323. Panorama des Hrubý les von der Rovinka (615 m) aus gesehen.

DOPORUČENÁ LITERATURA

Babič, J.: **Jeseníky. Nejkrásnější turistické trasy.** Freytag & Bernd, Kletr, Praha, Plzeň 2000.

Culek, M. a kol.: **Biogeografické členění České republiky.** Enigma, Praha 1986.

Čihař, J.: **Příroda v ČSSR.** Práce, Praha 1988.

Čihař, J. Kovanda, M.: **Horské rostliny ve fotografii.** SZN, Praha 1983.

Čihař, M.: **Přírodní krásy Československa.** Olympia, Praha 1989.

Čihař, M.: **Ochrana přírody a krajiny I.** Územní ochrana přírody a krajiny v České republice. Karolinum, Praha 1998.

Demek, J.: **Geomorfologie českých zemí.** Nakladatelství ČSAV, Praha 1965.

Demek, J. a kol.: **Hory a nížiny.** Zeměpisný lexikon ČSR. Academia, Praha 1987.

Frič, D., Adamec, V. a kol.: **Československo - průvodce.** Olympia, Praha 1982.

Dostál, J.: Nová květena ČSSR I., II. Academia, Praha 1982.

Häufler, V., Korčák, J., Král, V.: **Zeměpis Československa.** Nakladatelství ČSAV, Praha 1960.

Jeník, J. a kol.: **Alpínská vegetace Krkonoš, Králického Sněžníku a Hrubého Jeseníku.** Teorie anemo-orografických systémů. Nakladatelství ČSAV, Praha 1961.

Jeník, J. a kol.: **Biosférické rezervace České republiky.** Empora, Praha 1996.

Kholová, H.: **Naše přírodní ráje.** Práce 1980.

Kolektiv: **Krkonoše.** Turistický průvodce ČSSR, Praha 1980.

Maršáková, M., Mihálik, Š.: **Národní parky, rezervace a jiná chráněná území v Československu.** Academia, Praha 1977.

Mísař, Z. a kol.: **Geologie ČSSR I.** Český masiv. SPN, Praha 1983.

Rubín, J., Balatka, B. a kol.: **Atlas skalních, zemních a půdních tvarů.** Academia, Praha 1986.

Soják, J.: **Rostliny našich hor.** SPN, Praha 1984.

Sýkora, B. a kol.: **Krkonošský národní park.** SZN, Praha 1983.

Valenta, M., Kadoch, J.: **Národní park Šumava.** Správa NP a CHKO Šumava, Vimperk 1996.

Veselý, J. a kol.: **Ochrana československé přírody a krajiny II.** Nakladatelství ČSAV, Praha 1954.

OBSAH

Martin Čihař

NAŠE HORY

Fotografie Martin Čihař
Mapy Karel Kupka a Jaroslav Synek
Družicová mapa ČR ARCDATA PRAHA,
s.r.o., na základě družicových snímků
LANDSAT7 1999–2000
Ilustrace, grafická úprava a obálka
Lucie Pítrová
Překlad do anglického jazyka
Alice Háková
Překlad do německého jazyka
Petr Bouška
Redakce Michael Borovička
Odpovědná redaktorka Pavla Jiráková
První české vydání
Vydalo OTTOVO nakladatelství, s.r.o.,
Lublaňská 61, Praha 2, v divizi CESTY,
nakladatelství a vydavatelství,
v roce 2002 jako svou 857. publikaci.
Sazba a reprodukce Baroa, s.r.o., Praha
Tisk Neografia, a.s., Martin

Text and Photo © Martin Čihař, 2002
Maps © Karel Kupka, Jaroslav Synek,
2002
Satellite map © 2002 ARCDATA
PRAHA, s.r.o.
LANDSAT7 © 1999–2000 ESA
Cover design © Lucie Pítrová, 2002
English translation © Alice Háková,
2002
German translation © Petr Bouška,
2002

ISBN 80-7181-760-0 (OTTOVO
NAKLADATELSTVÍ – CESTY. Praha)